岩　波　現　代　文　庫

増補 もうすぐやってくる尊皇攘夷思想のために

加藤典洋

Norihiro Kato

文芸 349

岩波書店

「複雑さを厭わずに考える」こと——序に代えて

先頃、「複雑」というコトバをよく聞く。対語は「シンプル」だろうが、「シンプル」と「複雑」という対比は、なかなかに現代的である。どこが現代的かというと、そもそもこの対比は、「シンプル」という基準が生まれないと、また「シンプル」への志向(嗜好)が生じないと、出てこない。

たとえば、右足と左足の長さが同一で、右半身と左半身の筋肉が均等という人は、厳密にいうと、少ない。人間の身体は左右対称ではないからだ。人に、心臓は一個しかない。そしてそれはふつう、左側に鎮座している。また、たとえ見渡す限り地平線まで平地が続く砂漠のような場所でも、地面はなだらかな起伏をもっている。したがって、その人が、というか、生物体が、地平線に向かって歩いて行くとしても、それが、シンプルな一直線を描く可能性は少ない。自分でまっすぐに歩いているつもりでも、その足取りを、上空から、定規を当てて計測すれば、それは微妙に、左に、その後、右に、くねり、めぐり、揺らいでいる。それはそれでシンプルで、ナチュラルな軌跡といってよいものなのだが、そこに定規を当てると、シンプルと複雑、という新しい対比が現れる。ナチュラル、の代わりに、複雑、という感じを、私たちは受けとるようになる。

複雑系という概念も同じだ。複雑系とはたとえば気象、蟻の巣、人間社会、神経系などであって、すべて自然(ナチュラル)である。それを、新たに「シンプル」な要素の結合として見るようになると、その自然さが「複雑さ」として現れてくる。

シンプルの元祖は、コンピュータの二進法であって、プラスかマイナスか、ゼロか一か、イエスかノーかがその適用例である。といっても、それは二元論ではない。その証拠が、反意語は「多元論」ではなく「複雑さ」だ——ということなのだろう。

情報化社会などということがいわれ、問いがなされ、しばらくすると、答えがなされる、その間合いが近くなると、ますます、私たちには、その間遠さに、我慢がきかなくなる。すぐにはっきりした答えがやってくると、私たちは納得する。それがシンプルな答え、ということであり、なかなか答えがやってこない、するとそれは、複雑でよくわからない、と受けとめられる。

私のシンプルと複雑のカタログを示そう。

飛行機と、自動車・自転車・歩行の違いは何だと思いますか。

それはね。飛行機は目的地が先に決まっていないと、出発できないことである。まず出発だ、と空に飛んで、それからどこに行こうかというわけにはいかない。飛行機はだから、一つの仕方でしか行動できない。二点間の最短距離を飛ぶ。シンプルだが、不自由である。自由とシンプルとは、いつも共存できるわけではない。

次は、あるところに書いた例だが。

あるとき、車で辺鄙（へんぴ）な山のなかをどこまでも入っていったら、それまで「火気注意」、「山火事注意」とあった道ばたの看板が、古い時代の「火の用心」に変わった。それで、「注意」と「用心」ってどう違うのだろうと思い、懐中電灯と提灯（ちょうちん）だなと、思った。

懐中電灯と提灯の違いは、何だと思いますか。

懐中電灯はピンポイントである点に向けて光を向ける。これに対し、提灯は、自分の周りを照らす。前も後ろも照らすから、無駄なことをしているようだが、それをとらえる仕方が違う(図書館で、本棚まで探しに行くと、その前後の本も一緒に見ることができるのと似ている)。そう見ると、注意と用心。ここにも、シンプルと複雑と似た、シンプルとシンプルでないものの対比が見つかることになる。

また、もう一つ。不可疑性と可誤性。

「不可疑性」というのは、こうとしか考えられない、という線に沿って、一歩、一歩、論理をつきつめていく仕方である。フッサールは、主観が先か、客観が先か、という哲学上の問題に対し、客観が存在するかどうかは確証できない以上、客観が主観からどう作りだされるかを確証することが哲学の課題になるとして、こうとしか考えられない、という推論の仕方を駆使し、結論する。私は、この現象学由来の考え方を知って、自分の批評の考え方と同じだと、一時、説得されたが、だんだんそのことに不自由を感じるようになった。それは、一点と一点のあいだには無数の線が引かれうるが、最短距離の「直線」は一つしか引かれえない、そして、その直線伝いに考えていく限り、人は間違わない、という正しさの確定法である。しかしここからはフィクションは、生まれえない。たとえば批評は書かれるが、小説は書かれえない。

とはいえ、批評を書くことがものごとを考えることであるように、小説を書くことも、ものごとを考えるもう一つの仕方なのではないだろうか。

みなさんは、どう思いますか。

私は、人は正しいかどうかわからないままに考えるということをふだんしているし、事実、そのためにしばしば間違ってしまうということも起こるけれども、その「間違いうる」という状態のなかで「考える」ことのうちに、「考える」ことの本質はあるのではないか、と考えるようになった。

ドストエフスキーの『カラマーゾフの兄弟』の「大審問官」の章のなかで、なぜゴルゴタの丘で、奇跡を起こし、自分が神の子であることを民衆に示さなかったのか、そうすれば容易く(たやす)誰もが彼に帰依したろうに、という問いに、返されるのは、イエスは、誰もが奇跡の奴隷になることを欲さなかった、誰もが自分のリスクをとって(本当にそうかどうかわからないなか）イエスの言動だけから判断して、信仰を選び取ることを欲した、だから奇跡を行わなかったのだ、という答えである。私は、そこから学び、そこにあるものを、「可誤性」と呼んでみた（「戦後後論」）。

可誤性とは、だから、間違いうるなかで、正しさは求められるべきであり、間違いを排除する仕方で、それを求めれば、その正しさ自体がやせ細ってしまう、という判断を含んでいる。

ここにもシンプルと複雑の対照が見つかる。信仰は、いわば、無数の迷いのなか、複雑さのもとで探し求められることのうちに、それがシンプルであることの〝意味〟をもっているのである。

最後は、最初の車両と最後の車両。

昔から、私は、社会のなかに「進んだ考え方」と「遅れた考え方」があるように、誰のなかにも「前向きの考え方」と「後向きの考え方」があると考えてきた。いわゆる最新思想、革新思想、近代的な考え方、また、これに対する、時代遅れの思想、保守・反動の思想、前近代的とされる考え方、などがその例である。しかし、同じように、一人一人のなかにも、前向きに考えれば、Aと考えられるが、うんと後ろ向きに考えれば、Bと考えられるなあ、ということがある。北朝鮮が攻めてくる、テポドン・ミサイルを撃ってくるゾなどというのは、私の常識（最初の車両）で考えれば、非現実的で、考えにくい。保守政権のデマゴギーに近い。しかし、翻って考えれば、世の人びとが、この保守政権のキャンペーンに一定程度動かされるのも、不思議ではない。日本の革新陣営は、一度は、北朝鮮に関する保守派の危険視には根拠がないと主張したが、それは拉致事件で間違いだったことが明らかになった。信用できないし、北朝鮮は怖いゾ、という不安には、一定の客観条件がある、そう私のなかのひねくれた感想(最後の車両)は、私にいう。

こういうばあい、私という列車の最初の車両は、「わかりがはやく」、最後の車両は「わかりがおそい」。

そして、私は、必ず最後の車両の「わかりがおそい」部分の判断に立つことにしている。それが、「わかりがはやい」と「わかりがおそい」の両方を自分で引き受けるための、ただ一つの方法だからである。

「わかりがはやい」部分の判断に立てば、「わかりがおそい」方が切り捨てられるが、逆なら、両方の葛藤が取り込まれる。ここにも、シンプルと複雑の対比が生きられている。

さて、私に尋ねられたことは、私自身の「複雑さを厭わずに考える」姿勢について、思うところを記すことであった。

近著の『戦後入門』(ちくま新書、二〇一五年)という著作で、私の「結論」部分とも目される憲法九条改訂案は、六三〇頁中、四四〇頁以降に出てくる。これ以前を前置きと見れば、優に四〇〇頁を超える。そこから、「複雑さを厭わずに考える」ことが、実践されていると受けとられたのだが、こう書いてくるとわかるように、そこで行われているることは、「複雑さを厭わない」であるより、「シンプルさ」へと駆動するものに動かされないことである。考えることの自然の揺らぎ、ためらい、試行錯誤を殺さない、ことである。

書くことは、そもそもが不自然なことなので、これを「自然」というのは語弊がある。しかし、書くことの不自然さ、本来の野放図さを、面倒な言い方をするなら、エクリチュール、ディスクールの野性の自然、ということも可能である。それにタガをはめないことが、私の考えることと書くことの姿勢なのだ。

「複雑さを厭わずに考える」ことは難しい。わざわざ面倒に(複雑に)考えるということは、考えることの自然にそむくからだ。だから、そうではなく、人は「間違いうることのなかで」、また、「ナチュラルに」、「不自然な仕方で」、考え、書く。するとそれが現代社会では、シンプルとは異なる不思議な表情を帯び、しばしば「複雑さを厭わずに考え」ているように見える。

しかし、複雑に考えているのではない。

わが世の春のシンプルさを、渋面を作って見ているのだ。

このような長いスパンの思考の日本近代における元祖は『三酔人経綸問答』の中江兆民である。この問答には西洋紳士と南海先生と豪傑くんの三人が出てくるが、この三人の問答のうちに、読む人はここに述べた「最初の車両」と「最後の車両」の対話と葛藤、また可誤性の豊かな可能性を見てとるはずである。その兆民は、自由民権運動の士として知られたが、何年も後、「考えざる可からず」(一九〇〇年)を書いて、いまや帝国主義の世の中であり、民権論(人権)の考え方をもちだせば、時代遅れで現実にそぐわない陳腐な理論であると見られるだろうが、しかしそれは、「たとえ理論としては陳腐であっても実行としてはいまだ新鮮」だと書く。問いがなされてから一〇余年、兆民はまだ答えは言われていないゾ、俺はまだ、待っているんだ、といっている。彼は、複雑に考えているのではなく、のんびりと、ゆるやかな時間の幅で、答えを「泳がせ」ている。シンプルはベスト、などとも、複雑で難解なのがよい、などとも昔のすぐれた人は考えていない。彼らは、その「はざま」で考えているのである。

目　次

「複雑さを厭わずに考える」こと――序に代えて

I　二一世紀日本の歴史感覚

もうすぐやってくる尊皇攘夷思想のために……2
――丸山眞男と戦後の終わり
絶望のとき？　2／丸山眞男――戦後民主主義の創作者　5／手がかりとしての反時代性　11／福沢、丸山、大江――忠誠と反逆のつながり　17／福沢、丸山、山本――なぜ尊皇攘夷思想か　28／尊皇攘夷思想と皇国思想　33／大対立、中対立、小対立　42／終わりに　59

三〇〇年のものさし――二一世紀の日本に必要な「歴史感覚」とは何か……68
はじめに　68／明治一〇〇年から明治一五〇年へ　69／現状――

「後退国」　74／アジアのなかでの特異さ　77／「戦後か明治か」と「戦後も明治も」　79／戦後の「むなしさ」　82／明治の「浅さ」　85／「なかったことにされた」ものの再帰――一八五〇年代と一九三〇年代と二〇一〇年代　87／尊皇攘夷思想とは何か　91／一八六八年の分断線　95／三〇〇年のものさし――尊皇攘夷と現代世界　101／最後に――丸山眞男の幻像　106

Ⅱ　どんなことが起こってもこれだけは本当だ、ということ。

どんなことが起こってもこれだけは本当だ、ということ。――幕末・戦後・現在……112

はじめに――演題について　112／1「犬も歩けば、棒にあたる」ということ　115／2 間違う思考は、間違いか――吉本隆明さんとのやりとり　119／3「内在」から「関係」への転轍――『日本人の自画像』　125／4 現代世界と尊皇攘夷の「変態力」　133／5 幕末の攘夷思想と昭和前期の皇国思想　142／6 吉本隆明の一九四五年　149／7 護憲論の二階建て構造　156／8 壁にぶつかる護憲論　164／9 憲法九条から日米安保へ　173

Ⅲ　スロー・ラーナーの呼吸法

ヒト、人に会う――鶴見俊輔と私……184

できごと　184／鶴見俊輔、一九七九～一九八〇、モントリオール　187／エピソード――道順、受講生たち、話の終え方、話し方　193／『北米体験再考』、『私が外人だったころ』　197／三〇センチのものさし　201／うさんくさいということを、おもしろがる　204／人との出会いとはどういう経験か――一人が、一人に出会える　206／高さと深さ　209／何もいえない、という回答　210／犬も歩けば棒にあたる　211

書くことと生きること……215

書くこととは何か　215／ゆっくりやること　226

「微力」について――水俣病と私……250

微力ということ　250／私にとっての水俣病　253／言葉とささやき　254／『アメリカの影』　256／佐藤真監督の『阿賀に生きる』　257／ブリューゲルの「十字架を担うキリスト」　259／アイリーン・スミスさんの判断　262／石牟礼道子さんの『苦海浄土』　266

Ⅳ 「破れ目」のなかで

矛盾と明るさ——文学、このわけのわからないもの……272
はじめに 272／文学とは何か——お猿の電車について 273／文学の力とは何か——ホッブズ、ルソーからドストエフスキーへ 278／文学、このわけのわからないもの——『何をなすべきか』vs『地下室の手記』 293／文学の答え——「大審問官」の章 305／終わりに 308

戦争体験と「破れ目」——ヤスパースと日本の平和思想のあいだ……311
はじめに 311／なぜここにいるのか 312／限界状況と敗戦 317／ヤスパースと日本の平和思想 325／生への決意性と生の偶有性 333／『原爆と人間の将来』における「精神的転換」 339／形而上的な罪と「破れ目」 343

ゾーエーと抵抗——何が終わらず／何が始まらないか……353
死の不可能性 353／「ないこと」があること 364／「(無限性のなかに)有限がある」と「(有限性のなかに)無限がある」 368／しないことができること、することもしないこともできること 380

「称名」と応答——素人の感想……392
ヤスパースから法然へ 392／三つの転回 394／「第一八願」と可誤性 400／「イエスの血は決して私を見捨てたことはない」 405

V 明治一五〇年の先へ

上野の想像力……410
八月の二人の天皇……414
明治一五〇年と「教育勅語」……419

VI 一八六八年と一九四五年

一八六八年と一九四五年——福沢諭吉の「四年間の沈黙」……426
はじめに——再来・反復・忘却 426／1 思考枠組と仮定の問い 431／2 幕末人、福沢諭吉 438／3 単線的と重層性 441／4「四年間の沈黙」 445／5 反省の意味 457／6「開鎖など云ふ主義の沙汰」 464／7 丸山眞男における幕末と明治 467／8 福沢と丸

山――一つの岐路　477／9　普遍と「公」――福沢、中岡、吉野　484
／終わりに――置き去りにされたもの　491

あとがき――少し長めの …… 499

解説　それでも犀のように歩むために …… 野口良平 …… 505

初出一覧 …… 521

I

二一世紀日本の歴史感覚

もうすぐやってくる尊皇攘夷思想のために
——丸山眞男と戦後の終わり

絶望のとき?

日本人ないし日本社会は、ここに来て進化しているのか、劣化しているのか。近年、そのようなことをよく訊かれる。

最近見た新聞では、作家の髙村薫が、同じような問いかけを前に「絶望しかないと認めよう」といっている(毎日新聞、二〇一七年一月一三日夕刊)。聞き手は藤原章生記者。「これまでのインタビューでは『私たち自身の政治感覚の鈍麻が、政権の暴走を許してしまう』『意味の薄い選挙かもしれない。それでも投票所には行くべきです』などと呼び掛けてきたが、今は、こうした啓蒙的な語りは薄まり、表情から険しさがやや消えた」と記したあと、「最近になって、言っても詮ないことだと気づいたんです」という、髙村の言葉を伝えている。

髙村は、来年の自分の生活がどうなるかもわからない状況の若い人に、「未来を考えろ」と言っても、詮ない。つまり日本社会には圧倒的に余裕がなくなった。また選挙公約など破って当然という世の中でそんなことを言っても、という気になる。つまり、社会規範もガタガタになってしまった、という意味のことを述べ、最後、インタビューを「大事なのは、今の絶望をより多くの人が認めることです」と、しめくくっている(「この国はどこへ行こうとしているのか　2017」)。

この述懐を前に、あるいはそうかもしれない、とこれを肯う私がいる。この文章を書いている現在も、ニュースは、一月二〇日の米国のトランプ大統領の就任を報じ、同時に、二一日、二二日に行われた世論調査で、安倍内閣の支持率が前回比四ポイント増の五五パーセントとなったと伝えている。二〇一四年三月以来、約三年ぶりのことだという(毎日新聞、一月二三日)。

これだけ、その愚かさ、劣化ぶりがさまざまな仕方で露呈されているにもかかわらずの、この政権の高支持率はなぜか。これまでは何かの間違いだろうと思ってきた。またアベノミクスのメッキが剝げて経済政策の破綻が見えれば、この安倍政権への支持高止まりにも変化が生じるだろう、と。しかし、どうもそうではなさそうである。トランプ大統領の登場で知れたこと、米国の一定の良識によるチェックというものももう期待できない。地獄の釜がひらいた、というべきか、社会のタガがはずれた、と見るべきか。

日本という社会が国際社会ともども、余裕を失い、不況になじみ、その様子を一変しようとしている。理念とか信念に動かされることなどゆとりある層の現実離れした贅沢にすぎない、という気分が蔓延している。この後、どこまでわれわれはこのニヒリズム的な気分のなかを下降していくのか。それを見届けることだけが、いま残された仕事のようですらある。

しかし、そうだとしたら、この先をどう考えていけばよいのか。

私も最近、新聞の新春対談で人と話す機会をもった。相手は江戸の文化と思想、国柄に詳しい田中優子さんである。そこでは私も、髙村発言と似たような気分に押され、いまは身近なことからはじめ直したい、と述べた。「一〇年後、一〇〇年後を考える」ことが大切であることは変わらない。でもそれと、「まず明日を考える」ことも「本当は同じく重要なこと」だと思い直した。二つの歩みを一緒にしていきたい。

「『長い時間』だけでなく『広い空間』の盲点もあります。安保法制、原発と、このところ大問題がめじろ押しでした。『狭い空間』での身近なコミュニティーで、小さなことからやり直したい。そういう希望がいま私にはあります」(「時代を見つめて　今、求められているものは」共同通信配信、二〇一七年一月一日)。

ここでは、これをこう言い直してみたい。

私たちは負け続けてきた。もうここまでくれば「絶望しかないとみとめよう」。つまり、ゼロからのやり直し。ここは、仕切り直しが必要である。それを、もっと小さなことから、もっと身近なところからやり直す。――そう私は先の対談でいったのだが、これを思想の問題としていえばどうなるか。大きな視野で、どこにこの「劣化」の淵源がたどられうるか。そのばあいの、仕切り直しの出発点とはどのようなものか。もしここに「誤り」ともいうべきものがあるとしたら、どこから、なぜわれわれは誤ってきたのか。

その起点はどこ？

「一〇年後、一〇〇年後を考える」、また「小さなことからやり直す」。そのことに加え、もう一つ、「一五〇年前、三〇〇年前」にまで遡る。そのうえで、私たちの戦後を作ってきた「戦後民主主義」思想に関し、考えてみることが、いま必要なようである。

丸山眞男――戦後民主主義の創作者

このような気分で、私は、このところだいぶ長い射程での日本の歴史を考えようとしている。先の田中さんとの対談でも準備に江戸時代に関する彼女の本を何冊か読ませてもらい、大変に啓発された。来年二〇一八年は明治一五〇年である。しかし、私たちが陥っている窮境ともいうべきものに立ち向かうには、その倍、三〇〇年くらいのスパンが必要だ。三〇〇年のものさしで、自分たちがどういう歴史をへて、現在にいたっているのかを考えたい。この「一五〇年」を長い私たちの航空母艦の「甲板」のように見なすのではなく、さらにそれを浮かべるより広い「海面」のうえに、私たちは漂っているのだという感覚を回復することが、いま、求められていると思う。

三〇〇年前といえば、一七一七年で、江戸時代でいうと享保の改革などが行われた時期である。一見、縁遠いようだが、いま、私はそのあたりの時代のことに関心をもっている。

そのくらいの時間の幅を用意しなければ、容易に、すぐにも来る明治一五〇年のお祭りの気分に負けてしまうだろう。

一つのことを書いてみたい。

若い批評家の伊東祐吏(ゆうじ)が、『丸山眞男の敗北』という面白い本を書いた。最後のところでは私も批判されている。そのあたりの部分には余り心を動かされないのだが、この本は、一つ大きな指摘をしている。それは、丸山眞男は、学者、著作家として前半は大きな仕事をしたが、後半は、停滞したのではないか、という指摘である。

丸山は一九一四年に生まれているので、一九九六年に亡くなるまでは八二年の生涯である。そのうち、ほぼ前半の期間、一九六〇年前後までは広く精力的に活躍した。しかしそれ以後、壮年をへた晩年までの時期は、大きな仕事をしなかった、という。

いわれてみればそのとおりで、なぜ、これほどはっきりしたことがいままで明確に指摘され、その理由を問われなかったのかと不思議になる。[*1] 丸山はきわめてすぐれた学者、著作家であり、思想家でもある。後半の仕事にも見るべきものが多々ある。またその細部には発想のきらめきがほうぼうにちりばめられている。さらに後半、とくに一九七一年、五七歳で大学を離れたあとは、病臥の時期が長かった。近く接した人びとには、後半、停滞した、という印象は弱いだろう。著作集(『丸山眞男集』全一六巻別巻一)、没後刊行の座談・講話(『丸山眞男座談』全九冊、『丸山眞男話文集』正続全八巻)、講義録(『丸山眞男講義録』全七巻)、公開を予定されなかったノートの類い(『丸山眞男　戦中備忘録』、『自己内対話　3冊のノートから』)まで、思考と発言、執筆の全貌を見てとれる現在、むしろこの悪環境のなかで、よくぞこれだけの仕事をした、という声の方が多いかもしれない。しかし、私のような門外漢の目から遠望すると、伊東の示す構図の印象は、かえって強まる。

丸山は、もっと先まで行けたのではないか。全貌が見えてくるにつれ、かえってそんな感想が浮かんでくるのだ。

伊東の判断が、一定程度、妥当だろうと思う私の評価は次のような認識に基づく。こう考えてみる。丸山の主著は何か。やはり単著だろう。そうであれば、戦時下に書かれ、一九五二年に刊行された『日本政治思想史研究』と、戦後すぐに立て続けに書かれ、時代を動かした諸論文の集成、一九五六〜七年刊の『現代政治の思想と行動』の二冊に指を屈する。さらに五〇年代末までに書かれた既出論文を集めた一九六一年刊の新書『日本の思想』を加えれば、これで彼の主著としていま私たちが思い浮かべるものの、ほぼ全てがつくされる。これら全てが五〇年代までの仕事である。

それ以後の主な単著をあげれば、『戦中と戦後の間　1936〜1957』(一九七六年)、『「文明論之概略」を読む』(一九八六年)、『忠誠と反逆　転形期日本の精神史的位相』(一九九二年)。主要論文としてはほかに、「歴史意識の『古層』」(一九七二年)と「闇斎学と闇斎学派」(一九八〇年)が逸せない。このうち『戦中と戦後の間』と『忠誠と反逆』は戦中を含んで主には戦後、それまでに書かれた諸論考の集成であり、『「文明論之概略」を読む』は勉強会から成った講義録である。単行論文の「歴史意識の『古層』」は鮮やかな力作だが、孤立した関心のもとに書かれた論文であり、「闇斎学と闇斎学派」も晩年の努力を傾注したとはいえ、内容的に非達成感が露わ。いずれをとっても前半に匹敵する主著とはみなしにくい。

たしかに丸山は、後半の時期、肝炎(一九六九〜七一年)、気管支炎(七九〜八一年)、肺炎、肝臓癌(九〇〜九六年)の治療で何度も入院、手術、自宅療養を強いられている。しかしそういうなら事情は前期も変わらない。戦時下での歩兵としての応召と病気(四四〜四五年)、戦後の肺結核による入院、手術、療養(五〇〜五六年)があるが、それでいながら旺盛な仕事をなしとげている。

するると、ただちに、次の問いがやってくるだろう。それはなぜか。なぜその生涯の後半、丸山は停滞しなければならなかったのか、というのが、その問いである。

伊東の指摘に類するものが、丸山に近い学者、知識人の観察のなかにも、少ないとはいえ、存在している。たとえば苅部直は『丸山眞男』のなかで、丸山がすでに一九五八年に、「精神的スランプを感じる」、「以前ほど手ごたえがなくなった」、マルクス主義も「天皇制」も「昔ほど堅固な実体性をもってぼくに迫ってこなくなった」と話している事実を、あげている。苅部は、その後「本望」だった日本思想史の研究に専念する丸山のなかで、それでもこの「スランプ」の気分は変わらず、一九六七年には対談で、鶴見俊輔に対し、そもそも自分は「隠遁型」で「天下国家論よりは音楽なんか聞いているほうが、楽しい」と語っているとも述べている。一九七一年に大学をやめ、「悠々自適の生活に入っても」、状況は好転していない。「失語症ならぬ失文章症」に陥り、論文の「執筆に苦しんだことを語」る丸山の書簡中の言葉がこれと一緒に引かれている(苅部前掲、一八四〜一八五頁)。

ほかに史学者の安丸良夫も、丸山の後半期、読者のなかに一種の丸山離れが起こっていたことを自分の経験に照らし、証言している。「六〇年代なかばから七〇年代にかけて、私〔安丸〕の関心はゆっくりと丸山から遠のいていった」、「七〇年代の日本では構造主義や記号論などの新しい理論が導入されて、丸山たちの『近代主義』は、(中略)どこか古めかしい印象を与えるようになっていった」、「私は、『歴史意識の「古層」』(七二年)や『闇斎学と闇斎学派』(八〇年)などが発表されたとき、(中略)『へえ、丸山さんもへンなものを書くようになったな』と思った(後略)」(「丸山思想史学と思惟様式論」『現代日本思想論　歴史意識とイデオロギー』一七〇～一七三頁)。

しかしその彼らからも、なぜか、という問いは出ていない。そういう問いが伊東により今回はじめて、なされている。

その停滞、「スランプ」、「古めかしい印象」はなぜ生じているのか。また、何を語っているのだろうか。

伊東は、その理由を、「戦後に敗けた」からだという。丸山は逆境には勝ったが順境には負けたというのだ。丸山は一九六〇年代以降に出現した豊かさを、しっかりとうけとめ、これをこそ思想化すべきだったが、果たせなかった。後年、望み通りに日本政治思想史に「専心」できる環境を手にしたが、それ以前の五〇年代までの関心を手放さず、自分の課題を自分のやり方で考え抜こうとした。しかしその結果、現実との離反を生じ、思想的営為も停滞、拡散していった。丸山は戦後の「豊かさ」に負けたという。

それを伊東は、戦時下の逆風(向かい風)のなかでは強く舞い上がったが、戦後、支配的思潮の中心に位置するようになると順風(追い風)に包まれて勢いを失う、という「凧的である。

の比喩」で語っている。その指摘は面白いが、しかし、先の問いの答えとしては、外在

なぜ丸山は、戦後民主主義思想の発展において思想史家的な観点からする学問的論究を、一九六〇年代以降、さらに展開できなかったのだろうか。

これがここから、私たちの受けとるべき問いである。この問いが、私たちにとり、いま考えようとすることの入り口となるのは、丸山の問題であるとともに、丸山が体現している戦後民主主義という思潮の「前提」にかかわる問題の糸口とも、なるからである。

私はこんなことを考えている。

二〇一七年、なぜ戦後民主主義の思想は世の中の動きに対する抵抗の足場としての力を、ほぼ失いつくしているのか。その理由はどこにあるのか。退落の、遠い淵源は、丸山の後半の苦しい戦い、その停滞のうちに、顔を見せているのではないだろうか。

丸山こそ、そうした戦後民主主義の創作者だったのではないだろうか、と。

手がかりとしての反時代性

私がこう考えるのは、丸山が晩年近く、一九八〇年に意外にも岩波書店の日本思想大系三一巻『山崎闇斎学派』の巻末の解説に、「闇斎学と闇斎学派」と題し、原稿用紙で

一八〇枚もの長大な尊皇攘夷思想についての論を書いており、どうもそれが長年の彼のひそめられた関心の露頭だったのではないかと、想像するからである。

それ以前のめぼしい重大論考に一九七二年の「歴史意識の『古層』」がある。これは、それまで彼が東大法学部で続けていた日本政治思想史の講座の蓄積を踏まえて書かれた論で、一見したところでは尊皇攘夷思想と直接つながっていない。けれども先の苅部は、「研究史の上でみるなら」「昭和の戦前・戦中期に、紀平正美や三井甲之などの『日本精神』論や、和辻哲郎の倫理思想史研究が、日本思想の特性としてあげた諸点」を「改めて整理したものにすぎない」と、観察している。違いは戦前の皇国主義の学者たちが日本思想の「優秀性を示すものとして説いた」要素を、逆に「克服すべき問題点」として意味づけようとした点にある（苅部前掲、一九一頁）。

同じ指摘は前出の伊東によっても行われている。伊東によればここに指摘された「『なる』に規定された発想」、「宣命（天皇の命令を和文で記した文書）の『中今』という言葉にあらわれた日本特有の『永遠の今』という無窮性の観念」は、「大東亜戦争の最中に、国粋主義者たちによって日本精神の本質として謳われていた」。伊東は、「なる」の論理に関しては紀平正美の『なるほどの哲学』（一九四一年）、『萌え騰がる日本』（一九四四年）などの著作を、「肇国」という概念と「中今」の関連については、山田孝雄の『肇国の精神』（一九四〇年）などの著作を挙げ、その連関を例示している（伊東前掲、一九〇〜一九一、二五二頁)。

苅部によれば、丸山の東大法学部での講義名は一九六七年から「日本政治思想史」(それまでは戦前以来の「東洋政治思想史」)に変わり、この年の授業で「古層」問題が「もっとも詳しく説明」されているのだが、丸山が戦前受講した、講義対象としてこれと重なる「日本倫理思想史」を担当した和辻哲郎の『尊皇思想とその伝統』(一九四三年)を見ると、『古事記』にはじまり、「愚管抄」、「大鏡」、「神皇正統記」など歴代の史書にその「古層」の展開を跡づけていく論の構えは、戦時下の皇国思想、尊皇思想の史書の構成と驚くほど似ている。「闇斎学と闇斎学派」で取りあげられる浅見絅斎(けいさい)の著作も、そこに引かれている。丸山の戦時下の皇国思想、尊攘思想への関心がこの時期あたりからすでにはじまっていることを考えると、一九八〇年の闇斎学への関心がけっしてかりそめのものでなかったことがわかる。

そして、こう見てくると、丸山が、一九六〇年代にはじまる高度成長下の大衆社会の到来のなかで、「型」と規範意識の崩壊に危機意識をもつようになること。それと並行して彼の江戸期の封建的忠誠への関心が深まること。それらの事実の意味の重心が、私たちのなかで、「時代遅れ」から、「反時代性」へと変わってくる。「古めかしい」のではなく「新しい」。「流されない」のではなく「動かない」のだ。たとえば、丸山はいう。

志士仁人意識の退化に併行して、反逆はたしかに「大衆的」基盤を拡大するけれども、もともと忠誠の相剋や摩擦のダイナミズムの減退を背景に生まれた反逆は、いわばのっぺり反逆という性格を免れず、自我の内面的な規制と陶冶はどうしても乏しくなる。(中略)〔体制に「原理」的な基軸がないので――引用者〕これにたいする反逆も、内側から対抗象徴としてのイデーを成熟せしめることがきわめて困難となった。(「忠誠と反逆」一九六〇年、傍点原文、『丸山眞男集』八巻〔以下、集8〕、二七二～二七三頁)

志士仁人とは『論語』からの言葉。心ある人士、仁徳者流をさす。ここでは近代初期の社会主義へと浸透していた前近代的意識のことだが、本来、このような「志」と「仁」をもつ人間のもとでは、主君への忠誠心とより広い価値観への信従心とがともに強く、主君の行いが後者からはずれたばあいに生じる反逆心は高くなる。そのため、両者のあいだに矛盾が生じ、相剋しあう。主君が間違いをおかしたら、諫言、諫争し、その諫争が容れられないばあい、そこに服従か反逆かの激しい分岐点が生まれる。服従であれば諫死、反逆であれば謀反。その分岐を作り出すのは、忠誠心――丸山のいう「封建的忠誠」である。

「封建的忠誠」という中間地帯、グレーゾーンがこの相剋のピッチであり、グラウンドだ。これがなければそもそも、このグラウンドにおけるプレイの形態である「諫争」は、出てこない。あるのは「べったり忠誠」と「のっぺり反逆」だけとなる。

さて、こう書くと、わかってもらえるかもしれないが、ここで丸山がいっていることは、これまで私が述べてきたことと無縁ではない。モラルの感覚(＝忠誠と反逆の相剋)が生きて人を動かすには忠誠と反逆のあいだにつねに「ねじれ」(『敗戦後論』)の関係が保たれていなければならず、そのためには「ねじれ」の生まれる「広大な中間地帯」がいわば「入会地」のような共有資産の形で保たれていなければならない。忠誠と反逆の相剋が「ねじれ」としてプレイされるグラウンドに立つことの重視という点で、丸山のいうことと、私の観点は重なっている。[*2]というのも、

忠誠と反逆とは相互に反対概念 contraries をなすが、矛盾概念 contradictions ではない。忠誠ならざるもの必ずしも反逆者ではなく、反逆は不忠誠のある種の表現形態なのである。ただ集団もしくは原理の思想的凝集性がもともと強かったり、あるいは一定の状況――たとえば政治的緊張の高度化――の下で強まるほど、忠誠と反逆との間の広大な地帯は縮小して、不忠誠はただちに反逆を意味するものとなるだけのことである。(同前、集8、一六五頁)

「大衆社会というのはひとくちに言えば、型なし社会ということでしょう」とも、丸山はいっている（「普遍的原理の立場」）。しかしこの趨勢は一九六〇年代前後にはじまったというより、それ以前、徳川時代から明治維新をへて生じ、大正期の「大衆社会化」によって拍車をかけられて戦後、さらに加速している。これが丸山の理解である（『丸山眞男座談』第七冊、一二一頁）。彼の反時代性は、この時間軸の幅の他との「桁違い」の把握力の差からやってくる。その「桁違い」ぶりがまた彼を福沢諭吉に近づける。世の学者が一九六〇年代以降の変化を高度成長の開始に重ねて理解するとき、同じものが丸山には、幕末期以来の変化の最終形態と重なり、見えている。

こうして一九六〇年前後から丸山の認識と世の中の言説のあいだの懸隔は、誰の目にも明らかなものとなってくる。その「反時代的」な危機意識は、このあと、彼の日本政治思想史研究だけでなく思想的関心それ自体をも、それこそ個人的な執拗低音となって支配し、これを牽引し続ける。以後、この懸隔の深まりとともに、一九七二年に昭和前期の皇国思想の問題関心につらなる「歴史意識の『古層』」が書かれ、ついで、一九八〇年に、幕末の尊皇攘夷思想の問題関心につらなる「闇斎学と闇斎学派」が書かれる。そして、彼の孤立が招来される。これが、私の考えである。

福沢、丸山、大江——忠誠と反逆のつながり

この点、戦後の後半期における丸山眞男は明治の後半期における福沢諭吉に近づき、また、重なっている。

それはこういうことである。

よく知られているように、福沢は一八七七年、西南戦争で西郷隆盛が敗れ、世のメディアに西郷への罵詈雑言が溢れ出すのを見ると、ひそかに西郷の「抵抗精神」を擁護、称揚するの論を、「数日の労を費やして」書く。そして、いま出せば出版条例に妨げられるだろうからと「深く之を家に蔵め」て、発表しない。いま書くのは後世に「今日の実況を知らしめ、以て日本国民抵抗の精神を保存して、其気脈を絶つことなからしめん」ことをめざすからである(「緒言」)。そこにあるのは、西郷の挙行に見られるものは政府の専制に対する普遍的な「抵抗の精神」の発露であって、これを否定してはならない、これを愚弄否認すれば人民の側、明治という時代全体の否定につながる、という危機意識である。

批判者たちは、西郷の反乱は、政治指導者としての「大義名分」にそむくという。一国人民の基本である「道徳品行」「廉恥節義」の源をふさぐと批判する。しかし、彼ら

の主張は「公私を混同した」不通の論というべきである。なぜなら、

大義名分は公なり表向なり、廉恥節義は私に在り一身にあり。一身の品行相集て一国の品行と為り、其(中略)盛大なるものを目して、道徳品行の国と称するなり。
(「明治十年丁丑公論」『福沢諭吉集』二三四頁)

政府との関係でいわれることは、「公」であり、「表向き」のことにすぎない。これに対して別に「廉恥節義」というものがある。こちらは「私」の一身に基づく。そしてこの「私」の一身にあるものが、「大義」の源をなし、それに先立つ。つまり「公」に先立つものとして、「私」がある。

また、いう。明治維新はそもそも脱藩者によって実行されたが、その脱藩者とは「その食を食で其事に死する」という国を支える君臣の大義に「背くもの」ではなかったか。西郷側の反乱者のうちに多く旧套攘夷派の神風連の残党がいたというが、「今の改心者流」も「十年前」はこの維新を「内実を知らず只管尊皇攘夷の事と信じて」これに従事したのではなかったか。

こう見てくればわかるように、ここにあるのは君主、公なるもの、国家への忠誠、と、それを超えたものへの信従、墨守の義念からする反逆、抵抗との相剋の構図であって、

丸山が戦後に対して後年示す反時代性の淵源が、ここに忠誠と反逆の基軸という形で見つかる。

そして、さらに一四年をへた一八九一年、つまり著述の後半期(福沢は五六歳、没年の一〇年前)、福沢はもう一度同じ言動を繰り返す。今度の相手は先の西郷と幕府方を代表して談判し、江戸無血開城を実現した勝海舟(かつかいしゅう)。つまり福沢は、明治維新を開いた両陣営の立役者の双方に、明治も後年にいたり、なお一人、目を注ぎ続けている。

そのとき当事者のもう一人、勝は生きている。維新がなると新政府に迎えられ、その高位についていまも政府に列する。福沢は旧幕臣の下位の侍だった時分、軍艦奉行従者として幕末には勝の率いる咸臨丸乗員に連なり米国に渡っている。その福沢が、ひそかに勝と同様の転身をへた榎本武揚(えのもとたけあき)と勝を相手に激烈な糾弾の書をしたため、ひそかに両人に読ませ、この回答を合わせ掲載したうえ、これを発表することなく、やはり同様に、「深く」「家に蔵め」るのである。

そこで、福沢は勝(と榎本)にいう。

> 立国は私なり、公に非ざるなり。

国を支えるものは何か。国が滅ぼうとするとき、これを支えるもの、またもはや国が滅び再び国を立てようとするとき、その礎となるもの、それは何か。――構図は「丁(てい)丑(ちゅう)公論」と全く同じ。いささかのブレもない。

国がそこに安泰としてあるとき、それを支えるのは愛国心であるとか公共心であるとか、いずれも「公」の感覚、意識に基づくものであるように見える。しかし国がないとき、そこから国を立てようとするときに必要なのは「公的なもの」ではなく「私的なもの」である。すなわち、私情であって、これは表向きの公的なものよりも広く、かつ深い。親が死のうとする。理性を働かせればそれは時間の問題である。しかし人はこのようなばあいでも「父母の大病に回復の望なしとは知りながら、実際の臨終に至るまで」手を尽くす。理性的にいえば徒らに「病苦を長くするより」モルヒネなどを用いて「臨終を安楽にすること」のほうがよいと考えられるが、これを「子と為りて考」えれば、万が一の奇跡を願うことはあっても「故に父母の死を促すが如き」は、やはり忍びない、と思う。

左れば自国の衰頽に際し、敵に対して固より勝算なき場合にても、千辛万苦、力のあらん限りを尽し、いよいよ勝敗の極に至りて始めて和を講ずるか若しくは死を決するは立国の公道にして、国民が国に報ずるの義務と称す可きものなり。即ち俗に云ふ瘠我慢なれども、強弱相対して苟も弱者の地位を保つものは、単に此瘠我慢に依らざるはなし。啻(ただ)に戦争の勝敗のみに限らず、平生の国交際に於ても瘠我慢の一義は決してこれを忘る可らず。欧洲にて(中略)小国が(中略)尚ほ其独立を張て動かざるは小国の瘠我慢にして、我慢能く国の栄誉を保つものと云ふ可し。(「瘠我慢の説」『福沢諭吉集』二六七頁)

国に勢いのあるときはよい。しかし、国が衰退するときは、たとえ理性で判断すれば勝算がなく、ダメだとわかっても最後まで力の限りを尽くし、最後、和を講じるか死を決めるか、というギリギリまでを持ちこたえるこの最後の頑張りがカギになる。この理性判断と不合理な思い入れの「広大な中間地帯」で、羽根を広げ、相剋の劇が展開される結果が「瘠我慢」となる。この「瘠我慢」たる私情の発現に場を与えることこそが、弱者たることを含んだ自己の覚悟には必要で、それがあって小国は小国のままによくその「独立」を維持できる。

しかるに、勝が幕末維新期において「江戸解城」を談判し、内戦を回避し、日本が列強の食い物となることを避け、人民に安寧を保証し旧幕臣としては主君の徳川慶喜の助命、その後の処遇の安堵を見届けようとしたことには、明察が行き届いており、情状酌量の余地が大いにある。しかしこれによって主君の助命を第一義に据え、右の私情の発現する「広大な中間地帯」をあらかじめ切り捨てたことは、「三河武士の精神に背くのみならず、我日本国民に固有する瘠我慢の大主義を破り、以て立国の根本たる士気を緩めたる」ことであり、その罪科を「遁れ」ることはできない。

かくなるうえは、これまで「江戸解城」をはじめ、維新において尽力、達成してきたことはそれなりに理由のあることではあったが、「本来立国の要は瘠我慢の一義にある。外国の侵略、支配に対する抵抗となればさらにこれが重要となることはいうまでもない。たとえ劣勢であれ必敗の大勢であれ、「戦い」、抵抗をあきらめてはならない。今後、「国を立てて外に交わ」ろうとする人士はゆめゆめ私が維新で行ったような「権道」を真似てはならない。「武士の風上にも置かれぬとは吾一身の事なり。後世子孫これを再演する勿(なか)れ」。それくらいの自己批判の意を示して、「断然政府の寵遇を辞し、官爵を棄て利禄を抛(なげう)ち、単身去て其跡を隠」せば、はじめて世人も、貴君の意のあるところを知るだろう。そうしてはどうか。福沢は勝にそう迫るのである。

このことが私たちから見てそう迂遠な話ではないということは、次のことを考えても、わかるはずである。勝は、幕臣として何としても主君の徳川慶喜の助命と徳川家の維新後の健在を願った。また、めざした。たぶん、彼が新政府に入ったのも、慶喜のその後の安泰を見届け、その今後の立場を堅固ならしめるためだったろう。それで勝は、「時として身を危うすることあるも之を憚らずして和議を説き、遂に江戸解城と為り」、徳川慶喜は「七十万石を新封」され、無事に維新を生き伸びたのである。しかし、これでよいのか、と福沢はいう。「内に瘠我慢なきものは外に対しても亦然らざるを得ず」。

之を筆にするも不祥ながら、億万一にも我日本国民が外敵に逢うて、時勢を見計らひ手際よく自から解散するが如きあらば、之を何とか言はん。然り而して幕府解散の始末は内国の事に相違なしと雖も、自から一例を作りたるものと云ふ可し。(同前、二七〇頁)

そしてこの福沢の予言は現実になる。「江戸解城」から約八〇年後の一九四五年、「日本国民が外敵に逢」い、行ったことも、全く同じ仕方でこの「一例」を反復するものだったからである。つまり、大日本帝国政府は徳川幕府同様、国体護持、その実〝主君〟たる「天皇」の助命を第一として、「時勢を見計らひ」、再び――徳川初期に版図に加えた「琉球(沖縄)」を除き――本土を「無血解城」＝無条件降伏し、ポツダム宣言を受諾して「手際よく自ら解散」した。そしてこの際には彰義隊の首都での抵抗も、奥羽越列藩同盟による東北での抵抗(戊辰戦争)も、また一〇年後の西南の役での抵抗も、起こらなかった。

ところで、丸山は、先の「忠誠と反逆」にこの論考を準備中、自分を「驚かせ反省させた」のは、「既成の忠誠対象のドラスティックな崩壊と大量的な忠誠転移という意味で明治維新に当然比較されるはずの一九四五年以後の『変革期』において、忠誠と反逆の交錯や矛盾の力学を自我の内側から照し出してくれる資料、あるいはその問題を自覚化しようとする試みがあまりにも乏しい」ということだったと、記している(集8、二七四頁、傍点原文)。そして、この個所を引き、『丸山眞男と平泉澄 昭和期日本の政治主義』の著者、植村和秀は、

　なぜ反逆しないのか。これが丸山眞男の思いだったのではないだろうか。明治維新の後には西南戦争があり、しかし敗戦の後には何もなかった。(「丸山眞男にとっての忠誠と反逆」、前掲書、二三一頁)

と述べ、この連想を彼に促したものとして、没後に発表された次のような丸山の感懐を、引用している。

　戦後の「理念」に賭けながら、戦後日本の「現実」にほとんど一貫して違和感を覚えて来た私の立場の奇妙さ！　それは悲劇だか喜劇だか知らない。むしろたずねたいのは私は根本的に時代を表現しているのか、それとも反時代的なのかという事なのだ。私の実感としては後者としか思えない。

理念は自然的傾向性の「流れにさからう」ところにこそ存在意義があるという私の確信はゆるぎそうにない。(『自己内対話　3冊のノートから』一九九八年、二四六頁、傍点引用者)[*3]

ここでの丸山は、一八七七年に「丁丑公論」を書き、九一年に「瘠我慢の説」を書いた福沢と、ほぼ同じ位置に立っているといってよいだろう。ちなみにこの秘された丸山のノートの公刊からほどない時期、二〇〇〇年に発表された大江健三郎の小説『取り替え子(チェンジリング)』には、なぜ誰も敗戦後、占領軍に「反逆」しないのか、それでは日本国民抵抗の精神が途絶えてしまう、と考える右翼的な人士が登場し、右の植村いう「丸山眞男の思い」と同じ思いを基礎に、占領の最後の日、講和条約の発効する一九五二年四月二八日に「少数精鋭の襲撃隊を構成」し、米軍キャンプへの「蹶起」をめざす。作中、主人公たちの記憶とやりとりのうちに浮かびあがり、「再構成」されるこの人士は、いう。

すでに調印されている講和条約は、この四月二十八日午後十時三十分に発効する。それがなにを意味するか？　連合国の占領期間全体をつうじて、日本人による米軍キャンプへの武装抵抗行動が一件も発生しないで、占領時代が終るということだ。

(『取り替え子』二二七頁)

それでは「日本国民抵抗の精神」がとだえる、これを阻止しなければならない、というのがこのどこか「西郷さん」のカリカチュアを思わせないでもない「反時代的」な人物(名前は「大黄さん」)の思惑なのだが、ところでこの大江の小説に、じつは「丸山眞男」が実名で出てくる。首謀者であるこの「志士仁人意識」の持ち主が、蹶起を促すために行う「セミナー」で教本として弟子と主人公に読んで聞かせる、その本の著者が、丸山眞男なのだ。

小森陽一がそこに引かれている当時「出版されたばかり」と語られる本を、苦労して特定しているが(『歴史認識と小説　大江健三郎論』)、その「本」は、じつは敗戦後の日本ファシズムの三類型を述べ、さらに二・二六事件の蹶起将校の「主精神」を示す幕末水戸藩の藤田東湖の漢詩「回天史詩」からの寸句を含む二冊からなっている(一九四八年刊の『尊皇攘夷と絶対主義』、および一九五一年刊の『アジアの民族主義　ラクノウ会議の成果と課題』所収の丸山の論考「日本ファシズムの思想と運動」、「戦後日本のナショナリズムの一般的考察」)。しかし、私の考えをいえば、それは一種のダミー(疑似餌)であって、それだけなら、何も丸山がわざわざ特権的に「実名」で引かれる必要はない。似たような主張なら、それぞれほかにも見つかるからである。ここに丸山が「実名」で引かれるのは、その小説の根本的な物語構想――明治の西南戦争にも比される、戦後の占領軍への「抵抗」と「蹶起」――を大江に着想させるうえで、最終的に背中を押しているのが、丸山だからなのではないか。『自己内対話』は『取り替え子』の二年前に刊行されている。したがって、具体的には大江の読んだくだりが、発表を予期されないままに書かれ、「深く」丸山の「家に蔵め」られてきたこの「出版されたばかり」の『自己内対話』の右のノート記述だった可能性だって、なくはないのである。この小説を大江は、三島由紀夫を仮想敵に擬して書いている。そして右の丸山の言葉は、全く対蹠的な場所から発せられながら、あるいはかえってそのためか、自決直前の時期の、三島の言葉を思い出させる。それくらい、その「反時代性」の切実さ、緊迫感が似ている。すなわち、

私の中の二十五年間を考えると、その空虚に今さらびっくりする。私はほとんど「生きた」とはいえない。鼻をつまみながら通りすぎたのだ。

（中略）それほど否定してきた戦後民主主義の時代二十五年間を、否定しながらそこから利得を得、のうのうと暮らして来たということは、私の久しい心の傷になっている。（三島由紀夫「果たし得ていない約束　私の中の二十五年」『サンケイ新聞』一九七〇年七月七日、『三島由紀夫と戦後』二二一～二二三頁）

その三島を見すえた作品で、大江の背を押す丸山は、冷徹なファシズム集団の分析者というよりは、もう一方の側の、より屈折した反時代的な精神に近く位置している。[*4] そこではひとすじ、福沢、丸山、大江が惑星直列の趣きで並んでいる。

福沢、丸山、山本——なぜ尊皇攘夷思想か

しかし、丸山がこのような思いに導かれて後年、大変な努力を払って書いたとおぼしい一九八〇年の「闇斎学と闇斎学派」は、衆目の一致するところ、読んでもなかなか全体としての行く末をたどれない。特に後段、大いにもつれる。なかにはその後、人口に膾炙することになる重要な指摘もあり、正統性概念に関し、「教義・世界観を中核とする」正統問題——いわゆる正統性——をオーソドクシー(orthodoxy)にちなんでO正統と呼び、「統治体系を主体とする正統論議」——いわゆる正統性根拠——をレジティマシー(legitimacy)にちなんでL正統と呼ぶのなどは、その鮮やかな例というべきだが、全体として、何が問題にされ、ここからどのような展望を開くことがめざされているか、となると、不透明感は否めない。

しかし、ここでなぜ丸山が、尊皇攘夷思想にこだわっているのか、と考えることから、私たちがヒントを受けとり、彼が戦後の思想のあり方に関し、どのような欠落をいいあ

てようとしていたのか、と考えてみることはできる。

その一つの手がかりは、この丸山の闇斎学派論に奇しくも呼応するかたちで連載を開始され、ほぼ同じ問題に取り組み、その後丸山の論をも参照するなかで、よりあざやかな答えを出している山本七平の『現人神の創作者たち』からのヒントである。[*5] そしてもう一つは、丸山の反時代性の淵源をなす福沢諭吉の反時代性が意味しているものを、私たちが、彼らの論議を引き取り、いま、自ら、考えてみることとである。

丸山の「闇斎学と闇斎学派」が、一九八〇年三月に岩波の日本思想大系『山崎闇斎学派』の解説の一つとして発表される直前、この年の一月から、偶然、保守系の雑誌『諸君!』で、同じ学派に照準をあてた山本七平「イデオロギーと日本人——現人神の創作者たち」の連載がはじまり、一九八二年三月まで続く。そしてその後、八三年八月、単行本の形で世にでる(『現人神の創作者たち』)。

ところで、この論考は、聖書学に通じ、山本書店を構える書店主でもある山本七平が、自らのキリスト者としての信念と、下級兵士として従軍して経験した過酷な戦争体験に立脚し、戦時下の絶対天皇主義ともいうべきものがどこから生まれてきたか、その淵源を探ろうと、丸山が論じたと同じ山崎闇斎学派の理論と思想を考究したものである。山本の考究の動機は明快だ。彼は、「戦後の戦前批判」は、戦前期における現人神概念が「その結実まで」、「実に長い歴史的経過」をもつ営為の産物、つまり——「流出物」というよりは――「制作物」だったことに対し、完全に無知だったということが、問題だという。ちなみにいえば、この「流出」という言葉は、丸山の「闇斎学と闇斎学派」に出てくる。丸山は、「闇斎学派の思想的意義と役割」に関して流布されてきた尊皇論の源流を闇斎学派に見る曖昧な「通説化」をさして「一種の『流出論』的説明」と呼び（集一一、二三六頁）、この見方の総体に疑問を呈している。これに対し、山本は、誰一人、その形成過程を探求しようとしなかった欠落を指摘し、自分がここで、それをめざそうといい、結果、その淵源を、闇斎学派の三傑と呼ばれたうちの二人、佐藤直方と浅見絅斎との対位のうちに見出し、いわば昭和前期の皇国思想の系譜は、闇斎にはじまり、最終的に浅見絅斎が打ち立てた考え方のうちにある、と改めてその「創作者たち」を名指しするのである。

ところで、この論で興味深いのは、山本が発表されたばかりの丸山の闇斎学派論を参照し、そこに示されたO正統、L正統という考え方を動員、援用していることだろう。しかもこのO正統、L正統がまた、福沢の「瘠我慢の説」における「立国は私なり、公に非ざるなり」の「私」、「公」に対応していると見えることである。つまり、O正統は国を倒しもすれば、立てもする、国よりも広く深い外にはみでた正統性（オーソドクシー）であり、「瘠我慢の説」においてはその根源は「私」にある。これに対し、L正統はその国がいったん成った場合に以後、力をもつ国の内側をみたす正統性、すなわちO正統の適法根拠として持ち出される正統性根拠＝合法性（レジティマシー）であって、表向きの「公」である。そこでＯ正統（「私」）はＬ正統（「公」）に先行する。つまりここにももう一つ、福沢、丸山、山本とつながる惑星直列がある。

　山本が展開する論理の基本軸をいえば、こうなる。武士にはもともと「正統」という意識はなかった。徳川期にあっても「譜代以外は徳川家に忠誠を尽す義務はな」いから、徳川以上の大名が出てくれればそれが天下人になって「一向にかまわない」。そこで、徳川は幕府を作ると、「官学としての朱子学の採用」に踏み切る。自らの正統性＝合法性を基礎づけたいからだ。そして水戸を中心に厳密な歴史の編纂がはじまるが、その結果、長い年を経ると、その目論見に反し、「『幕府』という存在は一種の非合法政権になって行かざるを得ない」（『現人神の創作者たち』三三八〜三三九頁）。

　なぜなら、正統性つまりＯ正統の論理に立って歴史を正していくと、これまで合法的とされていたＬ正統（過去の幕府など）に傷がつくし、また、南北朝正閏論のようなことも生じてきて、Ｏ正統の系譜（天皇家の皇統）それ自体のうちに批判の対象が出てくる。事実、失徳・暗愚の天皇、上皇への批判もなされ、水戸の『大日本史』編纂では、闇斎の孫弟子の栗山潜鋒、絅斎の弟子の三宅観瀾らが、それぞれ『保建大記』、『中興鑑言』を書いて厳しく崇徳、後白河、さらに後醍醐などの帝を批判するようになる。しかし、これが不敬とならないのは、個々の天皇（Ｌ正統）に対する批判が現政権の追認の姿勢から出てくるのではなくむしろ「あるべき天皇」(O正統)像に照らしてなされるからだ。そうである以上、失徳・暗愚の天皇を批判することにより、いよいよ「あるべき天皇」の像(O正統)のほうは、堅固となり強化される。ただ、問題は、この天皇批判が同じL正統に立脚するほかない徳川幕府の正統性の強化に、なんら寄与しないばかりか、L正統に属する天皇の威厳の低下に見合って自らの合法性(L正統)をも下落させてしまうことである。「天皇は正統性をもち、その天皇から将軍に宣下されたのだから徳川家は統治権をもつ。故に徳川家に反抗するものは反乱である」。これが朱子学の理屈だが、この論理からは、当然、その逆も真、もし正統性をもつ天皇から宣下された勢力があれば、それに抵抗するものは徳川家であろうと反乱である、が導かれるのである。

歴史の編纂はこうして、あるべき正統性の権威(=現人神の像、O正統)をますます手の届かないものに高め、定置し、強化していく一方で、現政権(L正統)の合法性を限りなく疑わしいものへと低下させていく。そして、この思想が徐々に広まると、黒船到来による幕末の危機意識に誘発され、「尊皇の志士」なるものが大量に生まれてくる。彼らは攘夷の念に燃え、いまや自分を「天皇に直結していると感じ、領主も将軍も無視して尊皇運動に加わる」。これはもはや、封建制の否定であり、中央集権的絶対主義の志向であり、この動きが「日本の近代化の決定的な要因」となる(『現人神の創作者たち』三三九〜三四一頁)。そしてこの趨勢のなかから、やがて現人神という観念が析出されてくる。これが山本いうところの形成過程である。

なぜ、尊皇攘夷思想がいま問題なのか。丸山の闇斎学派論からは、その理由がしかと見えてこない。しかし山本の現人神論からは、はっきりと見えてくる。一九三〇年代、十五年戦争のもとで、皇国史観の名で人びとを苦しめ、日本の国を存亡の際に押しやったものの根源である現人神としての天皇像は、突然天から降ってきたものでも地から湧いたものでもなかった。それは、制作物、作為の産物なのだ。では、それはどこから来たか。江戸前期、三〇〇年前に発端をもつ。そこまでを明らかにしない限り、それへの対処は生まれない。山本はそう語るのである。

尊皇攘夷思想と皇国思想

ここでは、丸山の議論、山本の議論をこれ以上追うことはしない。ここまでだけでも読者に多くの追尾の苦労を強いていることと思う。ここから先は、私の考えをいう。

私は、この福沢・丸山・大江という惑星直列、さらに福沢・丸山・山本という惑星直列は、私たちに一つのことを語っているのではないかと思う。

その前段は、一九三〇年代、戦前と戦時下に日本を覆った皇国思想、あの文部省による「国体の本義」の策定、国体明徴運動などに代表される右翼思想の噴出とは、その実、一八五〇年代、幕末を維新へと動かした尊攘思想の八〇年後の再帰・甦りの姿にほかならない、ということである。

そんなことは当然じゃないか、といわれるだろうか。

しかし山本の指摘にもう一つ、新しい指摘をつけ加えるなら、この二つは同じではない。前者は革命思想だが、後者は国家主義に合体した疑似革命思想だからだ。つまり明治維新、その実「幕末」の尊皇攘夷思想と「昭和維新」の皇国思想とは似て非なるものなのだ。とはいえ、これまでこの違いはさほど明確には語られてこなかった。ちなみに誰がこの両者の違いに立脚した比較の論を、政治思想史の問題として取りあげ、学問的に分析しているだろうか。

その例を寡聞にして、私は知らない。

山本が幕末期の現人神天皇の「創作者」の主要人物に同定した浅見絅斎の『靖献遺言』は、朱子学上、忠臣義士の典型をなす屈原、諸葛亮など八人の「殉教的中国人について」その行動と言葉を記したもので、山本は、どこかキリスト教の殉教者列伝を思わせるという。江戸前期、一六八四年から八七年にかけて記され、絅斎の没後、一七四八年に刊行されたあと、一世紀後の一八五〇年代、幕末期に爆発的に読まれ、勤皇の志士のバイブルのようにみなされた。吉田松陰、橋本左内などの愛読書として知られる。さらにここに取りあげられた文天祥などが、昭和期になると教科書に入れられ、戦時期、一九三〇年代には『靖献遺言』が岩波文庫に入り(一九三九年)、皇国思想の聖典として学徒出陣で戦場に向かう多くの学生によって携行され、読み継がれる。当時を知る小室直樹は、山本七平との対話のなかで、ここには「組織論」的な顧慮は一切見られず、現実的な志向をもつ中国人よりも、情緒的な日本人に好まれたと指摘している(『日本教の社会学』三二四〜三二六頁)。

なぜ、幕末の尊皇攘夷思想が、八〇年後、また新たに皇国思想としてよみがえるのか。この点について、山本は、明治になったときに、みんながこれをあっさりと棄て、なかったものにし、忘れ去ろうとしたからだと述べている。「明治は徳川時代を消した。と同時に明治を招来した徳川時代の尊皇思想の形成の歴史も消した」(山本前掲、序章、一一頁)。そのため、再び時代が困難を抱え、「外圧」を前にしたら、八〇年後、同じものが再帰してきたというのである。

明治が徳川時代の記憶、とりわけ幕末の記憶をあっさりと棄て、なきものにしたとは、どういうことか。これについても、山本は述べている。まず、岩倉具視(ともみ)。彼はいう。幕末においては「天下まさに麻の如く乱れ」多くのことが尊皇攘夷を実行する過程で起こった。そして、いまそれが成就した。しかしその後起こったことは、何か。「攘夷」どころか、かえって逆に「開国」の令が下った。誰もが、では何のための戦いであり、犠牲だったのか、と思い惑う。混乱が生じた。なぜこうなったか。「ああこれ朝廷の罪なり」。

また、『西郷南洲遺訓』はいう。維新がなしとげられ、戊辰の「義戦」が多くの犠牲を重ねて終わり、そして何が実現したか。めざされたものは実現されていない。そしていま政府は「欧化」をめざすという。この情勢に先生(西郷)は、「天下に対し戦死者に対し」面目が立たないと「頻(しき)りに涙を催され」た(「日本の正統と理想主義」『現人神の創作者たち』三九七〜三九九頁)。

黒船が来たあと、尊皇攘夷思想が勃然と起こり、人を動かし、革命がなった。しかしその結果、新しい国が興ったら、その国は、今度はもとの尊皇攘夷思想を捨て去り、まったくそのようなものはなかったかのごとく、それを消した。また、それに対した。

これを、私なりにいえば、こうなるかと思う。

幕末に、日本を二分した革命思想の構図とは、尊皇攘夷思想(O正統)と、これまでの秩序維持思想(L正統)との衝突だった。これを、私は、先に書いた拙著『日本人の自画像』(二〇〇〇年/増補版、二〇一七年)では、「内在」の思想と現状維持の思想の衝突と見ている(第三部第一章「関係の発見」)。日本は何も悪いことをしていないのに、外国がやってきて、暴力的に開国しろという、理不尽ではないか、こんなものは「打ち払え」。これが尊皇攘夷思想の「内在」という意味である。

この「内在」というあり方がどこから来たか、ということについては、山本がこう述べている。

そもそも朱子学、儒学では「天の秩序」(自然の法則)と「内心の秩序」(先験的な道徳法則)は基本的に一致する。したがって「無為」の状態にある「本来の性」は「誠」と呼ばれるが、これを「性」のままに行ってこれに安んじる境地が「聖」である。また、この境地に達しているのが「聖人」である。一方、一般人は、そうはいかないので、一定の規範を守ってそれに至るよう努力しなければならない。しかし、この「誠」の意味が日本では本来の意味から逸脱し、拡張される、と山本はいう。二・二六事件の「昭和維新の歌」には、「信ずるものはただ誠」と歌われるくだりがあるが、これと、朱子にいう「天」に関連づけられた「誠」とは、同じではない。

この二・二六事件的な「誠」は、「自己の内なる義なる感情にあくまでも誠実」であり、それ以外は信ぜず顧慮せず、その義なる感情を充足するように社会に働きかけるためには手段を選ばない、という意味である。その意味では自己絶対化で、自己の内なる、これが「義である」と信ずる信念の絶対化が「誠」であるということになる。(山本前掲、七六頁)

なお、山本は、これに続け、一九八〇年代初頭の時代を背景に「この行き方は新左翼にもある」といっているが、これは若年時、全共闘運動の渦中にあった私にも思いあたるフシがある。私の「内在」から「関係」への転轍という考えは、後に述べるように、吉本隆明の戦時体験から教えられたものであると同時に、自分の数少ない新左翼系の学生運動参加の経験から、汲みあげられたものである。*6

しかし、いかに自分の「正義」(「誠」)を言い募っても、また相手がいくら理不尽であろうとも、そのままぶつかったら、植民地にされてしまうだけではないか。そういう感慨が、実際にこの過激な思想を実行すると、その結果として、やってくる。つまりは実行を通じて「内在」の思想は、「関係」の壁——関係の絶対性——にぶつかり、はじめて「関係の世界」にふれる。そうしてはじめて、それを避けるには、その「内在」の論理だけではダメだ、という明察が訪れ、次善の策への模索が共通の課題となりせりあがってくる。その契機を私は先にあげた拙著『日本人の自画像』では、「内在」から「関係」への〝転轍〟と呼んでいる。

日本列島で、もっとも対外的危機感を募らせたのは本州と九州の「突端」に位置する薩長そして水戸だった。そのうち、薩長が、攘夷に走り——「内在」の尊皇攘夷思想を実行し——、薩英戦争(一八六三年)、下関戦争(一八六三〜六四年)でこてんぱんに欧米列強に負けることで、「関係」の尊皇開国思想へと「転向=転轍」し、尊皇攘夷思想の革命性を「革命」の実行に結びつける。また、これに対し、朝幕双方への「近さ」もあり、その過激思想を欧米列強を相手にそのままに実行することのなかった水戸は、外国軍とぶつからずにテロ（井伊暗殺）へと向かい、〝転轍〟の機会を逸する。そして、そのためだろう。天狗党の乱（一八六四年）など、内紛を募らせ、原理主義がいよいよ過激化し、孤立した果て、どうなるかの例を示し壊滅している。ここでは論じないが、両者の差は、尊皇・攘夷の論の観念的な純度の差、尊皇論と攘夷論の質的差異と拮抗関係の強度の違い、ならびにこの転轍＝転向の契機の有無にあったというのが、私の考えである。

だから、これを、いま、大文字で記されるAとBの対立（親対立）と呼ぼう。

すると、幕末の、近代の始点での一番の対立構図は、秩序維持思想（佐幕）と尊皇攘夷思想（勤皇）の対立の次にくる、「尊皇攘夷」の思想（A）か、「尊皇開国」の思想（B）か、だということになる。重点は、「尊皇」であるか否かにあるのではなく、「攘夷（A）」か「開国（B）」かにある。そしてその内容は、「内在（A）」か「関係（B）」か、である。

しかし、明治になると、このAかBかの対立軸が消える。全員が、AからBに転向したので、A（尊皇攘夷思想）がお役ご免となり、見えなくなるのだ。するとこの対立軸が、中央集権的な国権論（政治的集中）か、公議輿論的な民権論（底辺拡大）か——国家か、国民か——、つまり、私たちのいま知る、B（国権）かb（民権）か、の子対立に代わる。教科書などに出てくる、富国強兵か、自由民権か、の対立である。

では、明治維新をもたらした当の出発点の尊皇攘夷思想はどこにいくのか。それは、明治期に入ると「抑圧」される。大正期になるとほぼ忘れられる。山本がいうように、以後、人びとの意識下にコントロールを免れた現人神の「呪縛」の種が埋め込まれるが、言葉(意識)の世界では、攘夷と開国を一緒くたにした「尊皇論」という言い方が登場し、尊皇攘夷思想は尊皇思想に溶融することでその「言い換え」のまにまに目立たないかたちで、退場するのである。

たとえば、戦前期の史学者三上参次の『尊皇論発達史』(一九四一年)は、明治二四年(一八九一年)から大正一五年(一九二六年)まで、四回繰り返された東京帝国大学での講義をもとにしている。江戸初期から幕末まで「幕府と皇室」の関連を論じ、「尊皇論」の発達を講じて闇斎学派、宣長、篤胤等を網羅する。しかし、ざっと一瞥してもそこに尊皇と攘夷の分岐あるいは相剋の契機を見出すことは難しい。むろん晩期水戸学の記述たとえば会沢正志斎の項に「攘夷」の言葉が現れるが、かつて岩倉、西郷には明瞭に意識されていた、あの尊皇攘夷論中の「攘夷」から「開国」への集団転向の「罪」、戦死者への思いが、いわば味噌も糞も一緒に融和的に尊皇論に溶け込んでいる、という印象を受ける。

一九四三年刊行の和辻哲郎『尊皇思想とその伝統』では、上代から幕末まで、尊皇思想の流れがたどられるが、その概観は、篤胤で終わる。その簡にして要を得たスムースな記述は、篤胤のあと、尊皇攘夷思想から尊皇開国思想へと〝転轍〟する急場にさしかかる個所にまでは及ばない。そのありようは、なかなか敗戦のどさくさまでは辿りつかない、明治維新で終わる、現在の中高の歴史教科書に似ている。そこにふれられない「内在」の思想と「関係」の思想の相剋劇が、大正のデモクラシー期をへたあと、いまや皇国思想の逆襲となって現れているのだが、その瀑布の存在を和辻のなめらかな記述は、感じさせない。その様子は、幕末と明治のあいだを画す「内在」と「関係」の懸隔が和辻に意識されている気配がないことと同断である。

しかし、一九三〇年代初頭の軍部における統制派(体制派)と皇道派(反乱派)の対立、「昭和維新」という二・二六事件のキーワードなどは、この時現れたものが、じつは明治維新をもたらしながら維新成就後、抑圧され、忘れ去られた、あの「内在」たる尊皇攘夷思想の、変成をいったんへた「甦り」だったことを、示している。

なぜ「甦り」かといえば、間に大正の異質な時間がはさまっているからだ。つまりは明治のつ**け**から、幕末の尊皇攘夷思想が昭和になって八〇年後、再噴出する。しかもそれは薩長の経験――関係の発見――を欠いているのだが、その欠落は「意識」されない。それが昭和の皇国思想の「本質」なのである。

大対立、中対立、小対立

この先が後段だが、すると、こうなるのではないだろうか。

明治期、明治維新によって生まれた政治構造は、国権対民権の対立として理解された。誰もがこの図式によって動いた。つまりB(国家)かb(国民)か。そしてその蔭で明治維新を成就させた出発点の「内在A(攘夷)」か「関係B(開国)」かの対立は、忘れ去られた。

しかし、一人福沢は、この明治のつけに敏感だったように見える。何が明治国家をささえる思想軸から消えてしまっているか、そのことへの危機意識と洞察とを失わなかった。

「丁丑公論」と「瘠我慢の説」にあるのは、明治社会に行われていたのとは全く異なる把握に立つA(「私」=攘夷)対B(「公」=開国)の思想対立である。その把握の反時代性は、たとえば先の「瘠我慢の説」からの引用中に見える「江戸解城」の語に現れている。私は寡聞にして江戸開城を「解城」の語で呼んだ例を他に知らない。[*7] ここで注目に値いするのは、明治の起点を「江戸開城」とポジティブにではなく「江戸解城」とネガティブに呼ぶ基体がこのとき、明治の日本には存在しなくなっていることだ。たぶんこれは旧幕臣、敗者と呼ぶだけでは十分でない。福沢は同じ幕臣、敗者である勝海舟、榎本武揚を批判してこの「瘠我慢の説」を書いている。ここでどこにも足場をもたない「解城」の発語主体を、福沢はむしろ民衆につながるものとして「瘠我慢」と呼んでいる。このときの福沢の気分は、先の戦争の終わりを「終戦」ではなく「敗戦」と呼ぶのに似ているというべきなのだ。いずれその行文は明治にあって時代錯誤と取られかねない、不穏な反時代的な気分を湛えていた。

ところで、ここで、先の親対立と子対立に変えて、右の、1同じカテゴリー中の大文字と小文字の対立を小対立、2異なるカテゴリー同士の大文字と小文字の対立を中対立、3異なるカテゴリー同士の大文字と大文字、小文字と小文字同士の対立を大対立と呼び直してみよう(次頁の図参照。(1)(2)(3)がそれぞれヨコ、ナナメ、タテの矢印で示される)。すると、

(1)　B(国権)対b(民権)は小対立
(2)　A(尊皇攘夷思想)対b(自由民権)ないしB(尊皇開国思想)対a(国民抵抗の精神＝西南の役)は中対立
(3)　A(攘夷)対B(開国)は大対立

となる。

なお、ここにはふれないが、A(尊皇攘夷思想)対b(自由民権)の中対立で念頭においい

幕末・明治〜昭和前期（占領期を含む）・戦後の思想対立

	概念＼基体	天皇／国権（大文字）	民衆／民権（小文字）	（本源化）
幕末・明治（初期形）	内在／攘夷／私	尊皇攘夷思想 A	［国民抵抗の精神］ a （「丁丑公論」）	［瘠我慢］ a’ （「瘠我慢の説」）
		↑(3)↓	↖↗(2)↙↘　↑(3)↓	
	関係／開国／公	尊皇開国思想 B　←(1)→	自由民権・民本主義 b	
昭和前期・戦後（擬制化）	内在	皇国思想 A̸		
	関係	占領権力 B̸	占領軍の民主化 b̸	［関係の絶対性］ b’ （「マチウ書試論」）

注：A̸，B̸，b̸ はそれぞれ，A，B，b の擬制物であることを示す．

ているのは南海先生が豪傑くん(A)と洋学紳士(b)と話す『三酔人経綸問答』の中江兆民、B(尊皇開国思想)対a(西南の役の「国民抵抗」)の中対立で念頭においているのは「丁丑公論」での福沢諭吉の考え方である。

こう考えれば、「丁丑公論」から「瘠我慢の説」へと続く福沢諭吉の論は、B(国権)とb(民権)の一対にA(攘夷思想)ならぬa(私情)で対抗しようという中対立、ないし変則的な大対立(b対a)の構図を孕んだ論であったことがわかる。「瘠我慢」とはそこで、「攘夷」をささえた民衆的基体を意味するはずである。

この観点からは、戦前の皇国思想(A)が戦後、あっというまに見えないものになっていった事情は明治維新後以上に、単純で明快だ。それは、「革命」(「八月革命」とも呼ばれた)にも比された、敗戦と占領の効果である。そこに起こったのは、丸山が先に述べたように「既成の忠誠対象のドラスティックな崩壊と大量的な忠誠転移」という意味で、「明治維新に当然比較されるはずの」大変革なのだが、新しい公的イデオロギーである「民主主義と自由」の価値観(b)により、古いイデオロギーである「皇国史観」(A)は、国際裁判の場で、悪とされ糾弾され衆人環視のもとあっというまに葬り去られた。A対Bの相剋が成り立つプレイグラウンドはそこにかけらもない。後に、「忠誠と反逆」について考えようとしたとき、本来あるべきこの両者の交錯、相剋、矛盾、そのねじれのさまを「自我の内側から照らし出してくれる資料、あるいはその問題を自覚化しようとする試みがあまりにも乏しい」ことに、丸山が「驚かせ」られ、「反省させ」られるのも、そのためである。

しかし、だからなおさら、戦後にあって例外的な丸山が、彼もまた、幕末明治から引き継がれた親対立、内在(A)と関係(B)という大対立を戦後すぐ、見失っていることに、私たちは驚く。しかもその蹉跌が時代順応型の学者、たとえば和辻と同じ轍を踏む形で起こっていることに、どうしても立ち止まらざるをえないのだ。

こういうことである。

敗戦直後、一九四六年一〇月に行われた講演「明治国家の思想」で、丸山はこう述べている。

> 明治維新の精神的な立地点には「尊皇攘夷論と公議輿論思潮」との二つがあった。前者は明治維新では、「政治的集中の表現」となり、「政治力を中央に集中する」原理として尊皇論を前景化させ、対外的に富国強兵的な国権論へと発展していく。これに対し、後者は「政治的底辺への拡大」の原理として、五カ条の御誓文の万機公論となり、さらに自由民権運動へと発展していく。

つまり尊攘論の発展としての国権論と、それから公議輿論の発展としての民権論、この二つが恰もソナタのテーマのように絡み合いながら発展して行くというのが、大体思想的に見た明治国家の発展態様であるというふうにいえるのであります。
（「明治国家の思想」『戦中と戦後の間　1936〜1957』二〇四頁、傍点引用者）

丸山は、この「二つの原理の同時的な登場」が一八五三年、ペルリ来航の際に表面化したとして、老中阿部正弘が「はじめて外交の事を朝廷に奏聞」し、それと同時に「諸大名を集め」「忌憚なく意見を具申せよ」と考えを募った例を挙げている。しかし、このとき、江戸幕府を倒し、新しい立国を可能にしている原理――大対立――的な契機は「尊皇攘夷論」（革命論A）と「佐幕開国論」（現状維持論B）の対立であり、またそこから起こった「尊皇攘夷論」（内在の論A）から「尊皇開国論」（関係の論B）への〝転轍〟である。そのうち、「尊皇開国論（B）」が、明治国家の思想として、小対立である国権論（政治的集中B）と民権論（政治的拡大b）にさらに分岐していく。ところが丸山の見方はこれを幕末のペルリ来航時に遠近法的倒錯から逆投影している。現実に時代を動かしたのは、丸山のいうBとbの対立ではなく、この阿部正弘の示した小対立（B（尊皇論）対b（公議輿論））を含んで決定された幕府の「開国」方針（Bプラスb）と、これに反対する倒幕攘夷派の徹底抗戦を含む広義の「攘夷」主張（Aプラスa）のあいだの大対立のほうだったからである。

明治維新の精神的立地点を「尊皇攘夷論」と「公議輿論思潮」と見る丸山の見方は、

たとえ百歩を譲って前者を文字通りの「内在」の論だと受けとるにせよ、A(攘夷)対b(民権)となり、これは先の中対立である。幕末を動かしたA〔+a〕(攘夷)対B〔+b〕(開国)の大対立は丸山の視界から消えている。ましてや丸山は、「尊攘論〔A〕の発展としての国権論〔B〕」という。攘夷論すなわち尊皇攘夷論といいながら、そこには「攘夷」(革命思想A)対「開国」(国家思想B)の相剋の観点が抜け落ちており、その点、和辻のスムースな〝転轍〟抜きの幕末理解(A→B)と同質である。ここには福沢が「瘠我慢」というコトバで言いあてようとした小文字の「a」つまり攘夷(内在)の民衆的基礎、そして私情の公的性格の把握が脱落しているのである。

また、「公議輿論の発展としての民権論」というとき、丸山の公議輿論は、当然、幕末における脱藩者の横議方式をも含んでいる。しかし、思い出そう。福沢の「瘠我慢の説」ではこの脱藩行為が横断ではなく、「その食を食(はん)で其事に死する」という国を支える垂直方向の君臣の大義に「背くもの」として――ねじれのかたちで――捉えられていた。丸山は、幕末の理解に関しては、それ以前の三上参次、和辻哲郎といった官学流の轍を踏んでおり、「忠誠と反逆」の構図からいえば「攘夷」と「封建的忠誠」のリアリティを福沢よりはるかに浅く受けとっているのである。

私は、ここに顔を出している丸山の戦後の起点の土手の一穴が、彼の後半の停滞を説明していると思う。尊皇攘夷思想といいながら、彼はそれが革命思想となった理由をいいあてていない。打球を捉え損ねているのだ。福沢に帰るたびに、丸山は、その空振り感をわが身に感じる。それが、丸山の関心をたえず反時代的な方向に向かわせながら、しかし、いったん彼がそれに正面から学問的に立ち向かおうとすると、うまくいかないことの理由としてあった事情なのではないだろうか。

私の言い方でいうと、そこに丸山によって見届けられていないものは、幕末の尊皇攘夷時代を画し、さらに、戦前の軍国主義時代を領した、「内在」と「関係」の対位、また、そのむこうにあるだろう「私情の公的性格」の把握である。

そこでは、丸山と、彼の批判者である吉本隆明が、ほぼ紙一重の位置に隣り合っている。

先に、「内在」と「関係」の転轍というあり方を考えたのは、吉本の戦争体験からのヒントによると書いておいた。それは、次のようなことである。吉本は、自分は、戦争体験によって「関係」というものにはじめて触れた、という。つまり、先には、あの「誠(=内面)」というものの真正性を信じていた。しかし、それではどうにもならないことを、戦争で思い知った、というのである。

ここに掲げるのは、一九九五年七月の座談会「半世紀後の憲法」での吉本と私とのやりとりだが、そこで吉本はこう語っている。

加藤さんと僕が違うところがあるとすると、それは僕の戦争体験からの教訓なんですね。外から論理性、客観性でもいいですが、そういうもので規定されると、自分をうんと緊張させなければならないときには、自分に論理というものをもってないと間違えるねっていうのが、そのときのものすごい教訓なんですよ。内面的な実感にかなえばいいんだということで、戦争を通ってみたら、いやそうじゃねえなということがわかったといいますか。

加藤さんもそうだと思うんですけれども、僕はもともと文学的発想なんですね。つまり、内面性の自由さえあれば、他はなんにもなくてもいいくらいに思っています。（中略）

ところが、戦後、僕らが反省したことは、文学的発想というのはだめだということなんです。これは、いくら自分たちが内面性を拡大していこうとどうしようと、外側からくる強制力、規制力といいましょうか、批判力に絶対やられてしまう。

（中略）

だから、戦後民主主義の人たちと、緊張のさせどころが違うと思うんですね。

（『思想の科学』一九九五年七月号、五〇頁）

吉本は、ここから得られた洞察を後年、「関係の絶対性」として提示する。あの、よ

く知られた言葉であり、概念である。すなわち、

関係を意識しない思想など幻にすぎないのである。（中略）秩序に対する反逆、それへの加担というものを、倫理に結びつけ得るのは、ただ関係の絶対性という視点を導入することによってのみ可能である。（「マチウ書試論」『芸術的抵抗と挫折』七五頁、傍点原文）

この「マチウ書試論」は吉本の「忠誠と反逆」であり、福沢が勝を相手に行った糾弾のモチーフを、福沢と勝をともに否定しない形で受けとめたものといいうる。つまり、「内在」と「関係」の対話として、受けとり直している。勝は、福沢の「瘠我慢の説」をひそかに示され、こう答書している。

従古（いにしえより）当路者古今一世之人物にあらざれば、衆賢之批評に当る者あらず。不計（はからず）も拙老先年之行為に於て御議論数百言御指摘、実に慙愧に不堪ず、御深志忝存候。
○行蔵は我に存す、毀誉は他人の主張、我に与からず我に関せずと存候。各人え御示御座候とも毛頭異存無之候。御差越之御草稿は拝受いたし度、御許容可被下候也。（「瘠我慢の説」『福沢諭吉集』二七五頁）

福沢は、「瘠我慢の説」において仮構的に「内在」の基体の場所に自分を立たせ勝の「関係意識」(とその行動)を糾弾している。これに対し、勝は「関係」の場所から「内在」の思想は、よい、しかしそれはそれ単独ではけっして「革命」の成就につながる思想とはならない、〝転轍〟がなければダメなのだ。君もそれは知っているはずではないか、そう答えている。

ここで、寄り道をしてみよう。

この応答で福沢が「内在」の基体を仮構し、勝が、福沢に、しかしそれには行動と転轍がなければならない、君もそれは知っているはずではないか、と言外に述べているだろうというのは、私の解釈である。その理由は次の通りだ。「瘠我慢の説」から八年して刊行された『福翁自伝』(一八九九年)を読んでみよう。すると、幕末期、福沢が、江戸幕府の命運を握るかたちで遂行された勝の「行動」のかたわら、何をしていたのかがわかる。たとえば彼は万延元年、三月に桜田門外の変が起こったときには勝と同様、咸臨丸に乗っておよそ四ヶ月間、米国の地を踏んでいた。勝はその後、後の西郷隆盛との談判、江戸無血解城へとたどる政治的活動に邁進するが、福沢はといえば、それから一年半後、さらにヨーロッパに使節団の一員として渡航、スエズからカイロを通過して地中海に出て、パリ、ベルリンなどを視察、ロシアにも滞在、ほぼ一年間、海外の地にある。

帰国すると日本は攘夷論の嵐に見舞われている。つまり幕末の動乱のさなか、福沢は、海外にあって、冷静な頭でその彼我の落差を見つめている。彼は敗者たる幕臣であると同時に、勝者たる薩長政府をも鳥瞰する世界的な視座を一部、手にしているのである。その彼に当時の国内的な尊皇攘夷主義がどのような愚考と見えていたかは察するに余りある。しかし事実は、維新は彼の明察に反し、この尊皇攘夷の〝愚考〟を徹底し、壁にぶつかって、反転し、「王政復古という、彼の予想もしなかった歴史のゆりもどし」をもたらすかたちで成就する。飛鳥井雅道は、福沢の維新成立(明治元年)から『学問のすすめ』執筆までの「四年間の沈黙」に注目し、この期間、彼の沈思は自らの明察のズレがどこから来たかの内省に「注がれざるをえなかった」として、「明治維新のすべての過程は、こうした福沢諭吉的な合理主義が一敗地にまみれなければ、文明開化を押しすすめる力が、どこからもでてこなかったことを教えている」とこの幕末の最深の機微を簡潔に見事に要約している(『文明開化』[*8])。この「一敗地にまみれ」た明察のさらなる深まりの果てに、「丁丑公論」は書かれ、「瘠我慢の説」は書かれる。

　その「一敗」をくぐり、彼は、王政維新がなっても新政府の「御用召」には応じない。在野にあって学問の拠点を作ろうとする。慶応四年(明治元年)の江戸での彰義隊の騒動に、「戦争の日も塾の課業を罷め」ず、「慶應義塾は(中略)世の中に如何なる騒動があっても変乱があっても未だ嘗て洋学の命脈を絶やしたことはないぞよ」、「一日も休業したことはない」、「世間に頓着するな」と塾生を励ました話は、つとに名高い。

別にいえば、福沢ほどときの攘夷論から遠く、当時の世界の情勢と日本の置かれた窮境を「関係」の力学のなかに眺望できた人士は、列島内にほとんどいなかった。その福沢と併走し、福沢とは違い、現実に全身で関わった勝は、そのような福沢がなぜ明治も四半世紀をへようとするいま、当時の攘夷論の底に「瘠我慢」を見てこれを救抜しようとしているか、その心意を、福沢とは対極に位置する自分の場所から、誰よりも深く、理解したはずである。私と君とは違う。君は「関係」の観点をいち早く手に入れ、尊皇攘夷の嵐を受け流すということをどこまでも徹底して、幕末の「現実」には関与せず、最後、いまになって、その動因の底に「瘠我慢」を見出すにいたっている。一方、私は「関係」の観点を手放すことなく尊皇攘夷の嵐と正面から向きあい、「現実」に事をなし、その後を生き抜くことで、いま、君から「瘠我慢」の欠如をあげつらわれる場所にいる。「瘠我慢」は必要だろう。それは君よりも私が知っている。しかしそれだけではなんともならぬ。それは君の先刻、知悉するところなのではないか。

これに対し、福沢は、その公的な性格の把握がなければ、私たちは再び誤る。そう考えている。

これに関連して、私としても一言、私的なことをつけ加えさせてもらいたい。先の座談会「半世紀後の憲法」でのやりとりだが、そこでの吉本の手厳しい指摘は、深く私をたちどまらせた。戦時下、皇国少年としての吉本が、その「尊皇攘夷思想」をどのようにつきつめたかは、一九五七年に書かれた『高村光太郎』に詳しい。彼はそこに、こう書いている。

わたしは徹底的に戦争を継続すべきだという激しい考えを抱いていた。死は、すでに勘定に入れてある。年少のまま、自分の生涯が戦火のなかに消えてしまうという考えは、当時、未熟なりに思考、判断、感情のすべてをあげて内省し分析しつくしたと信じていた。もちろん論理づけができないでは、死を肯定することができなかったからだ。死は怖ろしくはなかった。反戦とか厭戦とかが、思想としてありうることを、想像さえしなかった。傍観とか逃避とかは、態度としては、それがゆるされる物質的特権をもとにしてあることはしっていたが、ほとんど反感と侮蔑しかかんじていなかった。(『高村光太郎』一七二〜一七三頁)

ここに、私のいう尊皇攘夷思想につながる「内在」の思想がいかんなく展開されているのを、私たちは見てとることができる。吉本が「文学的発想」と述べたものが、これである。しかし、このような「実感」的な考えだけでは、誤る。外から強い規制力がはたらく場面では、「論理」というものがなければ、ありうべき明察に辿りつくことはできない。吉本が、先に、「ところが、戦後、僕らが反省したことは、文学的発想というのはだめだということなんです」というのは、彼自身のこのような「文学的発想」について語られた言葉にほかならない。

しかし、最終的に、私は、この吉本の指摘に、次のような自分なりの答えを置いた。たしかに吉本の言うとおりかもしれない。しかし、吉本は、戦争のさなか、こう──「文学的」に(内在的に)──考えたからこそ、その「誤り」に戦後、気づくことができたのではないか。そして「関係」の思想へと抜け出ていくことができたのではないか。

したがって、吉本が、その自分の「文学的発想」を、それは誤りだからと否定すれば、人がそこから「関係」の思想へとたどる──唯一の、ではないにせよ──数少ない、貴重な回路を、吉本自身が否定してしまうことになる。それは吉本の思想に則れば、自分を否定することを意味する。吉本はそういってはいけないのではないか。私は後にそう考えるようになった。そしてそのことを、『敗戦後論』の次に書いた『戦後的思考』での吉本論の中心にすえた。そしてそれを、その思いを付して吉本に送った。[*9]

「内在」から「関係」への転轍という考えは、けっして「内在」を否定しない。それは、出発点としての「内在」の権利を否定すべきではないのである。そこから見れば、「瘠我慢の説」をめぐる福沢と勝のやりとりは、同様に、「関係」からはじめることで逆に「内在」へといたる道のあることを、私たちに教えるものと、私には見える。

さて、寄り道はここまでだが、そのうえでいえば、丸山の航跡は、戦後民主主義のうちで最良のものである。彼は戦争中、一九四〇年代前半に、いまや体制を乗っ取ってＢ(国家主義)と合体した尊皇攘夷思想(Ａ)の再来すなわち皇国思想(Ａ̸)に抵抗し、これに、江戸期のＢ(秩序維持思想＝朱子学思想)のうちの抵抗要素であるｂ(作為的近代性)を対置した。それが、彼の徂徠評価における、一九三〇年代の尊皇攘夷思想(Ａ)対近代性(ｂ)という対位の意味である。朱子学の伝統中から徂徠の近代性を取り出し、意想外で鮮やかな抵抗の例を示した。それは、Ａ̸(皇国思想)対ｂ(近代性)というかたちの中対立だった。

それは、戦後、この皇国思想Ａ̸が占領軍の課す民主主義思想ｂ̸(新国家の思想)へと代わったあとも、一九五〇年代後半まで、このｂ(近代的主体性の確立という課題)によるＢ̸(占領権力)への抵抗、さらにｂ̸(タテマエとしての民主主義)への抵抗として一部、有効だった。そこにも、明治の出発時に続く小対立の構図があった。そしてそれが有効だった理由もはっきりしている。近代政治思想の主体の確立(ｂ)という課題が、占領軍の外圧(Ｂ̸)、移入文化の浅さをもつ民主主義の借り物性(ｂ̸)、さらに前近代性の遺風(Ａ̸)を色濃くとどめる当時の日本の政治土壌への抵抗として、なお有効だったからである。

しかし、占領軍が去り高度成長がはじまると条件が変わる。封建的な遺風が社会変化のもとで希釈され、占領軍のような強権が退場し、保守派の政府が経済復興によってソフト化するにつれ、いわば政治思想構造のうえに「型」をもたない、ぐずぐずの社会状況が現出する。むろん戦前の皇国思想は一掃され、大日本愛国党などの右翼団体も反共親米を唱えるようになっている。もはやＡ（尊皇攘夷思想）もＡ̸（皇国思想）もない。こうして、戦後社会に、再び、明治期のそれを縮小再生産したようなＢ（国権）対ｂ（民権）の小対立の構図が据え置かれるようになる。

この時期の丸山に、ちょうど明治維新後四半世紀をへた時点で福沢に兆したと同様のＡ対Ｂの対立の不在への直観があったことは、ほぼ疑いがない。ここまで見てきたことから明らかなように、忠誠と反逆、正系と異端とは、その不在を埋めるために彼が高度成長期をへるなか、新たに手にすることになる課題なのである。

しかし、丸山は、尊皇攘夷思想（Ａ）、そして皇国思想（Ａ̸）を、しっかりと組み込んだＡ対Ｂの思想の対立軸を、戦後の思想環境のなかに再構築してみせることができない。むろん、能力に欠けていたからではない。戦後民主主義の思想の「誤り」、「課題」というものがあるとしたら、どこまで戻って仕切り直しを行わなければならないか。何がそこでのカギか。その見通しにおいて、一縷の甘さがあったのである。

丸山はなぜ停滞したか。

彼は、福沢同様、自分が戦前、抵抗の相手とした尊攘思想＝皇国思想の本体にまで分け入り、それを解体するところまで進もうとしたが、このA対Bの対立に正面から立ち向かうところまでは踏み出さなかった。丸山の思想的なモチーフは、そのような大きなスケールにも十分対応できたはずだが、それが彼のこれまでの仕事の全量に匹敵する「仕切り直し」を必要とするものであるという覚醒、ないし覚悟が、足りなかった。それが、闇斎学派への論が中途半端に終わったことの理由、また、後半の仕事が全面的に展開できなかったことの内在的な理由だろうというのが、いまの時点での私の判断である。

終わりに

だいぶ、メンドーなことを書いてきた気がする。しかし、ほかでもない、この文章は、この後、戦後の終わりに何がやってくるかを予言するためのものだった。

答えは明らかだろう。

一九三〇年代からさらに八〇年がたっている。世界が全体として閉塞の兆しを見せ、日本の国としての、社会としての生存の状況が厳しさを増している。そして私たちは、三度目の、尊皇攘夷思想の到来——それをもたらすべく、新たな復古的勢力が、環境を整えている状況を目にしている。それが、嫌中韓・排外的なヘイトスピーチに彩られたものになるのか、それとも反米的な自国中心主義的な軍国主義化を唱えるものとなるのかはわからない。

また、退位問題で現在の天皇の意思は現政権に「押し込め」られ、その準備する形式のもとに退位実行を促される形勢だが、これが再び社会に「尊皇」の要素を回復する道をひらくものなのかどうかも、わからない。

さらに、これは悪い冗談ながら、二〇二〇年の東京オリンピックが、やはり八〇年前の一九四〇年の東京オリンピック同様、世界情勢の激変により急遽中止にならないか。その顚末も、私の知るところではない。

しかし、もしこれらすべてのことがこれから起こるのだとしたら、その理由は、はっきりしている。私たちは、幕末期(一八五〇年代)の尊皇攘夷思想を「抑圧」するという明治期の「過ち」に目をつむり続けて来たので、八〇年後(一九三〇年代)、その劣化コピー版としての皇国思想の席巻という苦い目にあったのだった。それと同じく、戦後再び戦前の皇国思想を「抑圧」するという「過ち」を繰り返したために、やはり八〇年後(二〇一〇年代)、また新たな尊皇攘夷思想がさらに劣化の度合いを進めたかたちでやってくるだろうことを予期しなければならないのである。

私についていえば、それは一九七二年の連合赤軍事件で明らかになった新左翼的な

「内在」の思想、また現在のＩＳなど中東のイスラム原理主義思想の行く末を探る関心とも、無縁ではない。

もうすぐやってくる尊皇攘夷思想を迎え撃つために、いま私たちが考えるべきことは何か。

私たちはどうするのがよいのか。

同じことを繰り返すべきではないだろう。いまこそ、その回路を先回りし、尊皇攘夷思想のかつて生まれた理由、それが幕末期に人びとを捉えた理由、さらに戦前の国際的孤立の時期に再びそれが必要とされた理由を、内在的に、後を追って追体験してみなければならない。

それらのできごとを浮かべた「海」に、もう一度、漕ぎ出さなければならない。

あの「三〇〇年のものさし」を用意してみることは、その一つの方途となるだろう。

私の現時点での先の問いへの答えは、その一端を先にふれた著作(『増補　日本人の自画像』)に述べているものの、むろん、十分ではない。この先をいま、私は考えようとしている。

注

＊1(7頁)　このことに関わって、丸山への否定的な評価があるのを知った上で、なおこれと

正反対の判断を下す例もある。丸山と同じ日本政治思想史を専門領域とする原武史は、近刊『日本政治思想史』(放送大学教育振興会発行、NHK出版発売、二〇一七年三月)に、丸山の前期著作、特に『日本政治思想史研究』のような「初期の著作」は、西洋政治思想史を投影し、荻生徂徠の思想に「近代」の萌芽を見ようとしたもので、「学問的」に「ほぼ完全に否定されてい」る、と述べている。しかしその一方で、とはいえその後、「丸山が残した豊かな思想史学の可能性」には膨大なものある、と高い評価を取り下げない(四頁)。原は、この原稿を書くに際し、丸山の後半の仕事について専門家としての判断を尋ねた私の問いにも、後半の仕事の意味は大きく、後半の停滞という考えには与しない、と直話で述べている。本論の出発点は、後半の「停滞」にあるが、それを受けて「もっと先まで行けたはず」と見る私の丸山評価は、全体としては、じつはこの原の考え方に近い。この論の私にとっての意味は、戦後民主主義に対する内在的批判の試み、ということにある。

＊2(15頁)　いまでは完全に過去のことになったのでもうご迷惑が及ばないと思うが、一九九五年六月、前年一二月に出た「敗戦後論」(『群像』一九九五年一月号)をめぐり、三月、四月と高橋哲哉、西川長夫といった人びとから批判、反論が寄せられている時期、丸山眞男さんから『図書』七月号の「特集・丸山眞男集」の表紙に短いメッセージを書いたものの寄贈(?)を受けたことがある。前年(一九九四年)に氏の「歴史意識の『古層』」に刺激を受け、それを土台に書いた『日本という身体「大・新・高」の精神史』(講談社選書メチエ)をお送りしたことをさしてだろう。「御著書いただきながら、入退院の連続のため不義理をいたしました。」とあり、そのあとが、「お書きになるものはいつも興味深く拝読しております。／

御無沙汰のおわびの寸志まで。　丸山眞男」と結ばれていた。間違いかもしれないが、そのときは、ひそかに半年前に発表し、批判かまびすしい「敗戦後論」を読んでいただけたのかもしれない、と受けとめた。そして、力づけられた。そのばあい、丸山さんが「敗戦後論」の議論にどのような「興味」をもってくださったのかが問題になる。この個所に記したのは、そのことへの私なりの考えである。

*3(25頁)　このくだりがいつ書かれたかについては、記載のノートに「昭和三六年以降雑記帳」とあり一九六一年以降のものとわかるだけだが、この個所の冒頭に「(後記)」の断りがあり、その直前に、「一九六四年五月」の執筆日付をもつ『現代日本の思想と行動』増補版あとがきに記されてその後名高くなる述懐(「大日本帝国の『実在』よりも戦後民主主義の『虚妄』の方に賭ける」)の出自かと比定される、「戦前の日本帝国は『虚妄』ではなく『実在』だとでもいうのか。それなら私は日本帝国の実在よりもむしろ日本民主主義の虚妄を選ぶ」という語句が置かれている。それへの――あとがきへの転記を機にその前後になされた――「後記」と受けとれば、六四年前後以降の時期の記述と考えられる。

*4(28頁)　丸山と三島の対峙というこの構図は、一見意外だが間に橋川文三を置けば何ら不思議ではない。橋川は丸山の弟子に連なり、その関心の一面を全面展開して、戦後、超国家主義から西郷南洲にいたるまでの仕事を行う。一方で橋川は、三島が最も重視する同世代の皇国思想の経験者、研究者であり、三島への理解深く、晩年の文化防衛論を手厳しく批判するなどした。

*5(29頁)　この丸山眞男の「闇斎学と闇斎学派」と山本七平の『現人神の創作者たち』の連

関ならびに山本の後者著作の重要性については、橋爪大三郎の近刊『丸山眞男の憂鬱』(講談社選書メチエ)を参照のこと。

＊6(38頁)　山本に示唆されたこの「内在」と「誠」の関わりについては本文に述べる感慨のほかに、「誠」が幕末においては尊皇攘夷派ではなくその対立者たる佐幕派テロリスト集団ともいうべき新撰組の旗印に掲げられたこと、また二・二六事件に材を取った三島由紀夫の映画『憂国』で能舞台の正面に掲げられていた軸の言葉(「至誠」)に関わることから、この語の意味について、映画を授業で見せた外国人学生に意味を問われたことがあったこと、などが思い出される。山本は、本文の説明に続け、「『誠』という言葉の意味をこのように変えてしまった〝元兇〟が、実は、山崎闇斎なのである」という。しかし私の考えでは、それは昭和前期の尊皇思想についてはいえても、それとは明らかに出所の異なる幕末の攘夷思想についてはいえないのではないかと思う。それが同質の問題を含む私の全共闘運動の経験から割りだされる考えである(ちなみに当時私はマルクスなど左翼文献はさほど読んでいない)。なぜ一九七二年の連合赤軍は、幕末の尊皇攘夷思想のような(開国への)「変節」の契機をもてなかったのか、が現在の中東のISなどイスラム原理主義運動と重ね、問題となるが、この点については本論の続篇ともいえる「三〇〇年のものさし」を参照のこと。

＊7(42頁)　福沢の「解城」が明治期よく見られた書き方なのかどうかは、わからない。ちなみに東京都港区の元薩摩屋敷跡地に一九五四年、西郷吉之助(孫にあたる)揮毫になる『西郷南洲・勝海舟会見の地』の石碑が建立されているが、そこでの語は「江戸開城」である。

＊8(53頁)　友人野口良平の教示による。

＊9(56頁)　一九九五年七月の「半世紀後の憲法」でのやりとり、さらに一九九六年八月に発表された『敗戦後論』の第二論文「戦後後論」での考察を受けて、私はここでの吉本の「文学的発想」(内在の思想)批判への反論の趣旨をもつ吉本論を一九九九年に刊行された『戦後的思考』に書いて(第二章「罪責感を超えるもの――吉本隆明『転向論』の意味」)、吉本さんに送った。それについての吉本さんの対応については、『戦後的思考』の第二部注16と、その文庫版において新たにつけ加えた注16「後注」を参照のこと。そこで私は、吉本さんは文学的発想を否定すべきではなく、もしこれを否定するとすれば吉本の方法の誤用となるはずであると述べ、吉本さんは、その後、面談した際、この私の反論を受けいれてくれたと思うという私的判断を記している。

参考文献

飛鳥井雅道『文明開化』岩波新書、一九八五年
伊東祐吏『丸山眞男の敗北』講談社選書メチエ、二〇一六年
植村和秀『丸山眞男と平泉澄　昭和期日本の政治主義』柏書房、二〇〇四年
大江健三郎『取り替え子』講談社、二〇〇〇年
加藤典洋『敗戦後論』ちくま学芸文庫、二〇一五年、原一九九七年
同『戦後的思考』講談社文芸文庫、二〇一六年、原一九九九年
同『増補　日本人の自画像』岩波現代文庫、二〇一七年、原二〇〇〇年
苅部直『丸山眞男　リベラリストの肖像』岩波新書、二〇〇六年

紀平正美『日本精神』岩波書店、一九三〇年
小森陽一『歴史認識と小説　大江健三郎論』講談社、二〇〇二年
中央公論編集部編『三島由紀夫と戦後』中央公論新社、二〇一〇年
野口良平『幕末的思考』みすず書房、二〇一七年
橋爪大三郎『丸山眞男の憂鬱』講談社選書メチエ、二〇一七年
福沢諭吉『福沢諭吉集』筑摩書房、一九七五年
丸山眞男『戦中と戦後の間　1936〜1957』みすず書房、一九七六年
同『忠誠と反逆　転形期日本の精神史的位相』筑摩書房、一九九二年
同『丸山眞男集』岩波書店、一九九五〜九六年
同『丸山眞男座談』第七冊、岩波書店、一九九八年
同『自己内対話　3冊のノートから』みすず書房、一九九八年
三上参次『尊皇論発達史』冨山房、一九四一年
安丸良夫『現代日本思想論　歴史意識とイデオロギー』岩波現代文庫、二〇一二年、原二〇〇四年
山本七平『現人神の創作者たち』文藝春秋、一九九七年、原一九八三年
山本七平・小室直樹『日本教の社会学』ビジネス社、二〇一六年、原一九八一年
吉本隆明『芸術的抵抗と挫折』未來社、一九五九年
同『高村光太郎』講談社文芸文庫、一九九一年
同　座談会「半世紀後の憲法」(ほかに竹田青嗣、橋爪大三郎、加藤典洋)(『思想の科学』一九

九五年七月号）

和辻哲郎『尊皇論とその伝統』岩波書店、一九四三年

三〇〇年のものさし――二一世紀の日本に必要な「歴史感覚」とは何か

二〇一七年七月九日
河合塾文化講演会にて

はじめに

今日は、大きくいえば、歴史感覚についての話をさせていただこうと思います。日本の社会は、いま、これまでにない窮況のなかにあるのではないか。これが今回の話の出発点です。ここを見通すには、ある種の思想的な神通力が必要となります。それを手にするための、歴史感覚の更新が、求められている、という気がするのですが、その手がかりとなるような話をしてみようと思います。

近年の日本の状況には、これまでにない性格が見られます。それは戦後の時間と重なるように生きてきた私のような人間には、いままで自分たちは何をしてきたのだろう、と思わせられるような変化です。

私がいうのは、安倍晋三政権と現在の自民党政府の行状を中心として、最近の日本社会が示している様相のことですが、むろんそこには私たち自身も含まれています。あらかじめ、このことから導かれる問題を、一言でいえば、こうなるでしょうか。

来年は明治一五〇年です。五〇年前の明治一〇〇年のときには、戦後二三年目で、「戦後」と「明治」が対置されました。しかし、来年、そこで問題になるときは、「戦後か明治か」、ではないのではないか。いまや「戦後も明治も」と、考えてみなくてはならないのではないか。

明治一〇〇年から明治一五〇年へ

この、「戦後か明治か」と「戦後も明治も」ですが、私の念頭にあるのは、こんな前史です。

来年は、明治一五〇年というので、明治からの一五〇年の歴史の時間と戦後の七三年の時間と、二つの時間が並置され、そのいずれにわれわれは立つのがよいか、ということがまたしても議論になるでしょう。五〇年前、一九六八年にも、そのような議論がなされました。そのとき、私はちょうどここにおられる皆さんに近い、二〇歳で、大学の三年目くらいだったと思います。

このときは、戦後の二三年目でしたから、明治と戦後という二つの時間の対照は、一〇〇年を迎えた老人と、二〇歳前後の若者という類推で行われました。時の内閣は、岸信介元首相の弟で現在の安倍首相の大叔父にあたる佐藤栄作首相で、二年前(一九六六年)から「期待される人間像」というキャンペーンを張り、青年に愛国心をもたせることをめざす施策を展開中でした。その一環として、明治の偉大な国家建設の物語を戦後の平和主義・護憲主義に対置し、前者の偉業を前面に押し出す方針がとられました。これに対し、当時いまより遥かに強かった革新・リベラル派は、この同じ図式に則りながら、後者、戦後の民主主義の達成を強調することでこれに対抗しようと論陣を展開しました。これが「戦後か明治か」という対位のひな形です。

多くのメディアがこの対立構図に則り、ほぼ保守から革新までの幅で、この二つの時間軸、歴史意識を対置する論を展開したのですが、いまの目からいうと、このとき、これに内実において抵抗する新しい図式が、二人のまったく異なる文学者から示されています。一人は、司馬遼太郎です。彼は大阪の産経新聞の記者、文化部長などを勤めた後、小説家に転じ、このときまでに、『竜馬がゆく』、『燃えよ剣』、『国盗り物語』などの時代物の作家として知られていました。その彼が、この年、一九六八年から七二年にかけてはじめて近代ものに転じ、いわば若い弱小の明治の物語である『坂の上の雲』を、産経新聞に連載するのです。この新聞も、いまは見る影もないのですが、半世紀前は、しつかりとメディアの一角を占める実質ある保守系のメディアでした。また、もう一人は、大江健三郎。こちらは明治一〇〇年を見越すように、戦後の一九六〇年の安保闘争と幕末期、万延元年、つまり一八六〇年の農民蜂起を対比し、重ねる小説『万延元年のフットボール』を、前年の一九六七年から雑誌に連載し、この年の九月に単行本で刊行していました。

『坂の上の雲』は日露戦争までの明治日本を、極東の弱小国が何とか独立の気概をもってロシアという大国の勢力拡大に抵抗するという文脈のもとに、四国の松山出身の三人の若者、後に軍人になった秋山好古（よしふる）、真之（さねゆき）兄弟と、文学者になった正岡子規の交遊の物語として描くものです。勃興期の明治を、謙虚で合理的思考と独立の気概をもった好ましい小国の成長の物語として描出し、これを、それ以降の驕り高ぶった昭和前期の軍国主義日本に対置するという姿勢が感じ取られました。明治と戦後で、昭和前期を挟撃するという気配があったのです。

また『万延元年のフットボール』は、安保闘争に挫折した弟と一〇〇年前の幕末の農民一揆に挫折した曾祖父の弟という二人の反逆の物語を基本軸に、両者のはざまに生きる挫折した弟の兄にあたる主人公を描き、明治と戦後のつながりを喚起することで、時の支配的な時間の対立軸に抵抗する構図を示し、司馬の『坂の上の雲』と同じ志向を示すものでした。

司馬は、明治という若い国家を作った若者の群像を描き、大江は、明治にいたる幕末の国家建設の動きに民衆の側からなされた抵抗と反逆を描いている点で、大きく違い、対立すらしているのですが、ともに、明治の国家主義(老人)対昭和の民主主義(若者)というときの支配的な対立軸に、若々しい幕末・明治のイメージを提示することで抗う点で、共通していました。また、そのことによって戦後の平和主義、合理主義、民主主義という価値の根源を幕末・明治につなぐ新しい回路を作りだそうという姿勢で、一致していました。

ときの「戦後か明治か」=「若者か老人か」=「小国か大国か」という歴史感覚に、「若い明治=一〇〇年前の日本」という新しい歴史の捉え方を対置することで、「若くて、強者に抵抗する弱者としての幕末・明治」という新しい歴史感覚をもたらすという志向を共有していたのです。

そして、これに対し、いわば偉大な国家建設をなしとげた明治と、虚妄の「ごっこ」遊びに低迷する戦後、というときの自民党政府が準備した明治一〇〇年のイデオロギーに重なる構図に立ち、数年後、江藤淳が書き上げたのが、一九七六年にＮＨＫから大々的に放映されたドラマ、『明治の群像　海に火輪を』でした。

さて、それからさらに五〇年がたっています。しかし、来年の明治一五〇年に向けて、いま政府が準備している図式は、この佐藤内閣が準備し、のちに江藤淳が完成させた明治の国家建設の偉業vs「ごっこ」の戦後という対立の図式を出ないだろうことが、予想されます。というのも、このところの日本の社会の動向のなかで無視できない大きな流れを代表している「日本会議」と現在の安倍政権の歴史感覚が、それとあまり変わらないものだからです。また、これに対抗すべく、出てくるだろうリベラル護憲派からの対置の主張も、主客が逆転しただけの、国家主義・大国志向の明治一五〇年と民主主義・平和主義の戦後日本の七三年というものだろうと、予想ができます。このところのリベラル護憲派から出ているのは、せいぜいそこにかつて司馬や大江が加えた修正がほどこされるとはいえ、それでも大きくこの図式、「戦後か明治か」という歴史感覚を出ないものと思われるからです。

しかし、いま私たちの前に展開されている事態には、これまでにない性格が見られるのではないか。これに対しては、もうそのような「戦後か明治か」の歴史感覚では対処できないのではないか。それがここにいう、「戦後も明治も」、ということの意味です。また、いまや、この事態を打開する叡智を手にするためには戦後の七三年の経験だけでも明治の一五〇年の経験だけでも十分ではないのではないか。それが「三〇〇年のものさし」が必要、ということの意味になります。

つまり、「戦後も明治も」、もはやともにあてにならない。ではどうするか。この問いの先が、今日の話です。

現状——「後退国」

まず、近年の日本の状況に、どういう、これまでにない性格が見られるか、ということからお話ししましょう。

この間、新聞を見ていたら、『毎日新聞』が、最近の日本の政治は、何か往年のフィリピンやインドネシアの独裁者の国みたいになってきているのではないか、という特集をやっていました。首相による法令、憲法の公然たる無視、えげつない縁故主義や、取り巻きのマフィア的結束、首相官邸による高等官僚の人事権の独占、法曹・メディア・警察の馴致、強引な仕方での民主主義・立憲主義を否定する新しい法制の導入など、どうもいまの日本が、かつてマルコス大統領、スハルト大統領の君臨していたフィリピンやインドネシアに似てきたというのです(「東南アジア的『縁故主義』と日本　忍び寄る『独裁』の影」毎日新聞、二〇一七年六月三〇日)。

ところでその記事中、これを評して、憲法学者の小林節さんが、面白いことをいっています。日本は発展途上国ではないから、「途上国」、「後進国」並みというのはあたらない。そうではなく、日本はいま、「後退国」となったと見るべきだ、というのです。

そのばあい、ここに言う「後退」が、これまでいわれた「失われた二〇年」というような経済的な停滞・景気の後退や、三・一一以後の社会の荒廃について語られた「劣化」と違うのは、次の点でしょう。それは、経済動向のように周期的に起こる後退ではありませんし、人心の荒廃や社会・慣習・マナー等のレベルの低下のようにその社会での懸念を呼び起こすドメスティック、つまり国内的な変化というのとも違います。国際的に評価され、懸念を表明されうる、つまり人権とか民主主義といったいわゆる戦後の国際秩序に直結する普遍的な近代的価値とされるものに関わる、ふつうは不可逆的で確乎とした進展とみなされている政治的、社会的、文化的な制度・あり方の変化を指します。ですから、国内にとどまらない。国際的な関心を呼ぶ。外から警告を受けたり懸念を表明されたりします。

したがって、いまの日本の現状には、近年の新聞の紙面から取りだせば、非正規労働者の問題（パート労働は一九九〇年から二・五倍、フルタイムは変わらずで、非正規労働者の割合が日本でこの二五年間、増加の一途をたどっていること）、子供の貧困率（子供の貧困率がOECD加盟国中、最低水準にあること）、実質賃金率（実質賃金率が、一九九七年以降一〇四から九〇と低下基調にあること）など、重大で深刻な問題が多々ありますが、これらはここにいう「後退」にはあたりません。

「後退」とは、かつては先進国と思われていた国が、なぜか、近代的な価値の国際的尺度において、「発展途上国」のような段階に後退してしまうことをさしているのです。

たとえば今年になって、「国境なき記者団」が発表した報道の自由度ランキングで日本は、二〇一〇年の一一位からとうとう七二位にまで下落しました。G7では最下位です。また、二〇一六年、総務相が電波法に言及してメディアを威圧した事例にふれ、今年の三月、米国国務省の人権報告書が深刻な「懸念」を表明しています。さらに共謀罪の制定をめざす最近の日本政府の政治手法に対しては、五月に、国連の特別報告者が首相にあて恣意的運用の危険について警告を発するという事態が生じました。

こうした最近の変化に着目して、『中央公論』二〇一六年五月号が「ニッポンの実力」と題した特集をしています。そこにも、総体的な国際競争力二七位(かつては一位)、労働生産性二一位(低下幅はG7で最大)に加え、民主主義指標二三位という数字が出てきます。この最後のものでも、日本は二〇一五年度にはじめて、先進国の当然の枠である「完全な民主主義」カテゴリーから「不十分な民主主義」カテゴリーに転落しています。これはいわゆる先進国、特にG7に入っているような国では、むろん、例のないことです。民主主義度で問題になっているのは、安倍政権の行状だけではありません。それを、メディアがしっかりと報道しない。批判しない。また、そういう政権とメディアを、私たち国民が容認し、これにさしたる是正の動きを示していない。そこまでが含まれたあり方が民主主義の度合いです。つまり、気づいてみると、いつのまにか私たちは、国が社会全体で「途上国化」しているばかりでなく、それを国民として容認して気にならない、ある意味では「おとなしい」、先進国の国民としては珍しい存在になっており、そこからまた、「後退」という他に例のない現象が起こっていることがわかるのです。

アジアのなかでの特異さ

このことの異例さは、アジアの周りの隣国の間におくとき、よりはっきりとするでしょう。戦後、まわりに、このような「後退」を示している国は、ほかにないだけでなく、他の多くの国が「前進」しているからです。これほど「おとなしい」、静かな国民も――むろん北朝鮮という例外を除けば、ですが、――珍しいといわなければなりません。

この三〇年間を例にとりましょう。東アジアでいえば、韓国は長足の経済復興に加え(一九六二～一九九四年／漢江の奇跡、一九九六年／OECD加盟)、自力で独裁政権から民主政への移行に成功し(一九七九年／朴大統領暗殺、一九八〇年／光州事件、一九九〇年／文民大統領〔金泳三〕、一九九七年／金大中大統領)、まがりなりにも制度的に瑕疵(かし)のない大統領の政権交代をも実現するまでに民主主義的に成熟してきています。中国は、自力で共産革命を行った後、大躍進政策(一九五八～六一年)、文化大革命(一九六六～一九七六年)など多くの失敗を犯しながらも、政治的な独立は維持し続け、民主主義的な解放、人権問題などにまだ課題を抱えるとはいえ(一九八九年／天安門事件)、経済躍進を実現して(一九七八年～／鄧小平の開放政策以降）、GDP世界第二位にまでなり（二〇一〇年）、いまや世界の超大国の座を窺う勢いです。台湾は、やはり自力で戒厳令を克服し、民主化、経済成長も実現し（一九九六年／李登輝、二〇〇〇年／陳水扁）、二〇一四年には「ひまわり学生運動」で学生たちが社会を変える力を発揮しました。フィリピンは、現在、ドゥテルテという奇怪な大統領を戴き、困難のさなかにあるとはいえ、一九八〇年代に自力でマルコス大統領の独裁を打倒し（一九八六年）、一九九〇年代に米軍基地をすべて撤去し、不平等な地位協定も破棄して、対米自立をなしとげ（一九九一年）、現在、経済成長の条件を整えつつあり、ジグザグながらも、困難な前進の歩みを続けています。ベトナムは、米国との民族的戦争に勝利し（一九七五年）、これも困難な時期をくぐったあと、国際社会に迎えられ（一九九五年／ASEAN加盟）、現在、経済成長の途についています。

すると、こういう問いがくるでしょう。なぜ日本でだけ、こういう順調な「前進」のあとの突如としての「後退」が、いま政府、社会、国民がらみで起こっているのか。嫌韓・嫌中のヘイト・スピーチの風潮が、二〇一〇年のGDP三位への転落、経済的な中国の勃興、韓国の堅調、「失われた二〇年」と呼ばれる長期の日本の低迷から顕著になったことを考えると、経済的な優越感の足場を失った後、日本全体が、弱者のルサンチマンの負のスパイラルに陥ったことが明らかですが、しかし、単に、経済的な不調・停滞が長く続いただけで、なぜ、こんな全体的な「後退」が起こってしまうのか。そういう問いは残ります。

　なぜ、戦後いち早く民主化と経済発展を実現し、唯一の有色人種の国としてG7の一角を占め、平和志向の先進国としてこの半世紀、尊敬を集めてきた日本に、こういう「後退」が起こるのか。また、このことに含まれますが、なぜ日本の国民は、このような「後退」を目の前にしてなお、「おとなしく」また「おだやか」なのか。

「戦後か明治か」と「戦後も明治も」

　ところで、私は、そこには戦後の問題だけではなく、明治以降の日本近代の問題も顔を出している。戦後の経験だけでなく、明治以降の日本の近代の経験の底の浅さも、姿を見せている。つまり、「戦後か明治か」の構図はいまや崩れ、「戦後も明治も」となっている。「戦後も明治も」ともに信ずるに足りず。そこがこれまでと違っているところなのではないか、と見ています。

　では、この「後退」の現状のどこが、そう考えさせるのか。

　やはり、今年の四月、今度は『サンデー毎日』にですが(二〇一七年四月二日号)、毎日新聞の記者が「日本会議」関連に取材して書いた「保守ビジネス」という興味深い記事が載っています。書いたのは、伊藤智永という靖国神社問題などをめぐり、日本の保守層や国家主義に関するすぐれた著作をもつ記者ですが、こう報告しています。取材をしてみると、「日本会議」に集まっている人びとは、これまで自分が取材・調査等を通じて接してきたかつての戦前以来の保守、右派、国家主義的とされる人びとと、あまりにかけ離れている。人間が違う。なぜか、と調べてみると、彼らは、じつはあまり保守的な価値、国家主義的な理念、理想、価値を信奉しているのではない。愛国心や保守を押し出すことがそのままビジネスに結びついている。だから、いまや「保守ビジネス」というものが成立していて、国家主義の主張から人的なコネクションを生みだし、それをビジネスにつなげて金儲けの具にしていて、なお、彼ら、彼女ら自身、そのことで、わが身に照らして自ら恥じる、という風がない。じつは保守主義、国家主義の謳歌がいわれるなかで、戦前の価値につらなるとされる廉恥心、名誉心、公共的な気概などのあり方に、大きな空洞化が生じているのではないか、というのです。

この観察は、たとえば、一九七〇年の三島由紀夫の自裁をきっかけに、三島の主張を引き継ぐかたちで「対米自立」「戦後体制打破」を唱えて作られた若手右翼団体の一水会とその代表、鈴木邦男さんが、いま、「韓国を嫌って日本だけを愛するというのは本当の愛国心ではない」とレイシズム反対集会に参加する一方、この「日本会議」とは距離を置いている事実と符節を合わせています。また、中島岳志さんのように、その後、ガンジーに連なる形でまったく新しい保守主義者を標榜する若い言論人が、やはり「日本会議」を批判する形で現れてきている理由も説明しています。

「日本会議」は一九九七年に自民党の野党化をきっかけに、その反動で生まれ、二〇〇九年の民主党政権成立後、大きく発展しています。その点、同じ二〇〇九年に保守勢力の野党化のもとで生まれた米国の保守派ポピュリスト運動、「ティー・パーティ」と似ています。現に私が両者の類似を二〇一四年に『ニューヨークタイムズ』で指摘し、日本でも「ティー・パーティ」型の保守派の運動が不気味な動きをはじめていると書いたときには、アメリカの政治学者イアン・ブレマーさんがめざとく、ハハン、「グリーン・ティー・パーティ」ね、としゃれたツイートをあげてきました。「ティー・パーティ」の名は、一八世紀の米国の独立戦争のきっかけとなったボストン茶会事件に由来していますが、本質は、ともに危機感に裏打ちされた、「反動＝リアクション」の運動で、その危機感の淵源には、ここでは十分に展開できませんが、グローバリゼーションに代表される二〇世紀末からの現代世界の動きがあります。これについては、最後にほんの少しふれる予定ですが、「空洞」は、それへの危機感の対応物としてきわめて現代的なのです。

つまり、ここからわかるのは、戦後の平和主義、民主主義に難点と弱点があるのと同じく、現在の二一世紀の保守主義、右翼的主張、つまり明治以来の戦前の価値を称揚するタイプの主張にも、さまざまな変質と空洞化が起こっている、ということです。戦後と明治の対比でいうなら、かつては、「戦後か明治か」がこの二元論の基軸だったのですが、いまや、「戦後も明治も」。つまりその両方が、信ずるにたらず。その二つをともに相対化できるようなものさしが、必要になっているのではないか。これが私の現状認識なのです。

戦後の「むなしさ」

では、なぜ信ずるにたりず、なのか。

そのことを、戦後についていえば、こうなるでしょう。なぜ、ここに来てアジアで言えば、日本にだけ、上に述べたような「後退」が生じているのか。また、日本の国民は、体制に対して従順、かつ「おとなしい」のか。

理由はイロイロにあるでしょうが、その最大のものは、日本には戦後、自力で民主化をなしとげた経験がないことだろう、というのが私の考えです。

先にあげたように、韓国にも、中国にも、台湾にも、フィリピンにも、ベトナムにも、戦後、自力で困難に立ち向かい、体制を人民の力で覆した歴史があるのですが、日本には、ない。むしろ、戦後の民主化の大事業をすべて米国の手で他律的にしか行えなかったという「空洞」がある。時の体制に対する大規模な国民抵抗の運動としてはわずかに一九六〇年の安保闘争があるだけで、政府として正面から「対米従属」の軛(くびき)を遁れ、自立をはかろうとした動きとしては、あっというまに潰された二〇〇九年の鳩山・小沢民主党政権の挑戦しか、ないのです。

日本は戦後、いち早く民主主義を回復し、奇跡的な経済成長をとげましたが、自国国民の幸福を第一とするための絶対条件である政策決定の独立性、はっきりいえば対米自立ということを、後回しにしてきました。そのため、東西冷戦が終わり、国際的な政治経済状況の激変期を迎えると、これに自国民本位に対応できず、「失われた二〇年」へと落ち込み、三・一一の複合災害をへて、現在の「後退」を迎えています。ではなぜ、この長期の経済的な停滞と不調が、冷戦終結後にやってくるのか。経済的に具体的な検討をここでは行いませんが、私は、原理的には、日本が米国との関係の正常化(相互自立の上での協力関係)をめざした冷戦後の長期的展望に立った経済政策の策定へと、国を挙げて動くことができなかったことが、少なくとも大きな原因の一つだろうと思っています。というのも、経済的に考えれば、地理的に近く、圧倒的な市場をもつ中国と仲良くすることが冷戦後、日本が経済的に安定を得るためのベストな選択であることは誰の目にも明らかだからです。東アジア共同体構想を掲げた鳩山・小沢民主党政権の方向は、その意味で正しかったと思いますが、それは米国の望む方向ではなく、この間、そのような国を挙げてのコンセンサスを作り上げることができなかった。そこにも戦後の

「自力」性、「自立」性の欠如が顔を出しているでしょう。しかし、明治の日本はそうではなかったのです。明治の日本にとっては、政体変革以前、一八五〇年代になされた不平等条約の軛を脱し、何とか対外的な平等と自立を回復することが国を挙げてのコンセンサスで、明治政府もこれを「国是」の第一とし、日清戦争に勝利した一八九四年に治外法権の撤廃を、日露戦争勝利を経た一九一一年に関税自主権の回復を実現し、対外独立にこぎつけます。しかし、戦後の日本には、なぜか、そのような対米自立に向けてのコンセンサスが成立しなかった。いまもそうです。政府も国民も、「反米的」であることを恐れ、忌避する気分が強い。それに乗じて、いまの安倍政権が行っていることは、むしろ、従米の徹底化という、その逆のことです。

自力の民主化を経験しないと、どんな国民になるか。その好例がアジアで言うと、カンボジアです。カンボジアは、ポル・ポト派の虐殺政策のあと、内戦をへて国連主導で、民主化と平和を回復しました。自力での民主化は果たせませんでした。そのカンボジアの国民が、自分たちの作った特別法廷では、ポル・ポト派の責任者をいまなお、人民虐殺の廉(かど)で厳罰に処せない。死刑にできないでいます。こういう様子を見るにつけ、私たちは、もどかしい思いにかられるのですが、日本も同じです。国際法違反の無差別大量殺戮兵器の原爆を落とされて七〇年をすぎてなお、政府として米国に抗議をしない、できない、国民もそのことをさして不思議に思わない、という現実があります。一九九〇年代に入り、韓国政府はようやく、国民である従軍慰安婦経験者の尊厳を回復するため、日本政府に抗議せよ、という国内の声に押されてですが、この問題で日本政府に正式な抗議を行います。しかし、日本政府は、国民である原爆犠牲者、被爆者の尊厳を守るため、同じく、原爆投下に関し、米国政府に厳重に抗議するということは、いまなお、していない。国民からもさしたる要求の声はあがらない。これなどは外から見れば、なかなか理解しがたい光景でしょう。

明治の「浅さ」

次に「戦後も明治も」の「明治も」のほうですが、その意味は、現在の「うつろな」政権の軍国主義への復古志向、また「日本会議」などの保守主義、国家主義がそのまま保守・伝統・愛国の主張としてまかり通ってしまう、そういう傾向の背後に、やはり明治の「底の浅さ」が顔を見せている、ということです。その理由は、こうです。

戦後の日本は、敗戦を機に、米国による民主化に力を借り、いちはやく効率のよい再出発を果たしましたが、その際、また、その後も、過去にフタをしたまま、戦前の失敗がなぜ起こったのかという問題に立ち返り、再びこのようなことがないようにしようと理由をさぐり、自力で解決をはかるということをしませんでした。具体的にいえば、なぜ、大正期のデモクラシーの時代のあとに、皇国思想の席巻、軍国主義による経済的苦境の打開ということが起こらなければならなかったか、その理由は何か、の探求です。私の考えでは、この戦後の出発の「底の浅さ」は、明らかに、その後の日本の戦後価値の「うつろさ」の原因の一つとなっています。

ところで、それと同様、明治の日本も、明治維新を達成する際にぶつかった問題に解決をつけることなしに、維新成立後は、過去にフタをし、いちはやく効率のよい再出発を遂げることのほうを、選んでいる点、同様の「底の浅さ」を指摘できるのです。

では、そこでの明治の「浅さ」とは、どのようなものか。

それは、明治維新をもたらした〝テロリストの思想〟ともいうべき尊皇攘夷思想と、その後の、その尊皇攘夷思想から尊皇開国思想への〝集団転向〟という、ともに――いってみれば――「ヤバい」ものを、明治維新が成就したあと、当事者たちが、みんなして示し合わせるように「なかったこと」にしてしまったことをさしています。

明治維新をもたらした主張、思想は、尊皇攘夷思想で、それは、尊皇思想と攘夷思想の合体した倒幕の思想――幕府は列強の開国要求に応じる方針でした――だったのですが、明治維新が成就すると、そこから「攘夷」が消え、なかったことにされてしまうのです。

明治維新の当事者たちは、全員そのことを知っていたはずです。そこでフタをされた

「ヤバい」もの、国がなったあとではもはや意味がないものをさして、後年、福沢諭吉はこれを「瘠我慢」と呼んで、それを「ないこと」にした明治を、勝海舟への非難という形で取りだすのですが、それは明治にあっては例外的なその「ヤバい」ものへの立ち返りであり、また顕彰の企てでした(「瘠我慢の説」)。

維新がなった当座は、この臭いものにフタと集団転向の「うしろめたさ」がまだ、多くの当事者に共有されていました。山本七平は、この「うしろめたさ」について、たとえば岩倉具視が、維新の大義に尊皇攘夷を掲げて戦った後、その「攘夷」が「開国」へと転じてしまったことにふれ、では何のための戦いであり、犠牲だったのか、「ああこれ朝廷の罪なり」と述べ、西郷隆盛も、尊皇攘夷にはじまり多くの犠牲を重ねた末によ うやく生まれた政府が今度「欧化」をめざすというのでは、何のための戦いか。「天下に対し戦死者に対し」面目が立たない、と「頻(しき)りに涙を催」した事実(『西郷南洲遺訓』)を伝えています(『現人神の創作者たち』)。

「なかったことにされた」ものの再帰
――一八五〇年代と一九三〇年代と二〇一〇年代

今回の話は、この明治の起点におかれた隠蔽が、一つの眼目になります。

上にふれた山本七平は、この隠蔽をさして、「明治は徳川時代を消した。と同時に明治を招来した徳川時代の尊皇思想の形成の歴史も消した」と指摘し、これに続けて、一つ注目すべきことを述べています。このような明治の出発点の隠蔽、臭いものにフタが、その後、昭和前期における尊皇攘夷思想の「うつろな」再来をもたらすことになったのではないか、というのです(『現人神の創作者たち』)。

さて、ここに述べてきたことから見て興味深いことの一つは、この尊皇攘夷思想の「うつろな」再来の時期である昭和前期が、現在の二〇一〇年代日本に先立つ、近代日本のなかの最初の「後退期」にあたっていることでしょう。

この昭和前期、一九三〇代の日本に起こったことは、こういうことです。国内的には一九二五年の治安維持法制定と一九二八年の獄中にあった共産党指導者による転向声明を機に起こった集団転向に端を発し、一九三〇年代になって噴出する皇国思想の勃興(天皇機関説事件は一九三五年)。それと一九三六年の二・二六事件へといたる軍部の度重なるクーデタの動き。また、国際的には、一九三一年の満州事変と、これに対する国際連盟の侵略認定を受けて起こった一九三三年の国際連盟からの脱退。これが、先に述べた現在の「後退」に先んじる、日本にとっての最初の「後退」の内容で、それを決定づけたのが、国内的には一九三五年の「国体明徴運動」の出現、国際的には一九三二年の国際連盟から派遣されたリットン調査団の報告でした。

　ところで、なぜこの突然の「後退」は起こっているのか。というのも、少なくとも一九二三年の関東大震災までは、日本は大正期にあって、第一次大戦後の好況もあり、平和主義と国際協調を基調に大いに大正デモクラシーを謳歌し、一九二〇年にはイギリス、フランス、イタリアとともに国際連盟の常任理事国の一角をすら占める先進国、列強の地位にあったからです。それが、一九二〇年代後半から三〇年代にかけて、世界的な不況、ついで経済恐慌の嵐に見舞われると、状況が一変。日本は軍国主義による対外進出に経済的打開の道を探すようになり、それと同時に、「昭和維新」などという言葉が叫ばれ、「国体」の思想ともいうべき皇国思想がやってきて、それまでの合理的な議論がすべてなぎ倒されてしまいます。そして山本七平は、その突然の「後退」は、幕末に抑圧され地下に押し込められた尊皇攘夷思想が、大いなる「危機」を前に、再びマグマのように噴出したことから起こっているのではないか、というのです。

　ところで、この「後退」の遠い帰結の一つとして、一九三〇年代はじめに準備され、一九四〇年の開催決定にまでこぎつけていた東京オリンピックが、一九三八年に開催権を返上、中止と決まるというできごとがありました。いま私たちの前に開催を予定されている東京オリンピックの開催年が二〇二〇年ですから、その間隔は八〇年です。私の関心から見て、興味深いのは、この臭いものとしてフタをされたものの、初めての激発と改めての再来の期間が、一八五〇年代の幕末期から、一九三〇年代の昭和前期軍国主義期まで、やはり八〇年となっていることです。むろん、ここにいう一八五〇年代の尊皇攘夷思想の「うつろな」再来とは、昭和前期、一九三〇年代の天皇機関説事件、国体明徴運動に代表される皇国思想の激発をさしています。そして、その一九三〇年代は、上に述べたように二〇一〇年代に先立つ第一の日本の「後退期」にあたっているのです。ですから、この二〇二〇年の東京オリンピックだって、現在の「後退」の帰趨如何ではどうなるか知れたものではないと、これは半ば冗談ですが、仮に考えてみるなら、ここには、一八五〇年代、一九三〇年代、二〇一〇年代という三つの時代の「惑星直列」の図が浮かんでくることがわかります。

山本によれば、明治維新をもたらしたのは、江戸前期の朱子学の一派である山崎闇斎の学派の考え方です。一七世紀後半、江戸の前期に、後に垂加神道の創始者ともなる朱子学者の山崎闇斎(一六一九～一六八二年)が君臣の関係を重視した原理主義的な学派を開くのですが、山本は、この闇斎から出て、弟子の浅見絅斎(一六五二～一七一二年)をへて、江戸中期——幕末から一五〇年ほども前のことですが——水戸学のなかで徳川幕府の統治の正当性を揺るがす尊皇論へと育っていく考え方が、やがて国家的危機に端を発した攘夷の論と結合して、明治維新の革命イデオロギーとなったと述べています。そしてその過程を丁寧に跡づけています(『現人神の創作者たち』)。

尊皇攘夷思想とは何か

ところで、尊皇攘夷というときの後者、攘夷の思想とは何なのか。私たちは偏狭なテロリズムの思想として、忌み嫌っていますが、これと正面から向かいあわなければならない。それが明治維新、つまり日本に近代をもたらしたものの、最初の起点の思想のかたわれだからです。そして、落ち着いて考えてみるとわかるのですが、これは人が自分のいる場所で、そこを基礎にものごとを考える限り、それしかない、というかたちで摑まれるいわば地べたのうえに立つ「正義」の論です。幕末期、日本列島に住む人びとは、日本は何も悪いことをしていないのに、外国がやってきて、暴力的に開国しろという、理不尽ではないか、こんなものは「打ち払え」、と考えた。そこにおかしなものは何もありません。こう見てくるとわかるように、ここには誰がどう考えてもこう考えすすめるしかない、という、いわば内在的に考えたばあいの「正しさ」の動かしがたさがあるのです。

とはいえ、世界は、こうした内向きの「正しさ」だけで動いているのではありません。一つの共同体の「正しさ」がもう一つの共同体の「正しさ」と同じでない限り、二つの共同体が関係をもち、高次に世界が構成されていくようなばあい、この「正しさ」は何らかの形でカッコに入れられ、別のものに座を譲るほかありません。この「正しさ」は、壁にぶつかり、他と調停され、別のものに姿を転じなければ、生き延びることができないのです。自分の信じる「正しさ」から、自分で、離脱し、これを相対化できる機能をもっていなければ、他の共同体とは共存して生きていけない。現在のISの原理主義のように、国際社会から排除される以外になくなります。

そして、幕末に起こったこともそういうことでした。尊皇攘夷を標榜し、これを実行し、欧米人にテロを働いた長州藩と薩摩藩の武士たちは、それぞれ、そのことの因果応報の結果として、下関戦争、薩英戦争を招来し、現実の壁にぶつかり、一つの覚醒にいたります。つまり、どんなに「正しさ」を標榜しようと、戦争に負けたら植民地にされるだけだ、と関係の力学にめざめるのです。いわば内向きの「正しさ」が現実にぶつかり、関係の意識の中で「次善の策」を探す、という思考に転換していく。内向きの「正しさ」の思想が、自分で、これを相対化する契機を摑んで、関係の意識にめざめる。そして、いわば「関係の思想」に転換していく。それを私は「内在」から「関係」への転轍と、自分の過去の著作では呼んでいます(『日本人の自画像』)。

幕末に起こったことは、まず朱子学の原理をゴリゴリにつきつめる一派(闇斎学派)のなかから幕府の統治と身分制度の正当化の論を内側から食い破る尊皇思想(天皇のもとでの四民平等という「一視同仁」の論)が生まれ、次にそれが地べたから生まれた攘夷思想と結合して、尊皇攘夷思想という「内在」の思想に結実する。そして現状維持思想（朱子学的体制存続論）とぶつかり、倒幕と攘夷を伴う革命がはじまる。しかしそれが現実にぶつかり、「関係」の思想に「転轍」されると、今度は尊皇攘夷が尊皇開国へと「乗り換え」られ、その破壊の原理が、建設の原理に接続する。そして、はじめて明治新政府樹立のイデオロギーに生まれ変わる、という二段階からなる、一連のできごとでした。明治維新をもたらしたのは、この尊皇攘夷思想というテロの思想と、それが「攘夷」から「開国」へと集団的に理屈なしに「乗り換え」られてしまうという、ともに、明治国家という立派なものができてしまうとそれにそぐわないように見える、「ヤバい」〝思想〟であり、〝できごと〟だったのです。

それで、明治の人びとは、この偏狭なテロの思想と、そこからの集団転向という明治維新を起こした二つの起因をなかったことにして、いわば第一章は袋とじにし、第二章から、自分たちの歴史を語り、政治をはじめることにしました。そこから、明治以後の日本近代の政治は、「国権」対「民権」を原理的な対立構図とするという公式見解が生まれてきます。しかし、この二層構造を二元論にすりかえることによる「力」の抑圧、これが私の言う明治の「底の浅さ」となるのです。

では、この「浅さ」からどんな困ったことが起こってくるのか。それが八〇年後の「なかったことにされたもの」の〝再来〟が教えることです。臭いものにフタの結果、再び国の存亡に関わる「危機」にこの国が見舞われると、この「国権」vs「民権」という仮の対立をなぎ倒すように、その地下から、マグマのように、そもそものはじめの対位の根にあった尊皇攘夷思想が噴出してくるのですが、この噴出にはもはや現実的な理由も、文脈も、先にはあった「正しさ」の理路も欠けている。似て非なるものとなっている。つまり尊皇攘夷思想が、このたびは、人民の側から出て国の体制を動かす革命思想ではない、逆に国家が国民を扇動する疑似革命思想となってしまう。それが、革命思想ならぬ国家思想の変形としての一九三〇年代の皇国思想の正体なのです。

ところで、戦後は、もう一度、その明治の「底の浅さ」を反復することではじまります。そして二〇一〇年代、さらに一九三〇年代の皇国思想の〝再来〟を予告しているのは、何十遍も複写されてほとんど字も読み取れないコピーを思わせる、攘夷の盲動ともいうべき近年のヘイト・スピーチの運動なのです。しかし、これが幕末の攘夷とは似ても似つかない代物であることは、そこで弱者の「正義」の地面が、誰のもとにあるかを見ればすぐにわかります。幕末の攘夷の声は弱者から強者に向かって投げつけられる絶望的な石つぶてだったのですが、いまのヘイト・スピーチは、弱者のルサンチマンの不満の捌け口が——米欧の「強者」を忌避することで——少数者に向かう、さらに立場の弱い側への理不尽な攻撃にほかなりません。「正義」は、どこにあるか。彼らにではなく、彼らから石つぶてを投げつけられている国内の少数者の側にあります。現今の「攘夷」――外国人をやっつけろ――の主張は、主張としては同じでもその内実は、幕末のそれのちょうど逆です。なぜこれがダメか、ということを言いあて、これを根絶するためにも、私たちはいま、幕末の尊皇攘夷思想にもう一度向きあい、なぜそれが「正しさ」に基づいて誰をも動かすものであったのかを知る必要があるのです。

また、「うつろ」な尊皇攘夷のまがいものである現在のヘイト・スピーチには、既成の思想の枠を壊す力はありません。これを支えているのは、やはり明治以降の「国権」vs「民権」の図式だからです。その意味でも、私たちは、「戦後も明治も」信ずるに足りず、そう言わなければならないのです。

一八六八年の分断線

では、いま私たちに要請されているのは、どのような歴史認識なのか。もし、戦後の民主主義的な価値も、明治の国権主義的な価値も、ともに十分にあてにはならないとすれば、私たちは、どのような時間のものさしをもって、どこから考えていけばよいのでしょうか。

私は、ここから先は、時間の制限もあり、かなり茫洋とした形でしか、話せません。しかし、ぼんやりと感じるところを、そのまま、言葉にしてみようと思います。

私はこの前、山本七平の『徳川家康』(一九九二年)という本を読みました。山本の最後の仕事が、この徳川家康論なのです。朝鮮出兵という敗戦を、関ヶ原の戦いに接続して、天下を統一した家康は、妥当な国交回復交渉を朝鮮王朝との間に行い、有能な外国人スタッフを直接自分の外交・貿易顧問とし(ウィリアム・アダムスとヤン・ヨーステン)、TPPのような外国との貿易交渉でも、日本の国力に基づいて実に賢明な制限的開国を実現しています。外国人を直接自分のスタッフにした日本の統治者は、この家康以外にいないそうです。鎖国といま、言われているあり方も、むしろ、日本主体の後進国型の独自外交路線としてじつに高度な政策だったことがわかります。山本は、明らかにこの徳川家康の政策決定の姿勢を、戦後日本に重ねて考えています。

そのような事実にふれるにつれ、私にやってくるのは、日本の近代を一八六八年で区切る分断線が、これまでいかに多くの知的営為の可能性を閉ざしてきたか、という思いです。それが、いまも、私たちの歴史感覚を無意識のうちに大きく制限していることを思わずにはいられません。

日本では、学校で国語を習うとき、古文と現代文とが分かれます。一八六九年以前に刊行された著作は、古文に分類され、現代文と別の教科扱いとなっています。しかし、英語にも、フランス語にも、ドイツ語にも、いわばそういう政体変革を理由とした人為的な分断線は見られません。

たとえば、カントの『純粋理性批判』(一七八一年)と、ヘーゲルの『精神現象学』(一八〇七年)と、マルクスの『共産主義宣言』(一八四八年)、ニーチェの『ツァラトゥストラ』(一八八五年)の間には、言語上の分断線は入っていませんが、それは、ドイツを含むヨーロッパの近代は、どこからはじまるか、と聞くと、多くの場合、一六四八年のウェストファリア条約から、という答えが返ってくる事情と同断です。現代のドイツ語は、一六五〇年前後の標準ドイツ語の成立以降がひとつながりとみなされています。それがこの一六四八年とほぼ同時期であることのうちに、両者の同期がよく示されています。

当然、日本でも事情はさほど変わらないはずです。ここまで見てきたように、明治維新は外来思想の移入によって起こったわけではありません。また、明治以降、日本が植民地化され、それまでの言語の使用が禁止された、というようなこともありません。そこに文化、思想の分断はないのです。ですから、たとえば一七九八年に書かれた本居宣長の「宇比山踏(ういやまぶみ)」と、一八四三年に書かれた勝海舟の父である勝小吉(こきち)の『夢酔独言』と、一八七二年に書かれた福沢諭吉の『学問のすすめ』を、学校の外で、自分の楽しみとして読み比べて下さい。そうすればわかりますが、これらはひとつながりのものとして、ここにいる誰の目にも入ってきます。そこに現代文と古文の分断線を引くことはできない。宣長の文もたやすく地続きで読めてしまいます。しかし、学校で、それを読もうとすると、宣長の「宇比山踏」は、わ、わからん、古文だ、と見えてくるでしょう。それは、そこに日本近代の文化的制度的分断線が働いているからです。

しかし、思想に働いている分断線、歴史感覚に働いている分断線についても、同じことが言われるのではないか。

この過去の抑圧と新しい自己の仮構の要請はよほど強かったのでしょう。一つの指標が名前で、私たちは自分の名前を横文字で示す時、鹿鳴館的倒錯に陥り、つい逆に表示する、ということをしてしまったのですが、それをいまも踏襲しています。中国名、韓国名、ベトナム名を見てもそういうことはありませんから、これもアジアの中で見る限り、例外的で、「明治の浅さ」の指標といいうるかもしれません。毛沢東を、ツエトン・マオとは言わない。言うと、何だかマオが、ハリウッド映画の俳優みたいです。しかし、私は、英語の新聞などに寄稿すると、Norihiro Kato と名乗る。ここにも一八六八年の分断線が働いているのですが、これも私は今後、ひっそりと改めたいと考えています。

そのようなつもりで、いま、明治維新をもたらした思想的な動きがどこからはじまるか、と考え、その基点を、山本七平の説に倣い、たとえば、江戸の前期、一七四八年に刊行された浅見絅斎の『靖献遺言』あたりに見すえてみましょう。すると、まったく異なる歴史の姿が浮かんできます。というのも、この『靖献遺言』は、刊行後、一〇〇年をへて、幕末期に吉田松陰などの志士らに愛読され、ベストセラーになり、明治維新を用意するのですが、その後、さらに一〇〇年後、一九三九年に今度は岩波文庫に入ると、もう一度、ベストセラーとなって、特攻隊のパイロットとなる出陣学徒らに争って読まれる、そういう事実があるからです。

ですから、『靖献遺言』に着目するなら、私たちは、一七四八年と一八五〇年代と一九三〇年代と、三つの時代がこの書を手がかりに、これも「惑星直列」のように並ぶ図を手にすることになるのです。

すると、何が可能になるのか。『靖献遺言』を書いた浅見絅斎とそれを読んだ吉田松陰とさらに再びそれを岩波文庫で読む特攻学生の間に、比較が可能になります。そしてそれはまた、どうしても一八五〇年代の尊皇攘夷思想と一九三〇年代の皇国思想の比較へと私たちを連れて行くことになるでしょう。すると何がわかるか。この二つには、大きな違いのあることが見えてきます。

一つ。幕末の尊皇攘夷思想は、自分たちは何も悪いことはしていないのに、外から列強が開国を迫ってくるという強国の理不尽な要求に対するふつうの人の抵抗の思想の「正しさ」に裏付けられた、人民の抵抗の思想でもあれば、革命の思想でもありました。しかし、皇国思想は、「自分たちは何も悪いことはしていないのに、外から列強が開国を迫ってくる」という幕末の危機感を、国が、情報を操作することで国民に煽り、「皇国はやむを得ずに戦火を開かざるをえない」という理屈で国民を動かそうとした、国家の印象操作と扇動の思想にほかなりません。それは、国家としての日本が当時の支配的な国際秩序に反旗を翻すために考えついた、国家主義を幕末の構図に重ねた疑似革命思想にすぎなかったのです。

また、もう一つ。幕末の尊皇攘夷思想は、そのような人民の絶望的な抵抗に根拠づけられたテロリズムの思想でもあったことで、現実の壁にぶつかると、ある意味では健全に「関係」の意識にめざめ、集団転向的な尊皇開国思想へと転換するいわば「変態」・「羽化」の機能を内部に備えていました。しかし、昭和前期の皇国思想は、人民の絶望的な抵抗といった裏付けをもたない、本当は現実的に「覚醒」した政治機構であるべき国家による危機感の煽動の具にすぎません。そのため、ぶつかるべき現実の壁をもたず、そのことを契機に「変態」つまり「覚醒」の機会をもつことができませんでした。その結果、自発の進行停止の論理をもつことができず、外在的な契機である原爆投下、ソ連参戦を理由に、皇国思想にとっては局外的存在である天皇の決定に助けをもとめるまで、ぐずぐずと一億総玉砕のもと、絶望的な歩みを続ける以外にありませんでした。

そして、その違いは、『靖献遺言』の二つの読まれ方にも現れています。『靖献遺言』とは屈原、諸葛孔明など中国の八人の忠臣義士について書いた朱子学の殉教者列伝です。吉田松陰はこれを読んで自分の行動を模索し、探求したのに対し、特攻学生には、その選択の自由はありませんでした。むしろ、そこにどのような自由の余地もなく、死が国によって定められていたことが、学生をこの本に自分の死の納得の理由を求めさせた理由だったと思います。

ここでこう述べるからといって、私をウルトラな右翼思想の持ち主だと思わないでください。むしろこのように、尊皇攘夷思想の内部にまで踏み入り、明るみのなかで考えることが、現在の尊皇攘夷思想のもつ「ヤバさ」を解除し、その理解の右翼的な退嬰性を打破することにつながる。幕末の尊皇攘夷思想がなぜ人びとを動かしたか、しかも、激しく人を行動に駆り立て、それ自体、思想として現実の壁にぶつかったあと、どのような仕組みで再び自らを違う方向に変成するだけの柔軟性を手にしているのか。こうした問いに向きあうことは、いま、柔軟性を失い、かつ現実の壁にぶつかってもいる戦後のリベラルな思想にとって、無益なことではありません。こうした問いに、一歩を踏み出し、答えることが、尊皇攘夷思想を、私たちに親しいリベラルな思考と同じ分母をもち、通約可能な存在へと変える。むしろ現在のリベラルな思想それ自体をも、鍛えるのです。

三〇〇年のものさし――尊皇攘夷と現代世界

三〇〇年のものさし、江戸の前期にまでたどる歴史感覚を手にするとは、こうした既存の分断線を越えた視界をもつことで、明治以来の「民権」vs「国権」の思考の枠組みを内側から解除することを意味しています。そこから見れば、これまでとんでもないウルトラな思想とだけ映っていた尊皇攘夷思想が実はリゴリスティックな観念性(尊皇論)と奇妙に野放図かつ絶望的な地べた性(攘夷論)の二層構造からなる、不思議な構成をもつ論であることが見えてくるでしょう。

なぜ、尊皇攘夷の思想は私たちにとって、大切なのか。その理由は、これが、日本の近世から封建制と身分制度を内から食い破る形で出てきた唯一の革命思想の範型だからです。しかも、それは、現実に発するものであるという理由から、壁にぶつかり、合理的な思想に転換すると、やがてリベラルな思想へと育つ本質をもっています。尊皇攘夷思想には、身分制度を内破する尊皇思想とただの人の「正しさ」の感覚に立脚する攘夷思想が含まれています。そのうち、尊皇思想は、天皇を奉じることで、旧来の身分制度を否定しますが、その天皇の「一視同仁」には、そこにただの人の「正しさ」の感覚が併存する限り、「天皇のもとでの」を離脱する「変態」の身体機制が備わっているでしょう。また攘夷思想にも、それが地べたの「正しさ」の感覚に発する思想である限り、やはり、現実の壁にぶつかり、「関係」の意識にめざめる身体機制が備わっているはずです。だから、リベラルな思想は、これを恐れ、排除してはならない。幕末の尊皇攘夷思想こそが、日本の近代の文脈に置く限り、戦後のリベラルな思想を含む、日本の近代以降の内発的なすべての思想の出発点であり、祖型なのです。

ここで、もう時間がないのですが、ここまで述べたことを二一世紀の現実世界と結びつけるため、少しだけ、一つ、最近出た著作にふれておきます。それは、東浩紀さんが出された二一世紀の現代世界論である『観光客の哲学』(ゲンロン、二〇一七年)という本です。東さんは、その現代世界論で、リニアルな二元論と非・リニアルな二層構造性について述べています。現代世界の本質は、グローバリズム(動物/身体/世界市場性)とネーション(人間/意識/国民国家性)が共存していること、その二層構造性にある、というのがそこでの彼の主張です。

カール・シュミット、アレクサンドル・コジェーヴからハンナ・アーレントまで、あるいは近年のアントニオ・ネグリを含め、これまで多くの政治思想家が、Bの到来に対してAが大事だ、あるいはもはやAの時代ではなくBの時代だ、とリニアルにこの二つのもの、ネーション(A)とグローバリズム(B)を論じてきた、と彼はいいます。シュミットの「友敵理論」も、コジェーヴの「歴史の終わり」の論も、モッブ(愚民)による政治エリートの駆逐が全体主義を呼び寄せたというアーレントの『全体主義の起源』の論も、同じ把握のもとにある。B(動物としての人間)に対するA(意識存在としての人間)の称揚という点で共通している。一九九〇年代をへて二〇〇〇年代に入ると、今度は逆に、ネグリらが後者(非組織群衆＝マルティチュード)による後者(国民国家＝ネーション）への抵抗に可能性を見出す。つまりアーレントがモッブと呼んだいわば動物的存在としての愚民が、ここではマルティチュード（非組織群衆）へと転換されているが、これもAからBへ、として捉えられている限り、抵抗の戦略的基軸をもつことはなく、否定神学のロマン主義に帰着せざるをえない。それは、いずれも、二つを線的に考えているところが間違っている、とおおよそ、このようなことを東さんはいうのです。

彼によれば、この「ネーション」と「グローバリズム」の共存、互いに矛盾する二つのものの二層構造を受けいれ、偶然性を手がかりにその「はざま」を生きること。そこに、この現状を打開するためのヒントはあるだろう、ということになる。そこから彼の「観光客」の哲学が生まれてきます。ところで、ここに述べた尊皇攘夷思想の二層構造性と、東さんの現代世界の二層構造性の原理のあいだには、いくつかの響き合いがあります。尊皇攘夷思想は、尊皇と攘夷の二つの原理からなり、現実に相渉ると、テロリズム的な愚直さとそこからの現実への覚醒というやはり二段階の、シン・ゴジラ的な「変態」の能力を現すのですが、東さんの現代世界の二層構造性も、基本は、意識の上半身と欲望の下半身、政治と経済、ポリスとオイコス、規律訓練と生政治、ビオス（意識存在としての人間）とゾーエー（生物としての人間）という同じ二つのあり方を、リニアルに二元論として捉えるのではなく、二層性のダイナミズムとして捉えようという提言になっているからです。

今後、二一世紀の日本、また、グローバリズムのもとにある二一世紀の世界を生きる上に大切なことは、世界のレベルでも、日本のレベルでも、この二層構造を受けいれ、その「はざま」を生きてみるという姿勢ではないでしょうか。

そのばあい、その二層構造性とは、現在の世界観、国家観、社会観を構成している二元論的構成を越えてその先に回復されるもののことを意味しています。「戦後か明治か」ではない、その先に構想されるもの。「ネーションかグローバリズムか」ではない、その先に構想されるもの。

三〇〇年のものさしとは、このような文脈のなかで、この二層構造体としての尊皇・攘夷思想と、「内在から関係へ」という〝変態〟の二層構造性を手がかりに、一八六八年の分断線を内側から解除することで得られる視界、歴史感覚をさしています。そこで何が可能になるのか、といえば、これまで「ヤバい」「怖い」ものとして誰によっても否定されてきた近代日本のタブーである尊皇攘夷思想が、その「ヤバさ」を解除され、思想的歴史的なガイドラインとして浮かびあがってくる。そして私たちの歴史的な思想的経験の財産目録のうちに加わります。

私たちは、これによって、一方のハシでリベラルな思想に価値を見ながら、同時に、他方のハシで尊皇攘夷思想に可能性を探す、長くてしなやかで強靱な歴史感覚のものさしをもつことになるでしょう。幕末の尊皇攘夷思想に発して二一世紀の突端の思想にいたる回路を手に入れるでしょう。そこで近代とは、明治維新をもたらすものの起点からの時間幅を意味するようになり、江戸の前期から現代までをカバーします。私たちの思想的な領界は、拡張され、現代世界のなかにどう生きるか、という問いに対しても、これまでよりもはるかに操作性にたけた思想的な武器が手に入ることになります。この可能性をさして、三〇〇年のものさしをもつこと、と言ってみたい、と思います。

最後に――丸山眞男の幻像

最後に、一言だけ、私をこのような思考の旅に促した、一人の思想家の仕事にふれて、この話を終えたいと思います。その思想家の名は、丸山眞男です。丸山は、戦後すぐに、「明治国家の思想」という講演のなかで、戦後にありうべき政治思想の基軸を明治の思想のなかに求める形で、明治維新がそもそも、国権対民権の対位として起こっていることを指摘し、こう述べました。

明治維新の出発点にあったのは「尊皇攘夷論と公議輿論思潮」の対立である。幕末期、一八五三年、ペリーが来航した際、江戸幕府の老中阿部正弘は「はじめて外交の事を朝廷に奏聞」する一方、同時に「諸大名を集め」「忌憚なく意見を具申せよ」と考えを募ったが、それはともにこれまでにないことだった。そこにこの対位の原型が顔を見せている。前者は、「政治的集中」、後者は「公議的輿論」の喚起。このうち、前者は、明治維新に際しては「政治力を中央に集中する」原理として尊皇論を前景化させ、新政府樹立後は対外的な富国強兵的国権論へと発展していく。これに対し、後者は、「政治的底辺への拡大」の原理として志士たちに脱藩横議を促し、維新成立後は五カ条の御誓文の万機公論の条となり、さらに自由民権運動へと発展していく。

つまり尊攘論の発展としての国権論と、それから公議輿論の発展としての民権論、この二つが恰(あたか)もソナタのテーマのように絡み合いながら発展して行くというのが、大体思想的に見た明治国家の発展態様であるというふうにいえるのであります。
（「明治国家の思想」『丸山眞男集』四巻）

読めばわかるように、「国家主義か民主主義か」、「保守か革新か」、「改憲か護憲か」という戦後の政治的思想的対立の基本形が示されています。むろん、丸山がこうした対立軸を取りだしたのではなく、彼はここに、明治以来の「思想的に見た」「国家の発展形態」の定説を、戦後に向け、方向づけしているわけです。

この見方は、ここに私が展開した仮説とは、大きく違っています。ここにいう「国権論」と「民権論」の対位の向こうに、「尊皇開国論」と「尊皇攘夷論」の対位があり、そのさらなる源流に「尊皇論」と「攘夷論」の合体があったというのが、私の考えだからです。

にもかかわらず、私が、丸山の思考に促されて、自分はこう考えることになった、というのは、この丸山が、晩年、尊皇攘夷思想の源流とされる、先にふれた山崎闇斎学派の研究に打ち込むことになったという事実が私の脳裏を去らないからです。丸山は、一九八〇年、「闇斎学と闇斎学派」を発表します。この論文を所載した『丸山眞男集』第一一巻の解題は、これについて、「本稿執筆中に著者は、過労により二回、緊急入院した。一九六九年に肝臓疾患で倒れて以来、著者のもっとも力をこめた、最新の本格的な学術的労作が、本論文である」(飯田泰三)と記しています。

なぜ、戦後を「国権」対「民権」の対位として考えることからはじめた丸山が、後年、「忠誠と反逆」の「せめぎあい」の運動がもつ思想的な可能性に関心を深め、晩年、尊皇攘夷思想の源流のありかたをその探求の対象に選ぶのか。

私は、丸山は、自分のなかの一八六八年の分断線を、越えようとしていた、と感じます。あるいは、そこで切断してよいのだ、ということを、改めて確認、納得しようとしていたのかもしれない、とも。いずれかはわからないのですが、どちらにしても、彼の関心が、近代と近代以前の分断線の意味を吟味することにあったと感じるのです。それで彼は最後、江戸期の思想に、再び目を向けるのではないでしょうか。

三〇〇年のものさしに対する私の関心は、まだはじまったばかりですが、もうしばらくの間は、彼の示唆する方角に目を向け、自分なりに尊皇攘夷思想の開く視界を踏査してみようと思っています。この先に、いつか、新しい仕事が出てくれば、またお話しする機会があるかもしれません。ご静聴ありがとうございました。

Ⅱ

どんなことが起こってもこれだけは本当だ、ということ。

どんなことが起こってもこれだけは本当だ、ということ。

――幕末・戦後・現在

はじめに――演題について

この講演講座の基本テーマは、「変わる世界　私たちはどう生きるか」というものです。そこで、いま自分の考えていることにこの講座のテーマを重ね、「開かれたかたちで、考える」ということについて、最初に浮かぶ言葉、幕末の世界と戦後、さらに護憲論の問題という順序でお話ししてみたいと思います。

「開かれたかたちで、考える」とは、簡単にいうと、当初の考えにこだわらない。壁にぶつかったら、そこで考えを変える。考えることのうちにそのような「力」を認める、ということです。それをここでは、少し変わった表現になりますが、「変態力」と呼ぼうと思います。

まず、最初に私に思い浮かぶ言葉からはじめて、次、前半の三分の二くらいは、なぜ後、この「変態力」を考えるうえで、幕末の世界が参考になるのか、というお話をし、最後、後半三分の一くらいで現在の護憲論の話に接続します。

はじめに、演題ですが、「変わる世界」――激動の世界――のなかで、私たちは何を手がかりに考え、どう生きていけばよいのか。こういう問いを受けて、それへの自分の答えのつもりで、まっさきに思い浮かんだ言葉をこの演題に選んでいます。この言葉は、宮崎駿さんの対談での発言から借りたものです。

宮崎さんは、養老孟司さんとの対談で、なぜ『千と千尋の神隠し』(二〇〇一年、以下、『千と千尋』)を作ったか、と尋ねられ、こう答えています(『虫眼とアニ眼』二〇〇二年(新潮文庫))。あるとき、たまたま一〇歳くらいの子どもたちを見ていた。そしたら、自分は彼らに対し、いま何が語れるだろうか、という考えが浮かんだ。最後には正義が勝つ、なんて物語を語ろうという気にはさらさらなれなかった。そうではなく、「とにかくどんなことが起こっても、これだけはぼくは本当だと思う、ということ」、それを語ってみたい、と思った。そして、この最初のモチーフを手放さないでいたら、『千と千尋』ができた、というのです。

さて、この言葉を、私は、最近出した『敗者の想像力』(集英社新書、二〇一七年)という本のなかに引いています。そしてそこに、この「とにかくどんなことが起こっても」、また、「これだけは」、という言葉のなかに、宮崎さんの「戦後人としての根本の姿勢」

が現れている、と書いたのですが、それを、「子どもとして戦争を体験した人」の「根本の姿勢」と書いたほうが、よかったかもしれない、といま、思っています。『千と千尋』には戦争のことは出てこないので、これは私の勝手な解釈ですが、しかし、なぜ一〇歳の子どもたちを前にしての思いが、「とにかくどんなことが起こっても」であり、「これだけは」なのか。この「大」と「小」の対比には、戦争のような「大きな」できごとの影がさしている。また、それを受けとる者の「小ささ」の自覚が生きている。そんな感じをもったのでした。

事実、その「大きなできごと」の影の一端が、スクリーンに現れてくる場面が『千と千尋』にはあります。千がカオナシたちを連れて水に覆われた田園地帯を短い電車で銭婆(ぜにーば)の住む「沼の底」に向かうシークエンス。そこで、終戦直後の引き揚げ者達を思わせるシルエットのままの不思議な乗客たちが駅のプラットフォームを乗り降りする場面です。そして、そこには戦争が終わったときに四歳だった宮崎さん自身も、一瞬ですが、出てきます。電車が通過する踏み切りで、一人の幼い男の子がお父さんと思われる男性に手をつながれてやはりシルエット姿になって電車を見送る場面。それは、戦争が終わったときの宮崎さんの姿だと、見ていて私は独り合点に感じました。

何もわからない「子ども」である自分の前で「戦争」という大きなできごとが起こっている。そのような力関係のなかで、無力の者の側の手にちょうど入るほどの大きさの小さな石が一つです。そういうとき、人は、「とにかくどんなことが起こっても、これだけはぼくは本当だと思う、ということ」を頼りに動くしかありません。私は、勝手にこの言葉から、そんな一人の子どもの姿を思い浮かべ、そういう場所から、「変わる世界　私たちはどう生きるか」ということについて、考えてみたいと考えました。

1　「犬も歩けば、棒にあたる」ということ

だいたい、いま世界で起こっていること、日本で起こっていることをどう見るか。今回のこのテーマに対し、それをよく見える人として問い、それに答えるというあり方と、それをよく見えない人として問い、それに答えるというあり方と、二つがあります。いまの世界と日本の社会の激動のなかで、それがなぜ、どうして起こっているのか、と考えること。これは大きな問題ですが、世の中の大半の人間は、それを明視・洞察できません。できないままに生きてゆく。そういうとき、「とにかくどんなことが起こっても、これだけはぼくは本当だと思う、ということ」だけを手に、考えるということには、どのような資格、権利があるでしょうか。また、いまの世界をこのような仕方で生きていけば、どのような問題が起こってくるでしょうか。ここでまず考えてみたいのは、そう

いう問題です。

ここにいう、「とにかくどんなことが起こっても、これだけはぼくは本当だと思う、ということ」とは、変わる世界のなかで、どんな明察からもへだてられたただの人、普通の人間が、徒手空拳のまま手にする初発の問いです。こういうと何だか雲をつかむようですが、しばしばこの思いは、「どう考えても、これは違う、本当ではない、おかしい」という感じ方を入り口にしてはじまる思考の廊下の突き当たりに、壁として現れるものなのだといえば、少しはわかりやすいかも知れません。ですから、私は、この考え方の出発点には、一定のひろがり、ある種の普遍性があるのだと思っています。ここで普遍性というのは、ある場面に置かれた場合、どのような人間も、おかしいと思う、うれしいと思う、そのはずだと思えるものがそこにあること、そして考えていけば、最後に、こうするほかないヨ、こうするだろうヨ、というところまで歩みを進める、そういうやむをえなさ、動かしがたさが、そこに備わっている、というほどの意味です。

しかし、ことは簡単ではありません。たしかに、この初発の問いには、動かしがたさがあります。しかし、それは常に正しいとは限らない。正しいのかもしれないが、そうだとしても、それで問題が解決するとは限らない。その「これだけは本当」を手に歩みをはじめたら、やがて現実の壁にぶつかる、ということも起こるはずです。だとしたら、そういうばあい、人はどうすることができるのか。そういうことまでを含めて、「とにかくどんなことが起こっても、これだけはぼくは本当だと思う、ということ」は、問われているからです。

宮崎さんの『千と千尋』で、千は、湯婆婆（ゆばーば）の支配する世界のなかで苦しみます。しかし、最後、その世界の矛盾を、根こそぎ、湯婆婆の双子の姉妹である善玉らしい銭婆と協力して打破するのではありません。つまり、どこかの国の大統領のように、多国籍軍を作って、悪の枢軸を倒すのではない。そんなことができる条件はどこにもありません。また、もし、そうしたいのなら、自分で立ち上がらなければなりませんが、しかし、そこまでを行う理由を自分のなかにもっているわけでもない。ハリウッド映画のヒーローとも違います。千にとって、何より大事なのは、豚に変えられてしまった両親を救い出すことだからです。そして、最後、千は、両親を救い出します。けれども、湯婆婆の支配する世界はそのままに残る。自分が語りたいのは、最後には正義が勝つ、などという物語ではない、と宮崎さんがいうのは、たとえば、こういうあたりなのではないかと思って、私はこの映画を見終えました。

では、そのように物語を紡ぐことで、宮崎さんは、どういうメッセージを一〇歳の子どもたちに届けているのか。私は、『敗者の想像力』のなかで、この物語が私たちに語ってよこすのは、「限られた条件のなかでも人は成長できる」、悪を倒して正義を実現することで大人になる、というような紋切り型に嵌（は）まらなくとも、人は子どもとして成長できるし、世界をほんの少しであれ、変えることができる、ということだと述べています。曰く、「世界には不正がある。しかしいつどんな場合でもそれを覆し、是正できるとは限らない。とはいえ、だからといって何もできないわけではないし、何をしても無駄だということでもない(……)。できないことがある。しかし、その限られた条件のなかでも、人は成長できる。また、『正しい』ことを、つくり出すことができる」。つまり、初発の問いに立ち、そこから考えていくと、最後には正義が勝つ、などという紋切り型を、内側から崩す別の物語を手にすることができるゾ、ということが、この宮崎さんの作品が私たちに教えることとなのです。

私自身のなかにも、これに似た経験があります。「最後には正義が勝つ」という紋切り型ではない物語を手にできたのではないか、それを内側から覆す新しい「正しさ」を作り出せたのではないか、という経験です。その一連の思考のプロセスを私は、ひそかに、「犬も歩けば、棒にあたる」、と呼んでいます。一度何もかもを手放し、徒手空拳の犬になる。そのことに徹底する。すると、何かにぶつかる。コツンと乾いた音がして周囲が一瞬明るくなる、そしてそこから次の展開が生まれてくる、これはそういう経験なのですが、それが、今日、ここでお話ししようと思う、「開かれたかたちで、考える」ということとの指標です。まず、犬になろう、何ももたない犬になって歩こう、そうしたら、棒にあたる。そのことを一つのチャンスと考えよう、というのが今日の私の話なのです。

2　間違う思考は、間違いか――吉本隆明さんとのやりとり

私は、長い間、文芸評論を書くというような仕事を続けてきました。そして、この仕事を通じて、自分なりに、「とにかくどんなことが起こっても、これだけはぼくは本当だと思う、ということ」が、最後には考えることの足場になるという思いを深めてきました。最初からこう考えたというのではないのですが、あるとき、自分の考える仕方が、このようなものであることに気づいた、ということです。文芸評論というのは、ある文学作品を前にします。それは新しくこの世に作られ、生まれ出たものです。それをどう読むか。そのばあい、極端にいえば、自分の考えでそれを裁断するか、あるいは自分を無にし、その前に立って、自分が受けとったものが何かに耳をすませようとするか、そのいずれかになります。自分は、この後者の方法で、ものを考えてきた。『僕が批評家になったわけ』(岩波書店、二〇〇五年)という本があって、そこにふれていますが、これが自分の考える仕方だと、あるとき、気づくことがあったのです。一九八〇年代の前半のことです。

しかし、それからしばらくして、それではダメなんだ、と言われる、という経験に見

舞われました。一九九五年のことですが、私は「敗戦後論」というものを雑誌に発表した後で、吉本隆明さんを迎えて、憲法をめぐる座談会を行います。当時、編集委員をしていた『思想の科学』という雑誌で、憲法と憲法九条の評価をめぐる座談会というものを企画したのです。「半世紀後の憲法」というのがそのタイトルで、この年の七月号に発表されています。企画のきっかけは、これまではそうでもなかったように見えたのに、吉本さんが、この前年、社会党を加えた連立政権が出来て社会党の村山富市首相が日米安保条約と自衛隊の存在を容認する発言をしたら、激怒した。そして、これに続いて、「憲法九条」がどんなに大事なものか、手軽に動かしてはならないものか、という発言を行ったことです(『超資本主義』徳間書店、一九九五年)。

この発言について、私は、これまではそうではないように見えたのに、なぜ、急に、吉本さんが護憲発言を行うようになるのか、どこがこれまでの護憲派の考えと違うのか、わからない。このことを不審に感じているので、真意をお聞きしたい、という手紙を吉本さんに書きました。吉本さんは、快諾して下さり、当時、新大久保にあった思想の科学社の手狭な二階の六畳間で、竹田青嗣、橋爪大三郎という人たちを加え、座談会を開いたのです。この座談会の記録は、この後述べる吉本さんと私の対談とともに、今度出る本に入る予定ですが(「半世紀後の憲法」『対談——戦後・文学・現在』而立書房、二〇一七年)、そこでのやりとりで、話が広がりそうになったので、司会の私が、吉本さんに、右の問いを改めてさし向けたところ、吉本さんは、「いや、何をお話ししたらいいのか少しわかったように思う」といわれて、こう返されたのです。正確を期すと、こうです。

加藤さんと僕が違うところがあるとすれば、それは僕の戦争体験からの教訓なんですね。外から論理性、客観性でもいいですが、そういうもので規定されると、自分をうんと緊張させなければならないときには、自分に論理というものをもっていないと間違えるねっていうのが、そのときのものすごい教訓なんですよ。内面的な実感にかなえばいいんだということで、戦争を通ってみたら、いやそうじゃねえなということがわかった。

そして吉本さんは、こう続けました。

加藤さんもそうだと思うんですけど、僕はもともと文学的発想なんですね。つまり、内面性の自由さえあれば、他はなんにもなくてもいいくらいに思っています。(……)ところが、戦後、僕らが反省したことは、文学的発想というのはだめだということなんです。これは、いくら自分たちが内面性を拡大していこうとどうしようと、外側からくる強制力、規制力といいましょうか、批判力に絶対やられてしまう。

このとき、私は、深くショックを受けました。このように考える仕方を、吉本隆明さんからも学び、受けとってきたような気がしていたのに、いや、それは違うんだ、といわれたも同然だったからです。しかし、しばらくしたら、猛然と闘争心がめばえてきました。吉本さんは、おかしい。吉本さんは、吉本さんいうところの「もともと」の「文学的発想」を、否定すべきではないのではないか、それは間違っている、と思ったのです。

なぜなら、この出発点の、何にも情報がないところからでも、手持ちの材料で「とにかくどんなことが起こっても、これだけはぼくは本当だと思う、ということ」を手がかりに考えていく、吉本さんいうところの「内面的な実感」の根源を手探りしていく考え方には、一定の普遍性があります。先に述べた、誰もが、大きなできごとの前に立たされたとき、こうしか考えようがないという出発点の「動かしがたさ」です。それで吉本さんも、「もともと」はこの「文学的発想」に立って考えることを、選んでいたはずなのです。

その吉本さんが、この「文学的発想」をどこまでも押し進めていった。そしたら、間違った。それで、戦後、「文学的発想というのはだめだと」「反省した」。しかし、なぜ吉本さんは、間違った後、「文学的発想」ではダメだ、と今度は、それを起点に、その先に抜け出ていくことになったのでしょうか。それは、誰もが大きな激動にさらされたとき、こうしか考えるはじめられない、という「動かしがたさ」のうえに立って、その方法をどこまでも徹底したからにほかなりません。それで、間違ったときに、この間違いには「動かしがたさ」があると気づき、そうである以上、これではダメだ、ということが次に進む起点になる、と思うことができたわけではなかったのでしょうか。

　Ａからはじめたから、現実にぶつかり、Ａではダメだとわかり、Ｂに抜け出ることができた。だとすれば、Ｂに抜け出た後、Ａはダメだ、というべきではない。間違いを気づくところまで自分を連れて行ってくれた親の思考を、そこから別方向に抜け出た子の思考は、否定すべきではない。それでは自分を否定することになるではないか。吉本さんは、そういうことで、自分の考える仕方を裏切っている。私はそう、思ったのです。

　ここであまり吉本隆明さんのことを知らない人のために補足すれば、戦争が終わったとき、吉本さんは、一九歳でした。その戦時下に考えたことについて、のちにこう書いています。曰く、戦時下で、「わたしは徹底的に戦争を継続すべきだという激しい考えを抱いていた。死は、すでに勘定に入れてある。年少のまま、自分の生涯が戦火のなかに消えてしまうという考えは、当時、未熟なりに思考、判断、感情のすべてをあげて内省し分析しつくしたと信じていた」「戦争に敗けたら、アジアの植民地は解放されないという天皇制ファシズムのスローガンを、わたしなりに信じていた。また、戦争犠牲者の死は、無意味になるとかんがえた。だから、戦後、人間の生命は、わたしがそのころ考えていたよりも遥かに大切なものらしいと実感したときと、日本軍や戦争権力が、アジアで『乱殺と麻薬攻勢』をやったことが東京裁判で暴露されたときは、ほとんど青春前期をささえた戦争のモラルには、ひとつも取り柄がないという衝撃をうけた」(『高村光太郎 増補決定版』一九七〇年〔講談社文芸文庫〕)。また、後にはこのことを、一度、同世代の橋川文三に対し、「おれは戦争中のじぶんについて、どうしてもこれだけは駄目だったなあ、と戦後になって考え込んだことがふたつある」と話したことがあるが、そのうちのひとつは、「世界認識の方法についてなにも学んでいなかったこと」だった、とも記しています(「情況とはなにかⅥ——知識人・大衆・家」一九六六年〔『吉本隆明全集』第9巻、晶文社、二〇一五年〕)。

そこから吉本さんが、提示することになるのが、「マチウ書試論」(一九五四—五五年〔『マチウ書試論 転向論』講談社文芸文庫〕)という論考の最後に出てくる、名高い「関係の絶対性」という考え方です。単線的にまっすぐにそれが出てくるのではないのですが、大きくいえばそうなる、そしてその後の「転向論」(一九五八年〔同前〕)の「日本の近代社会の構造」の「総体のヴィジョン」をとらえることが大事だ、という命題につながる、というのが私のひそかな見取り図です。曰く、「関係を意識しない思想など幻にすぎないのである」「秩序に対する反逆、それへの加担というものを、倫理に結びつけ得るのは、ただ関係の絶対性という視点を導入することによってのみ可能である」(「マチウ書試論」)。

先に「外から論理性、客観性でもいいですが、そういうもので規定されると、自分をうんと緊張させせなければならないときには、自分に論理というものをもっていないと間違える」といわれたことの「反省」の結果、――そこでの「外からの規定」が「関係」に重なるかたちで――吉本さんの思考の濾過器を通じてこの言葉が生まれていることがわかります。いくら内面性を拡大し、考え抜いていっても間違う。そこで人は「関係の意識」に覚醒しなければ、迷妄のなかにとどまるほかない。これが吉本さんの戦後の「反省」の弁だったのですが、あの私への言葉も、そこから同じく、「戦争体験からの教訓」として語られていたのでした。

3　「内在」から「関係」への転轍――『日本人の自画像』

さて、二〇〇〇年に出した『日本人の自画像』(岩波現代文庫)という本で、私は、吉本さんのこの「戦争体験からの経験」と同質の問題を、「幕末の革命思想の経験」として論じています。ここには、その直前に書いた『戦後的思考』(一九九九年(講談社文芸文庫))という本のなかの吉本隆明の「転向論」をめぐる章とともに、一九九五年の吉本さんとのやりとりへの私の回答がこめられていました。吉本さんが、自分の戦争体験に照らして述べた「教訓」を、私は、当然ながら、自分が学生の時分に経験した全共闘運動と呼ばれた一種の学生運動に重ねて受けとめました。私にも譲れないものがあったのです。

私は一九四八年の生まれで、六六年に大学に入学し、二年留年して七二年に卒業、その四月から社会に出ています。二年留年したのは、この間、六八年を中心にいわゆる学生反乱の時期があり、全共闘運動というものが日本の大学のあちこちで起こっていたからです。ところで、この学生運動の経験がもたらした最大の困難は、これに関わった多くの人たちのばあいと同様、私にとっても、大学を離れる直前、七二年二月に起こった連合赤軍事件からやってきました。これは、この運動のうねりのなかから出てきた最左翼党派が、銃砲店を襲撃するところからはじまって、実際の革命をめざすなかで、山岳ベースにこもって武闘訓練を行い、自壊し、仲間を集団的なリンチで殺害し、最後、ある会社の保養所の管理人の妻を人質に籠城し、機動隊と銃撃戦を行ったあげく、逮捕されるという一連のできごとからなる、この時代を揺るがす大事件でした。この事件を前にして、多くの同世代人と同様に、私も、一歩違っていたら、自分もそこにいただろう、と思わざるをえなかったのです。これをほぼ自分にもありえたこととしてしか受けとめられなかったのです。

この山岳ベース事件では一二名の人間がリンチあるいはそれに類した行為で殺害され

ています。また山荘籠城銃撃事件では機動隊員、一般市民にも死者が出ています。

これらの反体制の運動への参加の起点は、私などの場合は、単なる大学での学生不当処分への疑問とか、日本政府のベトナム戦争加担への反対といった、素朴な「正義感」のようなものでした。「正義感」といっても、学内をデモして大学への七項目要求などと呼号しながら、この七項目とは何だったか、と頭で数えてみたところ、四つほどしか思い出せないくらい、それは「いい加減な」ものでした。その自分の「いい加減」さの発見について、私はあるところに書いているのですが（「40年前〈政治の季節〉を再考する　大学紛争」毎日新聞、二〇〇八年六月四日）、それは、「いい加減」なものながら、一つの反社会的な気分としては、ある「動かしがたさ」をもっていると、感じられていたのでした。

いまでもその「動かしがたさ」を否定するつもりはありません。ですから、この「正義感」と「いい加減な気分」と、ある「動かしがたさ」をどこまでも加速していけば、どうなるのか、この「正義感」によって「いい加減な気分」が押し切られ、制裁され、凄惨なところまで行ってしまう。そのことのリアルさを自分のなかに感じないではいられなかったのです。

いや、こういっただけではまだ不十分かもわかりません。もう少しいうと、私はそのころからもう文章を書いていました。そこから考えると、当時の私にすでに相反する二つの側面がありました。一つは、一九六六―六七年の気分ともいうべきもので、それはフーテンとかサイケとかいわれた六〇年代の高度成長期に開花した都市文化の息吹きです。一九六六年、ビートルズがやってきます。新宿には風月堂というヒッピー文化のメッカのようなカフェがあり、そこに行くとマリファナの匂いが立ちこめていました。そこは当時、私のもっとも好きな場所でした。私は一九六六年、六七年の夏は、新宿にたむろするフーテン文化の周辺にいる一人で、ジャズ喫茶や新宿東口の路上、ダダとかLSDなどという名の地下カフェに入り浸っていたのです。

ところが、一九六七年秋の羽田事件をきっかけに私と世界の関係、私における社会の色合いは一変します。翌六八年には東大闘争が起こり、私もそこで夏の二回目の安田講堂占拠というものから本格的に参加するのですが、この闘争では、当初、「自己否定」ということがキーワードになるのです。エリートである自己を否定せよ、ということだったでしょう。そしてそのころ私の書いた文章のタイトルを覚えているのですが、それは、「黙否する午前」というものです。気分も覚えています。とてもとても思いつめた社会のすべてを否定するという気分でした。つまり、そこでは当初から、野放図な「いい加減な」ヒッピーの気分と、「自己否定」をともなう正義と否定性の感情が、それこそ、背中合わせに貼りついていたのです。

ところで、連合赤軍とはその名の通り、二つの異質で孤立した最左翼セクトが「連合」して結成された集団です。これについては、後でまたふれますが、そのことの意味が私には、いま、このときの自分に無関係ではないものとして、やってきます。二つというのは、神奈川の労働者層に拠点をもつ毛沢東派の京浜安保共闘と、どちらかといえば都会的で国際的志向をもつ赤軍派です。このうち、自壊は前者の「正義感」が後者の「いい加減な気分」を駆逐、粛清するというかたちで起こっています。つまり、ここに、「正義感」、自己否定の気分と、ヒッピーにもつながるような都市文化的な自由な気分とが合流していた。連合赤軍事件というできごとのもつ「動かしがたさ」は、この「正義感」と「いい加減な気分」が当時、一人一人、同年代の誰のなかにもあったことからきていたというのが、現在の私の考えです。

だとすれば、どこが間違いだったのか。何が問題だったのか。とにかく、そういう問いが、私のなかにはいつまでも残りました。

もう一つあります。

いま、また、こういうことをいうのは、この問題が、中東のイスラム原理主義の運動、たとえば「ＩＳ」とか、少し前のアルカイーダ、タリバーンの運動、そこに巻き込まれている若い人間たちの運命とも、無関係ではない。そこにもつながる問題だと思うからです。彼らの運動のあり方は、私に、日本のケース、新左翼の内ゲバなども含む問題を思い起こさせます。そしてそれは、私自身の問題でもある。私はそう思っているのです。

さて、二〇〇〇年に『日本人の自画像』という本を書いたとき、私は、自分の学生時にぶつかった問題が、吉本さんの戦争体験とも重なるかたちで、幕末の尊皇攘夷の志士たちの動きと深く通じていることに気づきました。

そこでは、志士と呼ばれる若者たちが、愚直に尊皇攘夷という考えに走り、外国人に対しテロなどをやったあげく、その属する藩ごと、薩英戦争、下関戦争といった手ひどいしっぺ返しを受けて、今度は、いっせいに尊皇開国に変わる、そしてこの二つのプロセスをセットとして、明治維新と呼ばれる革命を成就しています。この、若者たちがいったん「犬」になり、「犬」になって歩いて「棒にあたる」構造が、自分の学生時の経験とも照らしあって、とても興味深く感じられました。吉本さんから出された問いへの私からの反問によい手がかりとなると思ったのです。それで、この事例をとりあげ、私はその本に、次のような意味のことを書きました。

考え方を形成する仕方をモデル化していうと、次の二つがあるだろう。一つは、外からの情報が閉ざされているなか、「いまいる自分の場所から、自分の考え、価値観を作りだし、それに照らしてものごとを考えてゆくあり方」であり、もう一つは、それとは逆に、外からの情報にふれたり、現実との関係を作りだすなかで、「自分の考えはさておき、他との関係から価値を割り出していく」あり方である。ここで先のほうを「内在」の思想——思想形成の仕方——、後のほうを「関係」の思想——思想形成の仕方——と呼んでみよう。すると、幕末期、欧米列強に開国を迫られ、そこから「無法な外国勢を打ち払え」とばかり熱くなった尊皇攘夷派は、「内在」の思想を示している。自分たちは何も悪いことをしていない。それなのに欧米列強は砲艦で脅しつつ、国を開けよ、という。そういう列強のほとんどは、これまでさんざん非欧米のアジアの国々などを植民地にしてきた。彼らの強引な貿易強要によってすでに不利な状況で金銀の流出などもはじまっている。なぜ、このような非礼、理不尽な要求に屈しなければならないのか。そう彼らは考えたからである――。

このように受けとれば、「攘夷」というあり方が、幕末期、「これはおかしい、理不尽だ」にはじまり、「とにかくどんなことが起こっても、これだけはぼくは本当だと思う」こととして人を動かす、「いま自分のいる場所」から出発する考え方の所産だったことがわかるでしょう。ここには、そういういわば植民地化されそうになっている国の弱者から見たばあいの、動かしがたい「正しさ」が、顔を見せているのです。

しかし、すぐに了解されるように、この起点の「正義感」は、その「正しさ」を実行すれば、よいのかといえば、それだけではすみません。なぜなら、彼らの一部が、暴走して生麦事件のようなテロ事件を起こす。すると、しっぺ返しが起こり、たとえば商人(民間人)を殺害されたイギリスは報復として薩摩を攻め、薩英戦争となり、薩摩はこてんぱんに負けてしまう。まあ、気持でいうなら、一が百で返されるからです。その結果、薩摩の尊皇攘夷派は、「正しさ」は「正しさ」として自分の側にあることを確信しつつ、このままでは植民地になるほかないというので、いわば「次善の策」として、尊皇開国派に変わってしまう。変わるほかに生き延びる道はない、という現実の壁が、彼らの前にたちはだかるのです。

さて、ではどうするか。彼らは、尊皇攘夷から尊皇開国に転向する。変節します。しかし、そのとき彼らは、あの「関係」の意識にめざめています。

ここに「内在」から「関係」への転轍(てんてつ)がある。私はそこに、こう書いて、このいったん「犬」になっての変節に、「内在」という自分のように無手勝流でものごとを考える人間にとっての大きな契機が現れること、そしてその「間違い」の発見、その結果の「変節」に一つの可能性があると、考えたのでした。

このことについて、二〇〇一年、9・11の同時多発テロからほどない時期に行われた吉本さんとの対談で、私は、吉本さんに自分の考えをぶつけ、吉本さんからの同意を受けとっています。吉本さんは、そのとき、概略、それでよろしいのではないでしょうか、といってくれました(「存在倫理について」、前掲『対談——戦後・文学・現在』所収)。

しかし、そのときは、まだ、この「変節」あるいは「集団転向」について、私の評価は、ニュートラルなものでした。むろん否定的というのではありません。しかし、積極的な意味をそこに認めているというのでもなかった。ある条件のもとで肯定的なものとなるが、そうでないばあいには否定的なものに転じる、という構造がそこにはあるわけですが、そこまで自覚していたのではありませんでした。しかし、このことについて、最近、私はさらに一歩踏み出して考えるようになっています。先に述べた連合赤軍事件、さらに「ＩＳ」などの現在のテロリズムの思想の行く末と、深く関わるばかりか、この後ふれる現在の護憲論の行く末にも、通じる問題が、ここに横たわっていると思うようになったからです。

まず、幕末に関わっていえば、ここにあるのは、次のような問題です。

4　現代世界と尊皇攘夷の「変態力」

幕末の尊皇攘夷思想は、江戸幕府の外国に対する開国和親政策への反対の声として、広がりますが、その後、それ自体が尊皇開国思想に転換し、明治政府が成立すると、すぐに新政府は開国方針を提示し、「攘夷」の過去を封印します。いわば明治維新の根源には、この「集団転向」の抑圧、封印という〝よごれ〟があるのです。

ここに述べる私の問題関心に一部重なる、山本七平の『現人神の創作者たち』（一九八三年〔ちくま文庫〕）には、このことについて慚愧の念を述べる岩倉具視、西郷隆盛の言葉が引かれています。

繰り返せば、かくいう私も、一七年前の『日本人の自画像』には、これを没価値的にではあるものの、集団転向とも、変節とも、書いていました。

しかし、いまはこういう問いが私に浮かびます。なぜ、幕末の尊皇攘夷思想は、現実の壁にぶつかったときに、関係の意識にめざめ、尊皇開国思想へと変容できたのか。また、そもそも、なぜ現実の壁にぶつかることができたのか。それは、尊皇攘夷思想に「自己変容」の能力が装填されていたからなのではないか。そしてそうだとしたら、なぜ幕末の尊皇攘夷思想には、そのような変容能力が備わっていたといえるのか。また、その一方で、なぜ、どのように、明治以後においてこの「変態力」は見失われていくのか。そのことと、あの「動かしがたさ」の普遍性、死者への「後ろめたさ」、転向の痛覚の後退、その事実の抑圧とは、どのような関係をもつのか。

というのも、幕末の尊皇攘夷思想は、この時代に限ってみれば明らかにテロリズムの思想なのですが、いま私たちが目にするテロの思想、過激思想のなかに、テロないし自らの過激な主張を実行に移し、その結果、現実の壁にぶつかり、いわば「内在」「関係」の意識にめざめ、自ら現実的な反対主張へと転換していく例は、――先の私と同時代の連合赤軍のケースを含め――ほとんど見られないからです。

では、どこに幕末の尊皇攘夷思想(運動)と現在の中東のたとえば「ＩＳ」のイスラム原理主義思想(運動)の違いは、あるのでしょうか。

そのことを考えるうえで、一つの手がかりを提供しているのが、日本における幕末の薩長両藩と水戸藩の違いです。

幕末の当時、外国勢力の到来に対し、強い危機意識をもった藩が、列島には三つありました。いずれも列島の突端部分に位置する藩で、水戸藩、長州藩、薩摩藩です。外国船の漂着、外国艦船の近海通過ということなどが頻繁に起こるため、これらの藩では、他に比べ比較的早い時期から尊皇論と攘夷論が大きなうねりをもつようになっていました。しかし、一八六二年、薩摩藩がその攘夷論を実行してイギリス兵を殺傷する生麦事件を起こし、翌六三年、長州藩が下関海峡を通過するアメリカ、フランス、オランダの商船に砲撃したことから、それぞれ六三年、六四年に薩英戦争、下関戦争が起こり、この両藩は列強の軍事力の卓越ぶりと彼我の差を思い知らされ、先に述べたように、いわば「関係」の意識へと覚醒することで、政策を攘夷から開国へと転換します。いわば集団転向を遂げるのです。

ところが、水戸藩には、こういうことが起こりません。薩長両藩に比べ、江戸幕府に地理的にも政治的にも血縁的にも近接していたということもありますが、両者の違いは、薩長が攘夷をウルトラに実行し、壁にぶつかると、これはたまらんというので、全体で転向してしまうのに対し、水戸は攘夷の実行には向かわなかった。ウルトラな実行がなかったため、現実に藩全体でぶつかる、ということもなかった。そのため、対立が内向する。つまり内ゲバになる。では、なぜその違いが生じているのでしょうか。

その違いをもたらしているもっともわかりやすい要因は、私の考えをいえば、薩摩と長州では、尊皇論と攘夷論とが、出自を違わせたまま、勢力を拮抗させていたのに対し、水戸では、藩校・弘道館を舞台に尊皇論をつきつめた水戸学の拠点だったことから、いわば原理主義的な尊皇論の権威が圧倒的だったことです。

そもそも、尊皇攘夷論が生みだされたのは、水戸が最初です。水戸学の藤田幽谷が尊皇攘夷という言葉を唱え、その弟子筋に当たる会沢正志斎が『新論』という未公刊の書物でこの考えを論理化するのです。しかし、あくまで彼らがいうのは、江戸幕府は、尊皇の立場を明確にし、攘夷を実行すべきだ、という体制内の変革の論です。これを、新しい天皇という権威のもとに草莽の士が結集して現体制を打破し、攘夷を実行して、新しい政府を作るべきという討幕の路線に脱皮させるのは、水戸まで七〇歳の会沢に長州から話を聞きに来る、このとき二二歳の吉田松陰なのです。

長州の松陰が一番に考えているのは、この国が欧米列強の植民地にならないことです。一方、会沢にあるのは、江戸幕府の行く末への関心で、朱子学的な身分制度の遵守が、第一の優先順位でした。松陰は、欧米列強を打破するには、江戸幕府の政体では無理で、この国の誰もが、身分にかかわらず、一致協力できるような体制が作られなければならない、と考えます。一君万民というのは、そこから出てくるアイディアで、この国が植民地にならないため、討幕が必要だとなる。そして全員で外国勢力を打ち払う、となります。他方、会沢には、江戸幕府の存続が重要なので、そのためには、開国もやむをえない、という判断に傾くと、自説を最後には軟化させ、藩内の尊皇攘夷檄派(過激派)を尊皇攘夷鎮派(穏健派)として、抑えにかかるのです。

その結果、水戸は、攘夷を実行できず、逆に井伊大老暗殺の桜田門外の変の主役となり、藩内は分裂、自壊への道を歩みます。これに対し、長州、薩摩は、それぞれ、まずウルトラに走って攘夷を実行、藩の存亡に関わる列強、幕府との直接対決に直面し、「関係」の意識にめざめ、転向しつつ、これに伴い当然起こる藩内の危機を克服すると、一転、討幕で一致、そして新政府を樹立したときには、いつのまにか尊皇開国派になりおおせているのです。

当時、一番ものの見えていた同時代人の一人といってよい福沢諭吉は、薩長の尊皇攘夷論をさして、いま世間を騒がせている尊皇攘夷なる「妄説」は実際に天子を尊んでいるのではなく幕府攻撃の「姦計の口実」にすぎない、と喝破していますが(「長州再征に関する建白書」一八六六年)、それは正しい。彼らにおける尊皇論は、吉田松陰に見られる独学のなかから編み出された手作り性(徒手空拳性)と、討幕のための口実といったご都合主義を内在させた、いい加減さ、自在さ、つまりダイナミズムをもっていました。

とても一〇〇年以上の前史をもつ朱子学の原理主義的蓄積のなかから抽出されてきた水戸の尊皇論のような権威ある厳密なものではなかったし、また、その攘夷論は、先に述べたように、「オレ達は何もしていないのに、列強は、軍事的に威嚇して開国を迫る、一方的なルールの貿易をもちかける。これはおかしい。このままでは他の国々のように植民地にされてしまう」という理不尽の感覚、弱者の抵抗という基盤に立つ、誰にも開かれた性格、普遍性を手にしていたのです。

「IS」やタリバーンがどんなに孤立し、欧米列強に攻めたてられても妥協せず、政策変更、思考転換を行わない理由も、ここから逆に察せられるでしょう。何しろ、彼らのもとにあるのはイスラム教という世界宗教です。水戸藩の尊皇論以上に、堅固です。これに対し、薩長では尊皇攘夷論が会沢正志斎のような卓越した学者の説としては摑まれていません。この後に紹介する土佐の脱藩浪士、中岡慎太郎の例に見るように、攘夷の論がいわば人民の生きる地べたにしっかりと足を据え、他方、尊皇の論も独自の出自をもつものだったため、そこでの両者の間には、互いに相手を刺激しあう生き生きとした拮抗関係が成立していました。

つまり、私の考えでは、列強への敗北の後、薩長において、ある意味では無節操ともいえる尊皇攘夷から尊皇開国への転向が可能だったことのうちに、この幕末の尊皇攘夷思想の「ひらかれた可能性」が、顔を出しているのです。

幕末の尊皇攘夷思想は、これまで一つの原理主義的な過激思想というように受けとられてきました。しかし、この理解は一面的にすぎる、間違っている、というのが最近の私の考えです。幕末の尊皇攘夷思想とは、いってみれば、攘夷論が一階で尊皇論が二階であるような二階建ての構築物といえましょう。尊皇攘夷派は構造として連合赤軍と類比可能な、異質な二つの出自、原理主義と地べた性を合わせもつ二層構造の集団なのです。しかし、幕末の尊皇攘夷論ではこの一階部分が独立した野性の明るさをもっていて、二階部分の尊皇論の権威、論理的強度に負けない強さを抱えています。またその尊皇論自体が、尊皇と尊王、勤皇・勤王も可、ともいうべき野卑性を抱えていて、人々の参加意識に開かれた広がりをもっていました。

このうち一階部分の「明るさ」は、それこそこの後見る中岡慎太郎、また彼の僚友でもある坂本龍馬が身をもって示しているもので、中岡は、土佐の古くからの庄屋の息子、坂本は、土佐の豊かな質屋の息子と、ともに、すぐれた学知をもつとはいえ、厳密な学問の世界とは別の場所からやってきた野人でした。水戸には、このような「明るさ」はありません。水戸学の尊皇論の厳密さ、厳格さが、志士ならぬ藩士たちのうえにのしかかっていました。

同じことが、現代版の尊皇攘夷思想の運動といえる「IS」、タリバーンにも言えそうです(タリバーンの原義は「神学校の学生」です)。そもそも、日本の尊皇・尊王論は、志士の活動の現場においては、それほどの論の厳密性、原理主義的な権威を帯びていません。藤田省三があるところで述べていたように、明治維新の当事者には、広く尊皇を標榜しつつ天皇の「神聖不可侵」を信じない、ある意味で「ちゃっかりした」便法的な現実感覚が共有されていました。尊皇を唱えながら、天皇を「玉」として使うしたたかな現実感覚です。当時、彼らの信従の対象となる天皇は存在していなかったのですから、それも当然でしょう。一六歳のお歯黒をした少年を、彼らは江戸に連れ出し、一人の気高い天皇に育て上げる。彼らは偶像を信じていませんし、また、偶像に依存していません。そこがこの偶像が「現人神」としての重層的なフィクション性を失い、単一の現人神そのものとなってしまう、一九三〇年代の皇国思想のばあいとの違いなのです。

その違いがあるため、一九三〇年代の軍部には天皇の現人神信仰をタテマエとする統制派とそれをホンネで信じる皇道派が生まれ、対立するのに対し、一八五〇年代の幕末期に起こるのは、この「皇道派」から「統制派」への集団転向ともいうべき、両者間の生き生きとした「変節」だったのです。

ところで、私は、昨年(二〇一七年)、『シン・ゴジラ』という映画を見ました。そこで、この新型のゴジラが、最初はなまずのようなカワイイ姿をしていて、順次、変態してゴジラに成長していくのを見て、このゴジラには「変態力」がある、と書いたのですが、この言葉を使うなら、日本の幕末の尊皇攘夷思想には、現実の壁にぶつかれば、そこで関係の意識にめざめ、自分の目標を再設定するというだけの現実即応能力――「変態力」――があった(とはいえその後再び、初原に回帰し、初期形を回復する形状記憶合金的な逆変態力、還相の変態力には乏しかった)。しかし、「ＩＳ」の思想には、そのいずれもが乏しい。そういうことができるかと思います。

　この二つのものの拮抗関係がなぜ、大切か、ということを示すために、ここに一つのエピソードをつけ加えさせてもらいます。私の学生時代の経験からくる教訓で、先の連合赤軍事件に関係する話です。

　連合赤軍事件のリンチというのは、両派が合同で山岳部に作ったアジト(山岳ベース)で起こった内部メンバーの批判(総括)がエスカレートした末の殺害事件だったのですが、そのきっかけとなったのは、禁欲的な党派である京浜安保共闘の指導部の一人が、都市文化の洗礼を受けた自由度の高い赤軍派のメンバーの一人が以前と変わらず指輪をしていることを、見とがめたことだった、といわれています。たるんでいる、ということだったのでしょう。批判されたほうは、最初はわからず、「差し出がましいようですが、何が問題なんですか」と尋ねたということです。これに対し、あなた方は苦労が足りない、という批判がなされ——革命闘士としての苦労、ということだったでしょうか——、一方の都市文化ふうの「自由ないい加減さ」が他方の禁欲的な「自己否定」の流儀に、粛清されたのでした。

　連合赤軍というように、これは、京浜安保共闘(革命左派)と呼ばれたグループと赤軍派というグループが合体した二階建て構造をした思想集団でした。彼らの思想、生き方の流儀もまた、尊皇攘夷派の思想、流儀と同じく、二つのあり方の合体物でした。

ですから、この話を思い浮かべると、私のなかに、一九六六―六七年の新宿のヒッピー文化の「自由ないい加減さ」と一九六八年以降の「自己否定」とそれに続く絶望的な社会拒否の気分とがよみがえります。そして、先ほど述べたように、後者の「思いつめた」気分の日々に、私が、デモをしながら、七項目の要求を思い出せず、ああ、オレもいい加減なものだ、と思えたことの僥倖、運のよさ、ということを考えるのです。

「いい加減であること」が、「どこまでも思いつめるあり方」と隣り合っていた。それが私の学生時代の思想経験の基本構造だった。そのことを忘れてはいけない、と強く思うのです。

5　幕末の攘夷思想と昭和前期の皇国思想

幕末の尊皇攘夷思想の自己変容能力――「変態力」――は、どこからきていたといえばよいでしょうか。

私の考えでは、尊皇攘夷思想が幕末に革命思想たりえた理由は、二つあって、その第一は、そこでの攘夷論が、強国による一方的な開国要求という不当な圧迫にさらされたばあい、弱小国の人民なら誰しもとらわれざるをえないだろう理不尽の感覚、いわば地べたの普遍性に裏打ちされていたことです。そしてもう一つが、この地べたの普遍性と、朱子学から出てきながらその後身分制度を打破する(討幕の)イデオロギーへと育つ尊皇論が、互いに異質なままに拮抗する、二階建て構造をなしていたことです。

そのうち、この第一の点については、幕末期に、このように尊皇と攘夷をとらえた人間がいないわけでもなかったことを、最近、みすず書房から出た『幕末的思考』(二〇一七年)という本の著者、野口良平が明らかにしています。その人物とは、先に名前をあげておいた坂本龍馬の僚友で、坂本と同じ土佐藩からの脱藩者である志士の中岡慎太郎です。中岡は、一八六六年一一月、これは彼が坂本龍馬とともに近江屋で暗殺されるほぼ一年前のことですが、友人に向けて書いた論で、こう述べています。

> 夫れ攘夷と云ふは、皇国の私言に非ず。其の止むを得ざるに至つては、宇内各国、皆之を行ふもの也。米利堅嘗て英国の属国也。(……)華盛頓(ワシントン)なる者、民の疾苦を訴へ税利を減せん等の数カ條を乞ふ。英王不許。爰に於て華盛頓米地十三邦の民を師ひ、英人を拒絶し、鎖国攘夷を行ふ。(「愚論窃かに知己の人に示す」)

つまりわれわれの考える攘夷には、日本一国だけの事情を超えた普遍性がある。それをささえているのは、強国に虐げられた弱小国の誰もがこのように動かずにはいられないという「やむをえなさ」、動かしがたさである。中岡は、われわれの攘夷とは弱者の正義の普遍性のうえに立っている、イギリスに対し、独立戦争を起こした植民地のアメリカも、同じことをした。われわれの主張はそれと同じなのだ、というのです。

この中岡慎太郎という幕末の志士は、先にふれたように土佐の村の大きな庄屋の出です。前出の野口は、中岡が「庄屋見習いとして育」ち、坂本とは対照的に「村の疲弊、疫病、飢饉といった」、「外からの情報」に隔てられた「環境を経験し」てきた人間だったとして、こんな逸話を紹介しています。

若き中岡は、「飢饉の際、奔走して薩摩芋を入手したが足りず、貯蔵米の官倉を開く必要に迫られた。意を決して高知に出て、家老の役宅を訪ねたが相手にされない」。そこで「門前に端座して一夜を明かした」。この「中岡の姿をみた家老は、いたたまれずに官倉を開けた」というのです。

中岡は、「尊皇攘夷思想と海外知識を兼備する間崎滄浪に学問を、武市(半平太)に剣を学んだのち、やがて土佐勤王党に加盟」、その後、脱藩して、薩長同盟の締結などに奔走しています。その出自と関わって彼をささえた「天保庄屋同盟」の精神とは、「庄屋の権限は徳川家や諸大名ではなく朝廷に由来する」ことを謳うものだったということです。彼の加盟した土佐勤王党盟約書にも、「対等性の要求と変革への志向が脈打っていた」(『幕末的思考』)。あの「変態力」はそのような土壌にささえられるのです。

ところで、そこまでを知ると、私には、この一八五〇年代の（ペリー来航から一五年間の）尊皇攘夷思想と一九三〇年代の（世界恐慌から一五年間の）皇国思想が、とても同じものではありえない、という思いが天啓のようにやってきます。ここには幕末の尊皇攘夷思想の根幹が弱者の抵抗の「やむをえなさ」（普遍性）にあることが記されています。しかし、昭和前期の皇国思想は、黒船来航ならぬ世界恐慌に端を発した国難の「やむをえなさ」の主体を国家にすりかえた――帝国は列強の迫害に「やむをえず」戦端を開く（「今ヤ不幸ニシテ米英両國ト戦端ヲ開クニ至ル洵ニ已ムヲ得サルモノアリ」）と開戦の詔勅には記されています――国家主義の思想にほかなりませんでした。つまりこの国を主体にした「やむをえなさ」は、人に立脚する普遍性とは無関係でした。

しかし、普遍性とはそもそもその足場を一人の人間、個人におくほかにないあり方なのではないでしょうか。先の福沢は「一身独立して一国独立す」、また「立国は私なり、公に非ざるなり」といいましたが、尊皇攘夷思想が国家を「つくる」ものであるのに比べ、皇国思想は国家に「つくられる」ものにすぎません。つまり、幕末の尊皇攘夷思想が革命思想であるとすれば、一方、国体明徴運動によってささえられ、昭和維新を標榜し、一九三〇年代、昭和前期の日本社会を席巻した皇国思想は、疑似革命思想にほかならないのです。

両者の違いを示すもう一つの特質が、ここからやってきます。つまり、これが、先にあげた第二の点に関わることですが、幕末の尊皇攘夷思想があの「変態力」を備えていたのに対し、昭和初期の皇国思想には、これがありませんでした。つまり、幕末の尊皇攘夷思想は、どうしても植民地にされることは避けなければならないという弱者の抵抗の起点に立脚する具体的な新しい目標を共有していたため、このまま進めば、戦争に敗れ、この目標が達成できなくなる、ということが明らかになった時点で、現実の壁にぶつかり、全体として、転向するのですが、昭和初期の皇国思想には、そういうどうしてもこれを守らなければならない、という抵抗の起点、それも普遍性ある起点が、最初からなかった。皇国思想が唱えたのは「八紘一宇」であり、それは天皇の権威を世界に示す、という世界征服すら含意する誇大妄想的なイデオロギーにすぎません。「皇国の私言に非ず。其の止むを得ざるに至つては、宇内各国、皆之を行ふもの也」といわれた中岡の「攘夷」とはちょうど逆に、それは、日本は世界のどの国とも違う、特別にすぐれた国だ、と述べる、まったく「関係」の意識を欠いた、手前勝手な天皇第一のイデオロギーでしかありませんでした。それで、最後、どうしても守らなければならないものとして戦前の日本に浮上した唯一の価値が、何とも内容のはっきりしない、「国体」の護持、具体的には天皇の生命の保障、でしかなかったのです。

その戦争観も、負けないためにどうするか、負けしか見込めなくなればどう和平に持ちこむか、という転向可能性への回路を当初からもたないものでした。敗戦決定時の陸軍大臣阿南惟幾をはじめ、幾多の陸軍、海軍のエリートたちが信奉してやまなかった皇国思想のイデオローグ、東京帝国大学の平泉澄が唱えた天皇のための聖戦観について、立花隆は、『天皇と東大』(二〇〇五年〔文春文庫〕)という明治以来の日本の錯誤の根源に光をあてた本のなかで、それが、たとえ圧倒的な敵に負けても信ずるところを貫徹すればよしとする、当初から、合理的思考を退けた戦争観だったことを指摘して、こう述べています。この平泉流の聖戦観によれば、

いかに敵が強大であろうと、ここでひるんではならない。北畠親房、楠木正成など、(建武の中興時に——引用者)南朝のために戦った人々も、吉田松陰、真木和泉など、幕末尊皇攘夷思想のために戦った人々も、ただ正義は我にありと信ずるが故にほとんど勝ち目がない戦いを戦って、喜んで非業の死をとげていったのだ。この戦争(……)においても、正義は我の側にあるのだから(天皇の側にいることが正義なのだから、こちら側がつねに正義である)、天皇のために命を捧げることこそ道徳的に最も正しい行為なのである。死をいとうてはならない。天皇のために死ぬことは誉にこそなれ、いむべきことでは全くない。歴史上の義人たちは、もっともっと絶望的な戦いにおいて、ひるむことなく戦ってきた。(『天兵に敵なし』)

ということになる。ですから、この先には、もう一億総玉砕しか、ない。どこにも、現実の壁とぶつかる、という局面が出てこないのです。

もっともリアリスティックな思考を身につけているべき軍部指導層、政府高官の多くが、こうした非現実的な戦争観、世界観に染まっていたとはにわかに信じがたいのですが、それが昭和前期、戦争遂行期の現実でしたから、どんなに戦況が絶望的になろうと、そこから、もうこれはダメだ、講和・休戦をめざそう、という思想転換が出てこない。そもそも「死にたくない」の声に権利が与えられていないのですから、一階部分が存在しない。そのような思想転換をもし軍部の上層部が行ったら、敗北主義だとして、今度は下僚の突きあげを誘い、クーデタが起こるでしょう。

こう見てくればわかるように、現在の「ＩＳ」がそうであり、かつての連合赤軍がそうであったのと同じ問題――「変態力」の欠如――が、ここ、戦前の日本の現実にも現れているのです。

なぜ、そうなるのか。理由は、皇国思想のばあい、その思想が、地べたの普遍性から隔てられていたことです。つまり、幕末の尊皇攘夷思想の根底をなしている弱者の抵抗の起点につらなる地べたの普遍性の「正義」に、権利を与えられていなかった。そのため、現実の壁にぶつかれなかった。しかし、もう一つあるでしょう。そのため、あの一階部分と二階部分とからなる思想の二層構造性をもてなかったことがそれです。

つまり、一つの思想が現実の壁にぶつかり、自分を変えることができるための条件とは、次の二つだということになりそうです。一つは、その一階部分の思想が地べたの普遍性をもっていること(そうでないと、現実の壁にぶつかることができません)、そして、もう一つは、その一階部分が、多くのばあい、イデオロギーとして、より純化された側面を体現している二階部分の思想領域との間に、生き生きとした拮抗関係をもっていること(そうでないとこのイデオロギーを転換できません)。言葉を変えれば、この二つを備えていないと、思想は生き生きと人を動かさないし、また人からも、動かされない。そしてそれが、幕末の尊皇攘夷思想と昭和前期の皇国思想の違いでもあったのでした。

6　吉本隆明の一九四五年

ここで立ち止まり、小さな道草をしてみます。

私は、吉本さんの戦争体験と幕末の尊皇攘夷派の思想体験とを同型のものと見て、「内在」から「関係」へ、と述べました。そしてその観点に立てば、自分の手元にあるだけの材料から判断し、そこから「真」を割り出す考え方が「内在」の思考であり、他との関係から、「真」はカッコに入れて次善の策として「善」を割り出す考え方が、「関係」なのでした。

しかし、詳しく見てくると、両者の間には違いのあることも、わかります。幕末の尊皇攘夷思想は地べたの普遍性に立脚し、具体的な目標をもっていたために、現実の壁にぶつかることができたのですが、吉本さんが信奉した昭和前期の皇国思想はその条件をもたなかったために、「のれんに腕押し」のようになり、現実が固い壁としては現れなかった。その結果、現実の壁にぶつかることができなかった。というのが、その違いです。

そのために、皇国思想の信奉者たちは、そこで完全にノックアウトされ、これではダメだと、思想転換することができなかった。自分のなかの現実感覚(「善」)を麻痺させたまま、そのまま強者の論理と価値観――その「正義」――の前で、直立不動を決め込むことになりました。つまり、ずるずると、自分たちの唱える「真」(皇国主義、日本第一主義、天皇主義)に反旗を翻すことのないまま、これに殉じるあり方をとることになりました。

戦後の新しい思想の構図は、共産党の一握りの非転向組(0)を除けば、戦前から左翼的な、あるいはリベラルな思想を抱えながら、皇国思想の席巻には抵抗できずにいた少数の民主主義者(1)と、昭和前期に民主主義から皇国史観へと転向し、再び民主主義史観へと転向した多数の民主主義信奉者(2)と、やや緩和された皇国史観を内に秘めながら民主主義の世の中に面従腹背を決め込んだ保守主義者(3)と、新しい世の中で孤立した皇国主義者(4)とに分かれました。少々乱暴ながら、代表的な例をあげれば、(0)は日本共産党の宮本顕治であり、(1)は戦後の代表的知識人である丸山眞男であり、(2)は戦後の憲法九条平和論に道を開いた東京大学法学部の憲法学者宮沢俊義であり、(3)は戦後型従米保守に道を開いた吉田茂であり、(4)はなぜか最後まで現実の壁にぶつからず戦後も皇国思想の信奉を続けることのできた平泉澄です。

そして、そのうち、(2)と(3)が相互に重なりながら、新しい時代のマジョリティ、大多数部分を占めました。つまり、幕末には長州も薩摩も、それぞれ下関戦争、薩英戦争という彼らにとっての全面戦争に負ける――現実にぶつかる――、そのことが、自分たちの考えを変えるきっかけになり、別の方向に転じる、ということが起こったのですが、昭和前期にはその何十倍もの規模で、文字通り完膚なきまでに敗れたにもかかわらず、その過程で、あ～これではダメだ、考えを変えなければ、という契機は、現れてこなかった。つまりポツダム宣言を受諾するまで、誰も幕末のようには現実にぶつからなかったのです。

だとすれば、戦後、本当の転換は、誰のもとで、どのように起こっているのでしょうか。一つは、自分の家族、親しい人間に死なれたり、戦火のもとで辛酸をなめたことから、つくづく、戦争というものはダメだ、とわかった、というかたちで、多くの一般の国民のもとで、その思想転換が見えにくいかたちで起こっていました。これが、世にいう戦争体験というものの意味だと私は考えます。これは、日本の社会に、明治以降、ということは有史以来、はじめて、国民規模で起こった思想的経験――思想的転換――でした。そしてそこにはこれに加えて、新しい意味がありました。それは、皇国思想の時代に欠けていた地べたの普遍性が、戦後、「戦争はダメだ、いやだ」というこの戦争体験のかたちで、久方ぶりに日本の社会に持ちこまれたということです。それは幕末の「攘夷」の、誰がなんといおうと、これだけは本当、という弱者の抵抗以来の、地べたの普遍性、あの二階建て構造をつくり出す一階部分の出現でした。

また、もう一つは、戦時下の自分の皇国思想が、本当にダメだったと、それこそ思想的に、事後に、戦後になって思い知らされ、起こっている思想転換です。吉本隆明のばあいが、それにあたります。吉本さんは、戦争が終わった後は、しばらく、立ち直れないでいます。その折り、福島県須賀川に家族と疎開しているのですが、すぐに東京に戻るのは危険だ、と一九歳の吉本青年が、家族の帰京に反対しています(石関善治郎『吉本隆明の東京』作品社、二〇〇五年)。家族に何がふりかかってくるかわからないし、また「何かあったら何かやるんだ」という感じ。つまり、占領軍への反乱が起こったら、それに加担するということもありうるという気持でいるのです。

では、その後、戦時の自分の考えはダメだ、という認識は、彼にどのようにやってくるのか。一つは、米軍兵士との接触でした。接触といっても、ただ、その様子を遠くから見ただけです。彼の見た米軍兵士は拍子抜けするようにリラックスしていて、チューインガムなどを噛んでいた。いかにも自由で、「いい加減」な感じ、くだけた感じだった。それまで思いつめて生きてきた彼は、そのことにショックを受ける。それは、こんなふうに起こります。

あるインタビューでの発言ですが、敗戦直後の日本が「死ぬまで戦うぞ」から簡単にGHQ(占領軍)になびいてしまった、と指摘され、彼はいいます。「本当にみっともない話ですが、(……)僕もそうでした。「鬼畜米英」といっていたのに、アメリカ兵を目の当たりにしたら、僕らは亀の子みたいにクビを引っ込めちゃったんです。敗戦直後、銀座や数寄屋橋あたりを歩いていたら、アメリカ兵が日本の女たちとたわむれている。鉄砲を逆さに担ぎ、ガムをクチャクチャ食いながらね。「あらーっ！」って感じですよ。「こりゃあ、予想してたのと全然違うわ」って思いました。それほど、アメリカ兵の態度はフランクというか、くだけたものだったんです」(『私の「戦争論」』一九九九年〔ちくま文庫〕)

もう一つは、東京裁判で明らかになる、日本軍の頽廃ぶり、別の意味での「いい加減さ」です。そのことがあって、先に引いた、「だから、戦後、人間の生命は、わたしがそのころ考えていたよりも遥かに大切なものらしいと実感したときと、日本軍や戦争権力が、アジアで「乱殺と麻薬攻勢」をやったことが東京裁判で暴露されたときは、ほとんど青春前期をささえた戦争のモラルには、ひとつも取り柄がないという衝撃をうけた」、という言葉がやってくるわけです。そこでも、「思いつめる」の逆で、「いい加減」に自由に、リラックスして生きることが、生きるということの意味なのだ、ともいうべき、地べたの普遍性につらなる新しい感覚が、訪れ、この自称皇国青年をノックアウトしているのです。

ノックアウトされてはじめて、彼は、自分をささえていた皇国思想が思想として脈がないこと、思想には一階部分がなければならないこと、すべてをそこから考えていかなければならないことを、学んだといってよいでしょう。そこから、彼の「内在」から「関係」へ、という考えも出てくれば、間違うことのほうに「動かしがたさ」(普遍性)があるばあいには、そちらに立つ、という転向論の考え方も出てくれば、大衆の原像に立脚して思想を構築する、自己表出の考えを中心に言語論、共同幻想論、心的現象論を考える、というこの後の思想の構えも出てくることが、見えてきます。「関係の絶対性」という考え方も、当然、それと無縁ではないでしょう。

しかし、先ほど少しだけ述べたように、幕末の尊皇攘夷思想は、明治維新を成就した新政府の要路にあるもと志士にあたる人々にとっては、維新成立以来、あまりふれられたくない、また思い出したくない過去となっていました。山本七平は、維新がなると、「明治は徳川時代を消した。と同時に明治を招来した徳川時代の尊皇思想の形成の歴史も消した」と述べて、次のような当時のお雇い外国人ベルツの日記を引いています（前掲『現人神の創作者たち』）。曰く、「今日の日本人は、自己の歴史をもはや相手にしようとしないのである。教養ある連中は自国の歴史を恥じてさえいる。〃とんでもない。一切が野蛮きわまりないのです〃とある者は私に言った」。

しかし、それ以来、日本の近代の思想からは、抑圧された幕末の尊皇攘夷思想の記憶とともに、思想を成り立たせる最も大事なもの、地べたの普遍性をもつあの一階部分が、消えたのではなかったでしょうか。そのため、八〇年後の一九三〇年代、経済的な苦境を他国への軍事侵略によって打開するしかなくなり、日本が国際的に孤立し、国難が再び到来し、実はこれと似て非なる、天皇に宙づりにされたあの中空に浮かぶ理念一辺倒の空中楼閣、思いつめる一方の、皇国思想というものが現れると、これに誰もしっかりとした異を唱えられない、というようなことが起こっているのだと、私には思われます。

ここに述べた、幕末の尊皇攘夷思想と吉本隆明の戦後の思想と、そして戦後の戦争体験者にとっての戦争体験の関係は、このようなものだったのではないか、と私には受けとめられるのです。

7　護憲論の二階建て構造

さて、ここまでをお話ししたうえで、話を、現代の護憲論に転じたいと思います。

今日、ここまでお話ししたことは、戦後のリベラルな思想、私たちにとって重要な存在である憲法九条をめぐるいわゆる護憲論の思想と、どのように関わるでしょうか。

私は、現実によって存在することを促され、現実とのきしみ合いのなかに生き、そして、現に現実を動かすことのできる思想には必ずや、ここまで述べてきたような二階建ての構造があると思っています。皇国思想に欠けていたのは、この二階建て構造をささえる一階部分の思想でした(一階部分の代わりに、天空の一点に天皇が置かれ、すべてがそれとの関係で価値が決められました)。しかし、戦後現れた護憲論は、皇国思想とは違います。幕末の尊皇攘夷思想と同じく、一階部分をもっています。

つまり、護憲論もまた、二階建て構造をしていると見ることで、私たちにとっての意味が、明らかになります。

ふつう、これまで、私たちに護憲論として受けとめられてきたものは、憲法九条を字義通りに受けとめたばあいに現れるいわば日本国内の文脈でいう理想型の平和主義でした。これが護憲論の二階部分です。それをここでは憲法九条で代表させましょう。

これに対し、護憲論の一階部分は、護憲論がそのタテマエとは別に、現実的にどのように機能したかという側面で見るときに現れるその思想的な土台とその現実との接触面を含んでいます。

では、その一階部分とはどのようなものか。

先に述べた、これまでになく広範な国民によって分厚く経験された戦争の悲惨を受けての戦争体験、敗戦体験がその母胎です。

これは先に書いた『戦後入門』（ちくま新書、二〇一五年）という本にも述べたことですが、私は、いま私たちの社会に枯渇しつつある日本の戦後の平和思想をささえた戦争体験の核心を一言で言いあてる言葉は、井伏鱒二の小説、『黒い雨』で主人公によって語られる、「いわゆる正義の戦争よりも不正義の平和の方がいい」という言葉なのだろう、と考えています。

『黒い雨』は、高度成長のさなか、一九六六年に書かれました。姪の結婚を気にかけながら日々を過ごす中年の男性を語り手とした、広島に住む原爆被災者の家族の物語です。この穏やかな物語のなかに、一個所、主人公が原爆投下直後の広島市街を彷徨する場面が出てきます。そこで、主人公が、ふと、「戦争はいやだ。勝敗はどちらでもいい。早く済みさえすればいい。いわゆる正義の戦争よりも不正義の平和の方がいい」と考えるのです。

これが皇国思想の席巻の結果、もたらされた戦争の、しかも最終場面をなす原爆投下のもとでの言葉であることを考えると、「勝敗」などどちらでもいい、「早く済みさえすればいい」という言葉が胸につき刺さります。皇国思想の平泉澄は天皇の正義の戦争に終わりはない、といっていましたが、これは、そのうえでの、その言葉を受けた、原爆投下のもとで呟かれる、「正義の戦争」よりも「不正義の平和」の方がいい、という声なのです。

これが長い間、日本の戦後の、私たちの社会をささえた、演題にいう、「とにかくどんなことが起こっても、これだけはぼくは本当だと思う、ということ」だった。宮崎と井伏、二人のコトバは、既存の「正義の物語」などには負けないゾ、自分で新しい「正しさ」を見つける方向に歩むのだ、という気分で、つながっているのです。

そして、それとは別に、憲法九条の考え方をささえる護憲論ともいうべきものが、一九四六年のGHQによる憲法草案の提示以来、東京大学法学部の憲法学者宮沢俊義の「八月革命説」をはじめとする解釈の系譜として、現在の立憲主義の考え方まで続いてきています。そのような憲法九条観を中心に、世の知識人たち、また革新的な市民と呼ばれる人々が唱え、つくり出してきた平和主義思想、戦後民主主義思想といわれるものがそれです。これが二階部分で、その憲法九条の護教論は、いかに憲法九条の戦争放棄と戦力不保持と交戦権否定の平和条項がすぐれた、私たちにとってかけがえのないものであるかを、さまざまなかたちで述べてきました。

これを、一階部分をなす「不正義の平和」に対して、「正義の平和」と呼んでみましょう。私の考えでは、地べたに根ざす、「いい加減」さ、「不正直」さを含む戦争体験と憲法九条の現実との接触面からなる一階部分と、どちらかというとある意味、皇国思想にも似て中空に浮かび、「禁欲的」で思弁的で現実とは間接的に関わる「思いつめた」平和思想・立憲主義というこの二階部分の組み合わせが、長い間、日本の憲法九条をささえる護憲論の二階建ての構造を作ってきたものです。

そして、この二階部分の「正義の平和」を前面に掲げながら、その一方で、その現実との接触面での破綻を衝かれるたび、でも、憲法九条はその「不正義の平和」で、戦後七十余年の平和を実現してきたのだ、と二段構えに進むのが、戦後の護憲論の「強さ」でありまた「いい加減さ」だったのだと思います。

この「不正義の平和」観ともいうべきものが「いい加減」なものを含むというのは、次のような意味です。これを日本の平和思想を象徴するものと見ると、その特徴は、この平和主義が論理的ではない——論理的に不整合だ——、ということになります。というのも、この日本の平和主義は、戦争はどのようなものでもイヤだ、ダメだ、というのに加えて、さらに、その戦争の遂行において、とりわけ無差別大量殺戮兵器である原水爆は断じて許されない、と主張するものだからです。

また、現実との接触面において、憲法九条がかなり「いい加減」で「不正直」な存在だというのは、一方――中空――で絶対平和主義を標榜しながら、他方――現実との接触面――で日米安保条約のもと、米軍基地を存置させ、自衛隊をもつことをも実質的に默認する、という構造のもと、長い間成立してきたことから、明らかでしょう。

まず、これが論理的でない、という点ですが、これはちょっと考えてみればすぐにわかります。どんな戦争もダメなのであれば、当然、その戦争で行われる殺戮はすべて認められません。戦闘員間の殺戮なら許されるが非戦闘員への無差別殺戮は認められないとか、通常の戦争行為なら默認できるが、戦争で自分の目的を達するために無辜の人を殺す行為は謀殺であり不正だといえるためには、戦争にも、許されうる(正しい)戦争と不正の戦争があるとしないと、理屈にはあわないのです。ですから、論理的には絶対平和主義と原爆投下弾劾の間には齟齬があります。

そのことに私は、先に『戦後入門』という本を書いたときに、イギリスの哲学者エリザベス・アンスコムのトルーマン大統領批判の論考を援用しようとして、はっきりと思い知らされました。アンスコムは正しい戦争がありうる、といいます。たとえばナチスのユダヤ人絶滅政策をやめさせるための戦争などです。その正戦論に立って、トルーマンの原爆投下は、その基準からはずれる、したがって不正であり、犯罪だ、という弾劾がやってきています。

しかし、あるばあいには、その戦争は、許される、という考え方がどうしてもなじめない。私は、そういう自分の平和感情のなかに大いなる論理的矛盾があることに気づかされたのです。そして、そこからは、さらにそれを超える哲学的な考え方もありうる、と考えることもできたのかもしれないのですが、むしろ、自分が日本のなかで身につけてきた平和思想が、論理的に破綻していること、何処か論理的に「いい加減」なあり方をもっていること、そちらのほうに、よりリアルな感触がある、戦争体験の分厚さがある、と感じ、自分を育ててきた平和感情というものは、その本質を論理的な不整合という点においているのではないかと考えるようになりました。

あえて、この直観を理屈めいて説明するなら、原爆が世界に登場して以来、戦後の国際秩序に論理的な整合性は失われた、と私は思っています。国連の体現する世界平和の追求が、安全保障常任理事国の核独占を前提に、核兵器を基礎に据えて成り立っているという事実が語っているのはそのことです。ですから、このような世界で、論理的に厳密だ、正しい、ということには、あるフェイク(偽物)の匂いがつきまとわざるをえない。それが私の戦後人としての直観なのです。

しかし、次の、現実との接触面での日本の平和思想の「いい加減さ」、憲法九条の「不正直」さも、これと同様、まったく弁解の余地のないものです。まず、当初、憲法九条は絶対平和主義を体現するものとして受けとられました。これを受け、一九五九年には、その第二項の定める戦力の不保持に違反するとして、日米安保条約の定める米軍基地は違憲、という砂川判決が下されています。けれども、このとき、何より日本の主要紙の社説が、これを支持するどころか、これは「おかしい」と批判しているのです。朝日新聞の社説は、「安保条約や行政協定までをも審査の対象としたのは果して妥当であろうか」と述べています(四月二日)。また毎日新聞の社説は、「駐留米軍は極東の平和と安全のために行動する使命を持っている。憲法の規定によってしばることができるものではない」と記しています(四月一日)。ですから、この年のうちに、すぐに最高裁で原判決破棄、差し戻しの判決が下り、憲法九条と米軍基地は両立することにされると、この矛盾は、そのままずんなりと日本社会に受けいれられていきます。

一九六八年には、このとき内閣退陣を迫った第一野党の社会党が、我々が「政権を獲得」した暁には「自衛隊を解体し、新たに平和共栄隊や平和国土建設部隊を創設する」という公約を掲げますが、これも、後に一九九四年、同党が連立政権の一翼を担うようになった際、あっさりとこの公約を撤回し、「日米安保条約と自衛隊の合憲」を村山首相が打ち出し、彼らの主張が何ら現実との接触面で「現実にぶつかる」抗いを見せる力をもたないものであったことが露呈されます。社会党はその後、急速に支持を失い、小政党に転落してしまうのですが、これは当然で、その責任は重大であり、このとき、激怒といった反応を見せたのが、先の吉本隆明でした。

日本共産党は、当初より憲法九条の絶対平和主義に反対の立場でしたが、その後、より現実的な主張に変わっています。そして社会党の転向以後、自衛隊解体を掲げる政治勢力は、新しく生まれていません。もはや絶対平和主義としての憲法九条の実行を過激に訴える政治勢力はどこにもなくなったのですが、しかし、この考えは、なお、護憲論の正統の主張の場から消えることがありません。憲法九条の規定に照らして、他国の軍事基地を許容し、専守防衛の自衛隊を保有しているわけですから、これだけでも、九条護憲の論は、ずいぶんと中途半端なあり方を示しているのですが、このことに加えて、その中途半端さをしっかりと自分のマイナス点として繰り入れ、自ら「転向」を自分に認められない点、そこも、やはりかなり「不正直」、悪い意味で(?)「いい加減」といわざるをえないのです。

とはいえ、日本の憲法九条を中心とする平和主義は、こうした「いい加減」さを身に帯びながら、満身創痍で、なお、何とか、占領期を終えた後、六十余年にもわたり、日本が戦争を起こすことにも、また他国の戦争に巻き込まれることにも、歯止めをかけてきました。そしてこれが、「正義の戦争よりも、不正義の平和の方がいい」という私たちの戦争体験の蓄積が可能にした、戦後の平和主義、護憲論の一大達成だった。――つまるところ、このような二段構えで、憲法九条の護教論としての護憲論は、一定の説得力をもってきたのでした。

8　壁にぶつかる護憲論

ところで、そうだとすれば、この戦後の平和主義、護憲論は、いま、ここに来て、「不正義の平和」として、現実の壁にぶつかっているのではないでしょうか。

というのも、二〇〇九年の政権交代後の政権党民主党の躓きをへて、二〇一二年末にこれに代わって成立した自公安倍政権の手で、この間、急激な日米同盟強化策が講じられ、これまでまがりなりにも「不正直」なかたちで機能してきた憲法九条の戦争抑止力が、いまやほぼすべて解除、無力化された、という局面に、現在の政治状況はあるからです。

二〇一四年の集団的自衛権行使容認の閣議決定と、それに基づく一五年の安保関連法の制定によって、これまで自民党の歴代政権も遵守してきた個別的自衛権による専守防衛の一線が、ほぼ最終的に崩されました。これで、米国からの軍事協力の要求に対する憲法九条の抑止的な機能は、ほぼすべて骨抜きになりました。これにより、自衛隊の海外派兵に道が開かれ、有事の際に米軍が自衛隊との共同作戦の指揮権をとるという吉田茂首相のときに結ばれた密約と合わせ、日本が米国の世界戦略に完全に従属的に、組み込まれる枠組みが整えられることになったからです。

しかしこのことは、右に述べた二階建て構造としての護憲論が、これまでにない、なりふり構わぬ強引な右派政権の登場によって、あっけなく瓦解してしまった、ということを意味しているのではないでしょう。これをそう見るのなら、事の本質を見誤ると思います。その背景にはもっと奥深いものがあるからです。

こう考えてみなければなりません。

まず、安倍政権がこれだけ強引なことを行うことができたのはなぜでしょう。それに先立つ前段階として、いくつもの強引な法案上程、メディアに対する目に余る統制、介入、脱法的な不正行為などがあったにもかかわらず、五年間にわたり、この政権への世論の支持が、さして落ちない、という強固な事実がありました。このことが、この強引な政権運営と政策追求を可能にしたものです。一時的な批判の高まりこそあれ、総じてこの間、支持は高止まりし、批判の声は必要な強さに達しませんでした。前代未聞のことをもたらした根源的な動因は、こちらのほうだったのです。

そしてその背景としても、あいつぐ戦争体験者たちの退場に伴う日本社会の平和主義の後退ということがありましたが、これも、そのことを指摘するだけでは足りません。そこにはもっと基本的な、日本社会全般の政治への無関心と無力感の広がりがあるからです。

教科書問題によって示される日本の文科省主導の教育内容の保守化ということも、むろんその一つです。

しかし、この流れを戦後全体として見るとき、これらの社会の構造の変質の根源として、日本が戦後、サンフランシスコ講和条約の締結以降も、本来の意味での独立国としての再出発をとげることができず、いわば他国の従属国的な境遇に甘んじてきたという事実のあることを、認めないわけにはいきません。

その特別さは、明治維新がなったときに、明治新政府が日本国の独立の回復に向け、国を挙げて、四十余年をかけて江戸幕府の結んだ不平等条約の改定に努力し、国民もこれを一致して後押ししたことと比較すれば、すぐにわかるかと思います。

明治初年、明治の日本に欧米列強による租界(外国人居留区)はありませんでした。しかし、治外法権が欧米列強の各国に認められ、また関税率を国益に適うよう自ら定める関税自主権も、奪われたままでした。この治外法権の撤廃、関税自主権の回復を、明治政府と明治の国民は、第一の国是とし、悲願としました。そうした努力の結果、治外法権の撤廃は、一八九四年、関税自主権の回復は、一九一一年に実現しています。

しかし、この点では、戦後の日本もほぼ同じです。というか、外国人租界にも匹敵する外国軍基地が広範に存在し、密約などで実質的に軍隊組織の基地権、指揮権もまったく他国の手に握られているという点では、不平等条約の度合いは、軍事的に、明治以上といわなければなりません。戦争に負けたのだからしょうがない、と思っている人がもしいるとすれば、それは大きな間違いです。一九四五年のポツダム宣言には、軍国主義の駆逐、軍隊の武装解除、戦争犯罪人の処罰、民主主義の復活、基本的人権の尊重などが実現し、かつ「日本国国民ノ自由ニ表明セル意思ニ従ヒ平和的傾向ヲ有シ且責任アル政府ガ樹立セラルルニ於テハ聯合国ノ占領軍ハ直ニ日本国ヨリ撤収セラルベシ」と定められていました(12項)。ですから、これを受けた一九五一年九月八日署名のサンフランシスコ講和条約にも、第六条の(a)として、「連合国のすべての占領軍は、この条約の効力発生の後なるべくすみやかに、且つ、いかなる場合にもその後九十日以内に、日本国から撤退しなければならない」と記されているのです。

これが、戦後の国際秩序に基づいて、その後、起こるはずのことでした。たとえば、このとき、日本と同じく連合国による占領のもとにあったオーストリアは、それから四年後、日本でいえば全面講和のかたちで、連合国(フランス、イギリス、アメリカ合衆国、ソ連)との間にオーストリア独立条約を締結し、永世中立国になることを宣言して独立しています。これにより、一九五五年の一〇月二六日には全ての国の占領軍がオーストリアの国土から撤兵しているのです。

では、なぜ、日本はこのような完全な「独立」ができなかったのでしょうか。日本の占領は、実質的には米軍単独で行われます。ほんとうは、連合国の最高機関である一一か国からなる極東委員会(ＦＥＣ)に服属しなければならなかったのですが、マッカーサーは、いわば天皇を人質にすることで、憲法を改正し、戦争終結直後の混乱に乗じて、ポツダム宣言の規定に準拠しない、米国本国政府の意向に従う、無条件降伏に基づく占領を遂行することに成功します。その背景には、東西冷戦があります。これに加えて、一九五〇年には朝鮮戦争が起こりました。米国とくにその軍部は、世界戦略上、重要度を増した日本を手放すわけにいかないと考えるようになります。

そんなもろもろの事情があったわけですが、しかし、それは、理由にならない。どんな国にも、独立の困難はつきものだからです。その根をたどれば、当時の日本の指導層に、明治期の要路当事者にはあった、また、普通の国にも一定程度、期待できるはずの、自国の独立に向けた共通の認識と個人的な勇気とが、欠けていた。厳密に考えるなら、どうしてもこういう事実につきあたらざるをえないのです。

たとえ、どんなに困難だとしても、最終的には本来の独立が将来達成されるべきことが、このとき共通の目標として、指導者たちの念頭に置かれているべきでした。しかし、そういうことがなかった。たとえば、終戦直後の外相で一九四五年九月二日、全権としてミズーリ号で署名した重光葵は、後の手記に、九月三日への後記として、「日本の指導者」「剰へ上層部は」「何れも理性を喪ひたる占領軍に対する媚態となり、到底云ふに忍びざるものあり。右は単に政府部内のみならず。一般民衆においても然り。維新当初の状態を想起せしむるもの多し。所詮日本国民は自主性なき三、四等国民に堕したるなきや」と記し、結局、日本民族とは、自分の信念をもたず、強者に追従して自己保身をはかろうとする三等、四等民族に堕落してしまったのではないか、と慨嘆しています（『続重光葵手記』中央公論社、一九八八年）。彼は調印の翌日、九月三—四日、マッカーサーと折衝して当初GHQが計画していた軍政を撤回させ、一四日、マッカーサーがポツダム宣言の準拠枠を外れる直接統治方式に転じるや、的確にこれに反応しています。この「新事態」に対しては、総理を除く内閣の全閣僚が辞職して態勢を一新してこれに臨むべきことを首相の東久邇宮稔彦に「進言」するのですが、容れるところとならず、一七日、「解任」されます。この重光は、降伏調印に先立つ記者会見の席で、「明治維新のときも対外的に見ればその実質は無条件降伏であつた」。しかし「明治の人々」は「堅忍不抜、奮励努力して」「忍苦に耐へて国を興した」、と述べて、いま自分たちが幕末維新期と同じ境遇に落ちたことを強調していました（『朝日新聞』一九四五年九月二日）。このとき、重光は、歴史の意味を理解しており、見識に加えて勇気、胆力を備えていましたが、東久邇宮、さらに当時副総理の近衛文麿にも、明治期の岩倉具視ほどの見識も胆力も、もはやなかった。そしてその根は深い。私の見るところ、そこにあるのは先に見た皇国思想の席巻の根にあると同じ、抱懐されている思想に一階部分がない、という問題だったからです（その後の日米安保条約締結にいたる展開に昭和天皇が果たした一種犯罪的ともいえる致命的な役割については、豊下楢彦『安保条約の成立——吉田外交と天皇外交』（岩波新書、一九九六年）に詳しく述べられています）。

そして、その後重光の後を襲って外相となり、ついで首相となって日本の方向を決めるのが、吉田茂なのですが、この戦後日本の指導者にも、残念ながら、幕末の志士たちにつながる――天皇の意向をもはねのける――一階部分の胆力、勇気、気概はありませんでした。それを補うべきものとして、あの井伏の『黒い雨』に描かれた「不正義の平和」に現れた地べたの戦争体験が、戦後にはあったはずですが、戦後なお「臣茂」と名乗る彼には、それも無縁だったと見えます。そして、その後の日本は、この吉田の主導する日米安保を軸とする対米依存、対米追従の路線に進み、以後、日本の政治中枢から、独立を志向する政治家、官僚、エリートは、姿を消します。たとえいても、そういう存在は、変人の少数者として排除される。そうして私たちの前にいまの現状があるのです。

私は、この対米追従・従属路線も、もし国益追求のための「次善の策」として、十分に現実的に考えぬかれ、それが国民に率直に訴えられ、認証を受けるかたちでいわば公然たる「集団転向」として遂行されたのであれば、政策思想としてありえたし、受け入れることも可能だったろうと思います。現実にはやれることとやれないこととがあるからです。しかし、このときの指導層が、幕末の志士たちとも、明治期の指導層とも違っていたのは、そもそも国の独立をいつかは勝ちとる、という共通認識がないうえに、強者に対等に向きあう勇気にも、自分の弱さと向きあう勇気にも欠けていたため、現実の壁にぶつかるという経験から、隔てられていたことです。天皇を人質に取られていた、という事情、あるいはその天皇自身が、米国の手で自分が庇護されることに違和感をもたなかった、さらに自分の保身、あるいは天皇制の保持のためにマッカーサー、吉田の頭越しに米国特使ダレスとの間に二重外交すら行う、という事情もあったのですが、しかし、それは言い訳になりません。

戦後の保守政治家たちには、重光葵、石橋湛山など、数人の例外を除いて、とにかく勇気がなかった。そして、それを彼らは知っていた。戦前、十分に皇国思想に立ち向かえなかったリベラルな学者、知識人たちが、戦後、その反省から、一致して、社会変革の流れに立ち上がった際、その自分たちの集まりを「悔恨の共同体」(丸山眞男)と呼んでいますが、しかし、そういうなら、戦後の保守政治家たちは、もっとタチが悪いというべきです。対米従属路線を選び、幕末期以来の独立の気概をもてなかったうえ、そのことの弱さを、率直に認めることができませんでした。吉田茂は、一九五一年九月のサンフランシスコ講和条約と同日、同市郊外の米軍基地で締結した日米安保条約の署名者となることを嫌い、式典に出席することを何とか忌避しようとしています。そして仕方なしに、日米安保条約に署名する際には、同じく全権の任にあった後進の池田勇人(蔵相)に、君のキャリアにマイナスになるからと述べて一人で署名を行っていますが(西村熊雄『サンフランシスコ平和条約・日米安全保障条約』中公文庫、一九九九年)、彼らの集合は、人にいえない後ろめたさを共有する点、より暗い「悔恨の共同体」を構成していました。

私は、戦後、そして占領終了後、しばらくしてから、日本の保守派の人々が「期待される人間像」、教科書検定、さらには閣僚たちの靖国参拝から近年の教育勅語の時期外れの称賛まで、いわば奇妙に観念的な戦前回帰をたえず志向してきたのは、自分たちが戦後、独立を早々にあきらめて対米従属に走ったことへの「悔恨」の裏返しなのだということに、最近、気づきました。そういう主張を観念的に行う戦後の保守政治家たちが、きまって強度の対米従属の信奉者でもあるのは、なぜだろう。長い間、そのことが不思議だったのですが、そう考えてはじめて納得のいく答えが得られたのです。

なぜ、中学校、高校の歴史教育が、明治のあたりまでで終わってしまい、もはや七〇年を超えた長い戦後の歴史が、子どもたちに教えられないのか、また、戦前末期の問題を事実通りに記述することが「自虐的」として攻撃されるのか。その理由も、この同じ、対米従属という現実の否認によって説明できます。

もし、戦後の保守政治家たちが、しっかりと米国に向きあい、日本の国益を守り、いうべきことをいい、沖縄の苦難に応分の敬意を捧げ、原爆犠牲者の尊厳を守って米国にしっかりと抗議できていたら、どうだったでしょうか。あるいは昭和天皇がはっきりと自分の責任を認め、けじめをつけ、退位していたらどうだったでしょうか。

たとえば一九四八年、東京裁判の決着に備えて田島道治宮内庁長官が「謝罪詔書草稿」をまとめています(加藤恭子『昭和天皇「謝罪詔勅草稿」の発見』文藝春秋、二〇〇三年)。そこには「朕ノ不徳ナル、深ク天下ニ愧ヅ」と書かれています。そのような謝罪詔書が公にされ、天皇の反省・謝罪の弁が公になっていればどうだったでしょうか。

もちろん、あの「自由主義史観」の教科書執筆者たちも、喜んでこれらの戦後の勇気と胆力あるエピソード、教育勅語の道徳を体現して自らの非を謝した天皇の行為を教科書に書き込み、これを讃えたことでしょう。自らの非を認め、謝罪した天皇はすばらしい、と。しかし、そういう事実はない。情けのない事実しかない。その反動が、彼らを、日本はすばらしい、という自画自賛の底の浅い日本礼賛の副読本の刊行へと駆り立てているのです。

9　憲法九条から日米安保へ

しかし、いつまで、この対米従属という現実の否認を続けることができるでしょうか。問題は、憲法九条も、護憲論も、この否認の構造に、しっかりと組み込まれ、これに加担すらしている、ということです。現在、憲法九条は、現実的な機能として、日米安保条約と、ということは米軍基地の存置と、相補的な関係のもとにおかれています。理念としてそれから最も遠くあるべきものが、それと一対になりつつ、そのことの否認として存立しているのです。

では、どうすればよいのか。

私は、ここで、憲法九条と護憲論は、あの「変態力」を問われていると考えます。

憲法九条の変態力が、どこから生まれるか。それを考えるうえで最初の入り口は、憲法九条と護憲論がいま、なぜ、どのように現実の壁にぶつかっているのか――ぶつかりえているのか――、その衝突現場を探ることでしょう。また、そこで一階部分の平和感情と二階部分の護憲・護教論的な立論と主張が、どのような関係に置かれているかを、見ることです。


では、なぜ、どのように、憲法九条、護憲論は現実の壁にぶつかっているか。ぶつかることができているのでしょうか。

それは、もはや、戦争を阻止できなくなった、というかたちで、壁にぶつかっています。これは未確認の伝聞ですが、安倍首相によれば、集団的自衛権行使に道を開いたとたん、憲法改正に向けた米国からの矢の催促が嘘のようにやんだ、ということで、そういう話がまことしやかに一時期、囁かれたようです。事実かどうかは確認できないのですが、それとは別に、さもありなんと思わせる話です。というのも、憲法九条があっても集団的自衛権の行使が可能なのであれば、米国は自衛隊を自由に自分の指揮権下で使えることになり、米国側の所期の目的はこれでほぼ達せられたことになるからです。もう憲法九条の空文化は、国内的には、未了だとしても、国際的には、ということは、日米間では、ほぼ――九〇パーセント――完了しているのです。

つまり、憲法九条は、最後の砦も破られた。残るのは条文の改正と自衛隊海外派遣上の法的な手当てくらいしかない。しかし、そのことを、まだ大丈夫だ、終わってない、ではなく、敗北だ、と受けとめるなら、そのことではじめて、憲法九条と護憲論は、現実の壁にぶつかることができる。それが、壁にぶつかる、ということなのではないでしょうか。

だとすれば、もう一度、とにかく、どんなことが起ころうと、「戦争はダメだ」という戦争体験の初心の場所まで戻り、そこからはじめ直すしかありません。いまいる場所から、何が失敗の理由だったのかを洗い直し、戦争を阻止しようとするには、何が必要か、と考え直してみるほかありません。

はじめて、一つの反転攻勢のかたちが、この壁とぶつかることで、生まれてくるのです。

私は、ここでは、二階部分の立憲主義の議論にはふれません。しかし、次のことだけはいっておきたいと思います。立憲主義が、憲法を国に守らせるという構えをもつ以上、その国が合憲的に憲法のほうを変えてしまえば、その主張は、改正への反対としては、足場を失います。その憲法「改正」が合法的である限り、今度は改正された憲法九条を国に守らせることが、立憲主義の主張に適うこととなるからです。このことは、たとえ、この先の憲法九条の自公政権主導の「改正」が問題だとしても、改正が合法的になされてしまえば、それに対する反対は、もはや立憲主義というかたちで、従来通りにはなされえなくなることを語っています。そして私たちは、現在衆議院の三分の二以上の議席数で、この自公政権を支持しています。ですからこうした九条による戦争合憲論という事態をも、いまや考慮する必要があるのです。

したがって、私たちは、この一階部分に立って、むしろ、憲法九条からいったん離れ、私たちが「戦争」を行わないためには、いま、どうすることが必要なのか、から考えてみなければならないはずです。

すると見えてくるのはどのようなことか。憲法九条の問題とは、実は、あるときから、日米安保条約の問題になっていた、ということではないでしょうか。

冷戦が終わった後、都留重人さんが『なぜ今、日米安保か』(岩波ブックレット、一九九六年)というパンフレットと、『日米安保解消への道』(岩波新書、一九九六年)という本を発表しています。主題は、日本の国が冷戦終結以後、「変われるのか」ということ、「国の進路を過たないために、いま何をすべきか」ですが、そこに憲法九条の話は出てきません。扱われているのは日米安保条約をどうすれば「解消」できるか、という問題です。日本が「変わる」ために必要なのは、日米安保の枠内で沖縄の負担を「縮小」するのではなく「解消」するにはどうするかを考えることだ。つまり都留さんは、他の革新陣営の論者が憲法九条を守れ、というのに対し、問題はいまや、日米安保をどうすれば解消へともっていけるか、ということだと喝破しているのです。

私は『戦後入門』を書くにあたって冷戦終結以後のロナルド・ドーアの論(『「こうしよう」と言える日本』朝日新聞社、一九九三年)に多くを教えられたのですが、日本のなかにも、実は都留さんのように、護憲論の枠にとらわれないで考えるクールな革新派知識人がいたのでした。

どうすれば日本は変われるのか。

そのために、必要なのは、まず、自立して、日本が日本の国益を第一に考えるというあり方を、再構築することです。つまり、「後ろめたさ」、ルサンチマンから離れ、冷静に、現実的に、対米従属からの自立、国の独立をめざす、というあり方です。

しかし、そのことにはいくつかの条件がつきます。一つは、そのことによって国際的に孤立することはどうしても避けなければならない、ということです。日本は国連加盟国のなかでも旧敗戦国として最も立場の弱い国の一つです。そのことを忘れるわけにはいきません。二つは、それとつながることですが、この独立によって米国と敵対関係になってしまうことはできたら、避けたほうがよい、ということです。現在の世界の国際秩序のもとで、米国から離反し、これと敵対することになれば、国際的な孤立は必定でしょう。米国は依然として世界にとって重要な国です。貿易立国の日本は、米国と手を携えて世界をささえていくというのが、一番です。

ところで、私は、こう考えて、この対米自立からのほぼ唯一の、実現可能かはわからないながら、構想可能な行動指針として、憲法九条の平和条項を徹底強化する方向での、対米自立の提案を行っています。『戦後入門』で行った提案がそれです。

そこでの重点は、国連とのつながりが大事だということですが、それについてはここではそれ以上、ふれません。ただ、一つ強調したいことは、その本での私の結論が、国際的孤立と米国との対立にいたらないで、対米自立を達成しようとすれば、この点からいって、やはり憲法九条が最大のカギとなる、というものだったということです。

それをなくすのではなく、さらに強化することで、対米自立を果たし、米国とも良好な関係をつくり出していくことができる。その正面突破策のカギが憲法九条なのです。

第二次世界大戦終結直後の米国の国際平和構想は、国連の警察軍創設による集団安全保障体制を前提にしたもので、マッカーサーが米本国に一部抵抗しながら憲法九条の戦争放棄、戦力の不保持、交戦権否定というかたちで提案したのも、それに立ってのことでした。どの国も、戦争放棄、戦力の不保持、交戦権否定を謳い、それに違反する戦争行為に出る国があれば、国連の警察軍がこれを制裁する。その制裁の軍事行為は、国連だけに保障される、というのがそこでの考え方です。この基本構成は、いまも変わりません。未了ながら、現在の国際秩序の基本形として、国連のもとに残置されています。日米安保条約も、いまや形骸化されているとはいえ、なお国連の枠を無視できないかたちで成立しています。ですから、その国連とのつながりのカギである憲法九条が、日本と米国、さらに戦後の国際秩序のすべてにフィットする、現在日本の手にある唯一のジョーカーであり、マスターキーなのです。

その初心の構想に戻り、現在の自衛隊は、これを国連待機軍のようなものに再編する、そして国の安全保障の根幹は今後創設される国連警察軍によるものとする、したがって、いったん米軍基地は撤去する、必要と判断すれば米国との集団的自衛権の取り決めも行うが、というのがこの本での私の提案の骨格です。むろん、今後、再び、日本が米国と緊密な関係に入ることは大きな選択肢の一つです。ただし、そのとき、日本は独立し、日本国内に米軍基地はありません。外国軍基地の撤去を規定に繰り込むことでそれを可能にするというのが、私の新しい憲法九条改正案なのです。

こうした私の考えに対しては、これまでの護憲論、改憲論からさまざまな反対、疑問、批判が寄せられることが考えられます。

しかし、それに対しては、こう答えておきたいと思います。護憲論は、日本の戦争体験にねざす平和主義を一階部分とし、憲法九条の条文を二階部分として存在してきました。しかし、二階部分である憲法九条を単に守るだけでは、もはや憲法九条が保障してきた一階部分の地べたの平和主義が守られないところまで来てしまいました。そして、その敗北に、私たちも、私たちの護憲論も、憲法九条も、責任があるはずです。そうであれば、私たちがやるべきなのは、この一階部分を生かすために、この二階建て構造の総体を変えることではないでしょうか。

この国をして戦争をしない国にする。それがめざされなければならない第一のことなのですから、そのために、日米安保条約を解消する。そのために、憲法を変えることが一つの活路になるなら、それを躊躇すべき理由はない、というべきなのではないでしょうか。

たとえば、都留さんは、先の本で、日米安保条約解消のための一歩として、沖縄の基地をなくし、その用地にニューヨークの国連本部を移し、国際政治のセンターとすることで、新たに日本が国際平和のイニシャティブを取るという驚くべき提案をさえ、しているのです。

また改憲論者には、こういいましょう。あなた方は、憲法九条を捨てようとしています。しかし、それは決定的な間違いではないでしょうか。日本の独立を視野に入れない未来構想は、無責任だというほかない。そのことには同意してもらえるでしょうが、では、そのことによって国際的な孤立をまねかない対米自立の構想が、どう可能か。それを考えれば、憲法九条がいま日本の手にある唯一の打開策のカギなのだということが、あなた方にも、わかるはずだと。

護憲論の二階建て構造においては、「とにかく戦争はいやだ」という一階部分の声に押され、この窮状、現実の壁を前に、二階部分が仕方なしに変わる、ということが、ありうべき変革のカギであり、一つの希望だということ。というか、「変節」は、護憲論においてそのようなかたちでしか自己を貫徹するかたちでは、起こりえないだろう、ということ。憲法九条の問題のカギは、いま、日米安保条約をどう解消するかということに、移っている。以上、変わることの力、そして護憲論についての私の考えを述べてみました。

ご静聴ありがとうございました。

＊　本書は、第一九回信州岩波講座二〇一七「変わる世界　私たちはどう生きるか」での講演「どんなことが起こってもこれだけは本当だ、ということ――激動の世界と私たち」(二〇一七年八月二七日、須坂市メセナホール)に大幅に加筆修正したものです。

Ⅲ

スロー・ラーナーの呼吸法

ヒト、人に会う――鶴見俊輔と私

二〇一六年四月一六日
桐光学園にて

できごと

今日の話は、人との出会いをめぐる話です。

人は生きていくうちにどんな経験をするのでしょうか。また、どんな経験が、人を変えるのでしょうか。

何かが与えられること、獲得されること、そして何かを失うこと、何かを奪われることが、そのうちの大きな要素だと思います。ですから、二つです。それをふつう私たちは、「できごと」と呼びます。

でも「できごと」にはとても長く緩慢に進行するために、それができごとだとは気づかれないものと、突然にやってくるために、そのできごと性が強烈に意識されるものと、二つあります。皆さんがいま学校で学んでいること、学習ということも一つのできごとで、緩慢な進行のうちに、それが「できごと」であることが気づかれにくい例です。あんまりのんびりしているので、つい、眠っちゃう、というような経験のある人も多いでしょう。でも、もし、ある日、友人や自分に交通事故などが起こったり、重い病気だということがわかったりしたら、大きなショックを受けて、それが「できごと」であることをいやおうなしに意識します。

その違いを自分で取り出す一つの方法があります。教えましょう。四月に、教科書が渡されるでしょう。数学の教科書は、例外かもしれませんが、他の教科書は、だいたい、一冊の本です。ですから、それを一冊の本として受けとって、一日か二日で読んでみるのです。私の友人に、そういうことをする人間がいました。えっ、もう読んだよ、そんなには面白くないけど、ま、面白いところもあったな、今年は、生物の教科書が、おすすめだな、などと、四月の下旬には、もう大半の教科書は読み終わって、うそぶいているのです。

教科書を、本として読むと、だいたい、一冊、二日で読めます。するとそれは「読書」という「できごと」になります。それを、「一年かけて、みんなで、先生とともに読む」というようにスローモーションにして読むことが、「学ぶ」ことで、もう一つ別の「できごと」なのだということが、よくわかるようになるので、一度、やってみるとよいかもしれません。

そうすると、昔、江戸時代に寺子屋でやっていた、論語を「子曰く」、とみんなで素読する、それも口に出して読む、そして意味がなくとも、その文句を身体で覚える、ということも、もう一つの「学び方」として、大変興味深いものであることが、わかるかと思います。

学ぶ、ということも「できごと」なのです。いまはあまりありませんが、眠っていて気づかずにひどいやけどを負う電気アンカの低温やけど、とか、少しずつ水の温度をあげていくと、カエルが飛び出す機会を失って、死んでしまうという茹でがえるの話なども、「できごと」がスローモーションになって、効果を深める、という例です。

さて、今日は、できごととして、私にもっとも大きな経験だったと思われることについてお話ししてみます。私の場合、自分にとっての大きな経験、大切な経験は、もう六〇代も後半ですから、人生上での苦労、失敗、喜びなど数多くあります。また、そのうち、何かを与えられることで自分が大きく変わったものにも、若い時分の、読書、本と出会うこと、音楽、映画、美術、いわゆる好きなものごとと出会うことなどがあります。しかし、自分が変わるうえで一番大きなモーメントとなった「できごと」は、「人と出会うこと」だったと思うのです。

私の場合は、そうだった、ということです。人と会うことで、大きく変わった。あるいは、一番大事なことを学んだ、という気がするのです。

ここでは、人と出会うということが、どんなことか。それがあるばあいには、どんなに大きな意味を、人に与えるものか、ということをお話しします。なぜこういう話をするかというと、黙っていても、人とは出会えない。人と出会うには、自分の方に用意がなければ、ダメなんじゃなかろうか、というのが、私が経験的に、思うことだからです。

つまり、世にすぐれた人は沢山います。ここにきわめてすぐれた人物がいるとしましょう。しかし、どんなにすぐれた人で、ふれた事物をすべて金に変えることができたとしても、ふれた人をすべて金に変えることは、できないだろう、というのが私の考えです。なぜなら、人は、事物、木石ではないからです。そこに起こる化学反応は、相互的なのです。どんなにすぐれた人と出会っても、それが「出会い」になるとは限らない。こちら側にも用意がなければならない。「人が、人と出会う」、そしてそこから「学び」ということが起こるには、その双方に、理由と準備がなければ、ダメなのです。

鶴見俊輔、一九七九～一九八〇、モントリオール

この人と会うことで、自分はやはり完全に変わった、と思えるのは、私の場合、カナ

ダのモントリールというところで、鶴見俊輔という人と会ったことです。この人と会って、考え方が変わりました。

この時、私はもう三一歳で、子持ちで、国会図書館というところからカナダの大学に所属する東アジア研究所というところに派遣されて日本関係の図書館というか、図書室を、作る仕事をしていました。モントリオール大学というカナダのフランス語圏で一番大きな大学で働いていたのですが、赴任して二年目に、隣のマッギル大学という、こちらはカナダで一番古い英語の大学に、この鶴見という人が日本のことを教えに客員教授として二学期間、やってくることになったのです。この人を呼んだのが、マッギル大学で准教授をしていた友人、太田雄三さんです。向こうで親しくなりました。それで、一緒に空港に迎えにゆき、自分の仕事の便宜もあり、偽学生として、授業を受けさせてもらうことにしたのです。

鶴見俊輔という人は、去年(二〇一五年)、亡くなりました。一九二二年生まれですから、九三歳でした。私が会ったのは、一九七九年、鶴見さんが五七歳のときです。知っている人もいるかもしれませんが、この人は戦後の名高い知識人です。戦争期にハーバード大学を卒業して、一九歳で日米交換船という一種の捕虜交換船で一九四二年に帰国、その後、軍属として軍隊に取られて、戦後は、『思想の科学』という雑誌を刊行し、六〇年代には、小田実という人などとべ平連という市民主体の反戦運動を作り上げ、七〇年代以降、ついこのあいだまで、吉本隆明などとともに戦後思想の知識人の双璧に数えられてきました。私が会ったころも、むろん有名で、その頃には、もう最初の立派な著作集も出ていて、リベラルな知識人の代表的存在でした。

ところで、私はというと、国会図書館に勤務し、そこから派遣されていたとはいえ、もと大学にいたときは、全共闘という学生運動をやってきた人間です。全共闘というのは、全学共闘会議の略で、一九六〇年代末から七〇年代初頭に日本中に広まった学生反乱、大学闘争の担い手として、それぞれの大学に、無党派の学生を中心にてんでに勝手に作られ、その大学でのストライキ闘争などを主導した集団です。

それまで、運動の主体としては、政治的なグループが中心でしたが、六〇年代末になって、どこの政治組織にも属さず、自由に参加し、運動が終われば解散するという形の新しい運動体が生まれました。それが無党派の学生を中心とした全共闘という組織です。

私はもともと、文学好きで、政治的にはあまり関心のない学生だったのですが、この時期、そういう運動体の一員として、ストライキに参加し、反政府運動みたいなことにも足を踏み入れました。ベトナム戦争というものがあり、アメリカのやり方がひどくて、それに日本も加担していた。南ベトナムの坊さんたちが、何人も、抗議の焼身自殺をしていました。日本でも、そういうことが起こりました。そんななかで、国の政策に反対し、大学当局側とぶつかり、大学では二年留年したほか、大学の授業にもあまり出なかったこともあり、二度、大学院に落第し、最後の年は、就活で受けた出版社にも全部落ちて、ようやく試験が、一〇月と遅い時期にあった国会図書館というところに、拾われたという状況だったのです。

もう少し続けると、大学に入学したのが一九六六年で、就職したのが、一九七二年。二年の留年期間で、このうち、一年半ほどは、大学がなかったのです。友人たちと、勝手にいくつも読書会などを作って、勉強したり、本を読んだり、書いたり、映画を見たり、あと、大学や街頭で、政治的な運動、デモなどに参加する日々でした。学力不足だったのですが、何しろ卒業論文の指導教官を決めよ、と何度も学部長名で呼び出されていたけれども、行かなかった。それで、指導教員ナシで、卒論を提出して、面接では教師にかなり意地悪な質問を受けました。前田陽一という立派なパスカル学者が、見かねて私をいじめる若い面接官の助教授をたしなめて、擁護してくれたほどでした。そういう状態で大学院をめざすというのが、無茶だったのかもしれません。

四月に就職しますが、その年の二月に連合赤軍事件というものが起こります。連合赤軍という最左翼のグループが武装闘争を計画し、最後、追いつめられて、山岳キャンプというところで、内部解体を起こし、一六名もの活動家が、同じ仲間に政治上の姿勢などを問われて、一種の内輪もめでリンチに遭い、殺害され、その後、残った一部のメンバーが、浅間山荘というところに管理人夫妻を人質に立てこもり、機動隊と銃撃戦をし、そこでも機動隊員などに死者を出したという事件です。これに身体の底から震撼され、その直後、四月に就職したのです。

国会図書館では、入ってしばらくして、すぐに馬脚を現して、それ以降、完全な札付きの職員となりました。後で君は、あまりになまいきなので、見せしめだったんだ、といわれましたが、六年間、単純労働の部署にはりつけられ、それを続けました。もう本当に日本にいるのがいやになり、たまたま募集のあったカナダのフランス語系大学の新しい研究所の図書館作り、という派遣のポストに応募し、向こうに選んでもらい、モントリオールに来ていたのです。

ですから、気分としては、すさんでいました。それ以前、学生の頃から、雑誌に原稿などを書いていたので、親しい大学の先生がたとえば名高い作家を紹介するぞ、なんていってくれても、いや、けっこうです、などと自分から断るくらい、なまいきだったうえ、その後、就職し、結婚し、こどもができ、もうにっちもさっちもいかない、というあたりで、外国に飛び出し、表面はおだやかにしているものの、内側では、この世界、くそ食られ、と思っていました。ですから、鶴見俊輔が来ると聞いたときにも、ベ平連のリベラルな紳士的な知識人が来るのだろうな、くらいにしか、思っていなかったのです。

というのも、鶴見という人は、母方のおじいさんが、後藤新平(一八五七〜一九二九)といって、明治期に、内務大臣、外務大臣などいくつもの大臣を歴任した歴史上の重要人物です。後藤は関東大震災直後の東京を復興した際には東京市長、台湾では最初の総督となり、朝鮮統治では南満州鉄道会社の総裁として、その後、大きな役割を果たす満鉄調査部を創設しています。鉄道院総裁のとき、東京帝国大学の法学部を最優等で銀時計をもらって卒業したエリートを鉄道省に入れ、このエリートに長女を嫁がせますが、そのエリートが鶴見祐輔(一八八五〜一九七三年)という、その後、やはり政治家として大臣を経験した、小説家・著述家・演説家としてもならし、英語の抜群にできた戦前の大有名人でした。鶴見俊輔は、その長男ですから、きわめつけのエリート家族の出です。何しろ、戦争中に、一九歳でハーバード大学を優等で卒業したというし、その頭の良さ、博学ぶりでは、名高かったのです。

一方の私はというと、もと全共闘のひねくれた人間というわけで、好きで読んできた書き手といえば、小説なら、大江健三郎、批評なら、小林秀雄、あとは外国の文学者、大学に入ってからは、吉本隆明とか、埴谷雄高といった左翼系の戦後知識人が主でしたから、最初は、いろいろと鶴見さんには、いやがられるようなことをいったり、したりして、悪さをする受講生だったのです。

しかし、そうこうしているうちに、この鶴見という人間は、どうも思っているような温厚で品のいいだけの知識人ではないぞ、ということがわかってきて、大きく、こちらのほうが、変えられる結果になりました。

エピソード——道順、受講生たち、話の終え方、話し方

たとえば、こんなことがありました。

一度、私の働いている図書室に来て、現在作っている図書、雑誌の蔵書構成などに関するアドヴァイスをしてもらうことになって、道順等を説明し、待っていたのですが、道に迷い、だいぶ遅れて鶴見さんが到着するということがありました。研究所は、できてまだ五年ほどで、大学のキャンパスの外のもと小学校の校舎を改築した建物の一角を占めていたので、わかりにくい場所にあったのです。私は、自分が間違って道順を説明したとは思っていなかったので、鶴見さんの勘違いかと思い、そういったのですが、鶴見さんは、自分が勘違いしたのではなく、私の説明が間違っていたという態度なのです。そしてそこには、有無を言わせぬものがあるのです。

私はそれまで、自分の思い込みというものをかなり頑固に信じる質（たち）だったので、いや、この道をまっすぐ、といいました、みたいに念を押すのですが、「いや、違います」と言い方こそ穏やかなのですが、相手は「鉄の壁」のように「固い」。頑固というか、どこかに強烈に「動かしがたい」ものがあり、何なんだ、このオッサンは、と感じたこと

を覚えています。

また、こんなこともありました。

授業は英語です。学生は、六名ほど。それに私の友人の准教授と、私の勤めているフランス語系の大学の博士課程にいる米国人の友人、その友達でボストンから毎週、教えに来ている米国人の講師など、外部からの聴講生が四人くらいいて、全部で一〇人ほどでした。米国人の友人はロバート・リケットといって、当時、ベトナム戦争のときに軍籍を捨てて脱走し、その後、フランス、イギリスと逃げながらカナダまで来ていた学究肌の人間で、カーター大統領のときに大規模な特赦があり、もう米国に戻れることになっていたのですが、米国を忌避し、英語を忌避し、カナダでフランス語で暮らし、日本の三里塚の農民運動の研究をしていました。アメリカ人なのに、フランス語と日本語でしか話しません。その後、日本に来て、博士論文を仕上げ、在日韓国・朝鮮人の指紋押捺拒否運動に連帯して、米国人で初の指紋押捺拒否者になった、そういう頑固な人間ですが、ふだんはとても温厚で底抜けに親切なのです。このあいだまで、二〇年あまり、和光大学の教授をしていました。もう一人の講師は、アラン・ウルフといって、米国人ですが、奥さんはフランス人で、カナダに来てフランス語で講義をしている太宰治などの専門家でした。その後、オレゴン大学の教授になり、気鋭の研究者として注目されました。頭脳明晰でシニカルな男でしたが、やはり親切でした。残念ながら四〇代で、病気で死去しました。また、学生に、やはり多くの経験をへて日本から抜け出し、この大学で学んでいた当時二〇代の若者がいて、彼はその後、コーネル大学の博士課程に進み、文化人類学者となります。「キャンドル・ナイト」などエコロジーの運動で知られる、いま明治学院大学で教えている、辻信一という学者、活動家です。七〇年代の末という時期もあったでしょうが、いろんなことをやって来た人間が、吹きだまりのように、こういうところに集まってきていたのです。

准教授の太田さんも東大の院を出てそのまま助手というエリートコースを、自分の生活を第一に考えたいという理由から辞めて外国の大学に移ってきたという、気持ちのよい人でした。

こういう人間が、授業が終わった後、鶴見さんを囲んで、最初は、大学の学生会館のロビーなどで、談笑するのです。私などは、授業の時間は、英語が苦手で、よく飲み込めないところがある。その後の談笑は、日本語なので、それが楽しかったのです。それで、勝手にいろいろいって、鶴見さんの話を聞く。それが面白い。みんなでガハハなどと笑って盛り上がる。すると、急に鶴見さんは立ち上がり、えっとあっけにとられる私たちを尻目に、「家事がありますから」などといって、一人スタスタと帰るのです。

ふつう、私たちはもうそろそろ時間だな、と思うと、話ながら時計などを見たりします。それで、座もそのことを以心伝心で感じ、いまでいえば、「空気」を読んで、じゃあ、もうそろそろ、今日はこれくらいで、となります。しかし、それがないのです。

　このときも、ガーンと、ガラスの扉に気づかずに頭をぶつけたときのような衝撃を、私は感じました。

　ちょうど「話」をみんなで胴上げしていると、その中心人物がふいにその座を離れる、動きが止まる、そこにその「話」が落ちてきて、「話」が腰を強打する、といった感じなのです。

　鶴見さんは日本語よりは英語のほうが身についています。あくまで穏やかで、温和に笑っている。日本語で電話をすると、受話器の向こうで「はい、鶴見です」と答える。ただ、ここ、微妙なのですが、けっして、「はい、鶴見ですが」とは言わない。やりとりも、何というか日本的でない。生活の隅々まで、その鉄というか「有無を言わせず硬いもの」にふれているという感触が消えないのです。

　奥さんは横山貞子さんという英文学者として知られた方ですが、日本語で会話するときには相手を、「汝」と呼んでいました。

　会ってしばらくして、これはどうも自分の思っていたような人間ではない、リベラルどころか、ふつうの人のふりをしたとんでもない狂人なのだ、と思うようになりました。

　それから、それまでは数えるほどしか読んでいなかったこの人の本を何冊も、猛烈に読み出しました。

わかったのは、次のようなことです。

『北米体験再考』、『私が外人だったころ』

この人は、先にいったような名家の出です。俊輔という名前は、祖父が敬意をもっていた伊藤博文の幼名から取られています。この名前のうちに、末は一国を率いる首相にでもなれ、という使命が刻印されているのでしょう。この少年は、まず母親との葛藤に苦しみます。母は、後藤新平の長女できわめて潔癖で厳格な人で、長男の俊輔少年を自分の思い通りの高潔な人間に育てようとします。息子はそれに死にものぐるいで反抗します。最初はマンガだったようですが、密かに一日に四冊は本を読むという決まりを作り、それを小学校のときから実行していたらしいです。とにかく本を読む。しかし、反抗して学校はさぼりまくる。小学生で近所の中学生と組んで万引集団を結成し、悪事を繰り返し、授業のときは、性的なことで頭がいっぱいで、黒板の前の教師のペニスがズボンの右側にあるか左側にあるかなどとばっかり考え、上の空だった、と書いています。結局、どうも本当らしいのですが、小学生で歓楽街に出入りし、女給やダンサーと肉体関係を持ったりもしたらしい。すべて母親への反抗だったようです。小学校中学校のときに、五度、自殺未遂を繰り返しています。鶴見さんのお姉さんは、これも秀才の誉れの高い鶴見和子という名高い学者ですが、著作集の月報に、自殺未遂の弟の救急車に同乗し、病院に向かうときの心細い気持ちがどうだったか、という話を載せています。

成績は「いつもビリに近いところにいた」ため、当時の名門校である東京高等師範学校附属中学校、いまの筑波大附属中には推薦されず、別の学校に進みますが、いまでいう一八禁のエロ本めいた「性に関する文献」を膨大に学校のロッカーに置いていたことが発覚して、退学処分を受け、その後、別の中学に転校しますが、結局中退しています。

そして、とうとう、父親の鶴見祐輔が、思いあまって、この手のつけられない息子を、一九三八年、一六歳のとき、アメリカに送るのです。

このとき、鶴見はほとんど英語は話せなかったといっています。この少年を託された父親の友人の歴史家でハーバード大学教授であるアーサー・シュレジンガー・シニアは、当時、やはりよそから単身で独力でやってきてハーバード大学に学び、最優等の成績をあげ、卒業後そのままハーバード大学の講師に抜擢されていた日本人の若手学者に、この少年の世話を託します。それが、経済学者として名高い、もと一橋大学の学長もつとめた、後の都留重人(つるしげと)です。

私は、明治学院大学の教師になったおり、この都留さんと同僚となり、後に鶴見さんにいわれて都留さんから長大な聞き書きを行ったのですが、はじめて鶴見少年に会ったとき、この少年は、自分は小学校一年からはじめたいと頑強に小学校一年への転入を主張して、これを思いとどまらせるのに苦労したとのことです。結局、いまならプレップというだろう大学進学用の予備学校のようなところに入学し、全寮制の寄宿舎で九ヶ月勉強して、試験に合格し、ハーバード大学に入ります。

もともと、不良道を究めることをめざした間も、一日四冊という読書のルールを貫いた、というような人なので、沢山本は読んでいるのです。それで母親への反抗の重石がなくなり、朝から晩まで、猛勉強したようです。予備校の最初の数ヶ月は、まったく英語ができなかった。何をしゃべっているのかまったくわからなかった。しかし、数ヶ月後、高熱を発して倒れたとき、自分の身体から、金の粉のようなものがハラハラと落ちていく幻覚をおぼえたそうです。数日後、回復したら、英語が聞こえるようになっていた。そして英語が口をついて出てきた。その代わり、三年後、日本に帰ると、自分の中で日本語が一度、死んでいて、すぐには出てこないことに気づいたといいます。

その先のアメリカでの生活のことは、『北米体験再考』(岩波新書、一九七一年)という本に書かれています。これは、名著です。文章がよいのです。机の中にチーズときゅうりを入れておいて、後は主に四合瓶に入った牛乳を飲んで、朝から晩まで勉強したようです。クワインとか、カルナップという当時世界の最先端に位置していた若手の学者にほぼ一対一で学び、飛び級して三年で最上学年に入ります。しかし、日米が開戦すると、ほどなく、ＦＢＩの捜査官が下宿の部屋に入ってくる。そのまま逮捕され、敵国人収容所に入れられます。日米開戦の直後、移民局に呼び出され、この戦争についてどう思うかと聞かれ、自分は無政府主義者だから、このような帝国主義戦争ではどちらの国家も支持しないと答え、アナーキストと登録されて、危険な敵国人と判定されたのです。同じ時期、こちらは優等生として米国に留学していた姉の和子によるタイプ打ちの協力を得て、収容所内で、夜、ほかの囚人仲間が寝静まったあと、便器のふたをテーブル代わりに書きかけの卒業論文を書きついで完成させる。そして姉経由で提出された卒業論文を、ハーバード大学が試験官を収容所に派遣し、特例として出張審査した結果、日米交換船でアメリカを離れ、日本に帰る日、卒業していることを知るのです。

そういうわけで、一九歳で卒業、日本に帰る途中に二〇歳になり、日本に帰国するのですが、日本に帰ると、名家の子弟だというので目をつけられ、召集令状がすぐに来ます。そして、日本での学歴が小学校卒であることに準じて、軍属に配属され、今度は、最下級の事務職として、インドネシアに送られるのです。小間使い的な仕事のほか、語学ができるので、英国の放送を聞いて、翻訳し、情報を上に伝えるのが主な仕事でした。このころのことは、晩年、佐々木マキという人が絵をかいて、『わたしが外人だったころ』(福音館書店、一九九五年)という絵本になっています。これもまた面白い本です。小学生向けだといってよいでしょう。むろん、皆さんでも面白く読めます。去年、亡くなる直前に、復刊されています。

この帰国については、日米交換船というものが取り決められ、しばらくして、一人一人、米国の係員から帰国するかどうかの意思確認の面接があったそうです。たとえば南博という心理学者は、そのとき、米国に残っています。ですが、鶴見は違った。そのときの理由を、こう述べています。

自分には、この無謀な戦争で日本が負けることは火を見るよりも明らかだったが、日本が戦争に負けるとき、その負ける側にいようと思った。そうでないと、戦後の日本の立ち直りにしっかりと関与できなくなる、と感じた、と。

三〇センチのものさし

まあ、これくらいにしますが、こういう人だったわけです。ですから、私が会って一ヶ月くらいして、これはただ者ではない、と思ったのも無理はなかったのです。

そうそう、最後に一つ、付け足すと、そのとき、人づてに聞いた話にこういうものがありました。

父親の鶴見祐輔は、戦前から戦後に続けての政治家で、五〇年代には厚生大臣も務めますが、その後、病気に倒れ、一九七三年、闘病生活の後、亡くなります。その葬儀に、天皇の勅使が「祭粢料（さいしりょう）」、これは功労のあった国民に下賜する金員のことですが、これをもってきた。葬儀の全員が起立し直立不動で勅使を迎えるなか、鶴見さんだけが起立しないで椅子に腰を下ろしたままだったそうです。しかし、立たない。それで、お姉さんの和子がくいくいと肱で立つように促したらしいです。しかし、立たない。それで、最後の晴れの場に父の顔に泥を塗ったと、当時、葬儀に出席した保守党の議員にだいぶ憎まれたらしいのです。このとき、鶴見さんは、五一歳。だいぶ、常軌を逸しているというか、まあ頑固です。天皇の使いが来ても、直立不動にならない。座ったまま。こういう日本人は、少ないでしょう。

私の直覚は正しかったわけです。

それで、この人と出会い、この人を知ったことは、どう私を変えたか。

私は私で、それまで、とにかくこの世にはろくな人間はいない、大した人間はいない、特に有名人などといわれている人間がそうである、と思っていて、いってみれば、世の中をなめていたというか、タカをくくっていました。

しかし、この人を知るようになって、反省しました。深く反省したのです。この世を馬鹿にしてはいけない。この世には、自分の思いもよらないようなすぐれた人間がいる、謙虚に生きねば、と思いました。

当時、私はヘビー・スモーカーでした。一日に二箱吸っていました。カナダでは、禁煙運動が盛んになっていましたが、私は、図書室に、大きく、禁煙と記し、ただし図書館員を除く、と書いて、自分のいる個室セクションでは、タバコをやめなかったのです。ここのルールは、自分が作る、などといって、やめようと思えばいつでもやめる、でもやめようという気持ちにならないのだ、などと嘯いていたのです。

しかし、鶴見さんと会ったあと、どこでも禁煙で、煩わしいこともあったからですが、思いたち、一月一日を期して、禁煙しました。そのときは、吸っている途中の、あいたタバコを机の前に置いて、いつでも吸えるようにして、意志して、やめてやろうと思い、そうしました。最初の数週間は、禁断症状でとても生活できるどころではなかったのですが、それでも、やめました。鶴見さんに出会ったことから生まれた深い反省が、これくらいには、身にしみていたのです。

あとになって、それを私は、こう感じました。自分は要するに、はじめて、自分と世界のあいだの関係をはかる三〇センチのものさしを、この鶴見という人物にもらったのだ、と。これがあれば、いま自分がどこにいて、何かをしようと思ったら、どこからはじめるか、どう考えていけばよいか、わかる。はじめて、自分と世界、自分と社会のあいだに小さな橋をかけることができた、という感じでした。自分の小ささ、また、自分の生きる場所の深さ、広さが、そこからはよく見えるわけで、はじめて、ゆったりと呼吸ができる気がしました。これさえあれば、相手との距離を測れる。地球を越えて、月にまで行けるのだ、と思ったのです。

それで、はじめて、力を入れないで、ふつうの呼吸法で、安心して、ものを考える、ということを覚えました。はじめて、考える、ということが、どういうことか、どういうことでなければならないか、知ったのです。

考えるということは、生きるための方法なのです。

うさんくさいということを、おもしろがる

カナダにいて、すぐにこの人に学んだのは、うさんくさいということを、おもしろがれ、ということです。私は、日本にいる頃、ちょっと変な人、知ったかぶりをするような人、いい加減なことを言う人に、けっこう厳しい判断を持つ人間でした。でも、カナダなどにくると、学生の半分は、もう二〇代の後半以上くらいです。男女ともにそうです。大学一年生は、大半が、一八歳、ないし、一浪して、一九歳などという日本とは、まったく違うのです。みんな、そういう意味では、うさんくさい。

あるとき、日本語の授業で、何人かの聴講生のおじさんくらいの年代を交えた学生たちが、討議していて、侃々諤々の議論になったことがあります。みんな勝手なことをいうなあ、と思って聞いていたのですが、数日後、そのおじさんの一人が、フランスの高級紙である『ル・モンド』という新聞に、こんなことを書いているよ、と後でそのとき

の参加者の学生に記事を見せられました。そのおじさんは、世界的に名高い言語学者で、ちょっと日本語も勉強しようかと、そこに顔を出していたのです。でも誰もが、そうだとわかっていても、そのおじさんを、しっかりと、ちょっとうさんくさいおじさんとして、つきあっているのです。誰も態度を変えない。そしてそのおじさんも、しっかりと、うさんくさいまま。まあ、民主主義が身についているわけです。

鶴見さんは、彼自身が、ちょっと訳のわからない人です。名家の出なので、庶民、などというが、本当に庶民のことがわかっているのか、君なんかより僕の方がずっと、わかるよ、と政治学者の友人の丸山眞男に指摘されて、ぐうの音も出ない、などという場面も残っています。奥さんを「汝」なんていうのも、おかしい。聞いていると、えっ、と思う。うさんくさいでしょう(笑)。

でも、人がうさんくさいということは、化学の用語でいうと、いわばイオン化しているという状態なのですね。イオン化というのは、単純化していうと、H_2O が H^+ と OH^- の二つのイオンに分かれ、不安定化し、別のものと結びつきやすくなっている状態です。また、深い意味でいうと、そういう人は、自分を自分に対して、うさんくさくしている、のでもあります。少し、自分からずれて、立っているのです。すると、いろんなものと、化学反応を起こしやすくなる、安定していない。それがうさんくささの本質なのです。

そんなことをいったら、思春期にある人、若い人というのは、つまり、ここにいるみなさんは、みんなうさんくさい。でも、その方が面白い。また、そう思うと、世界が広くなる。また、深くなる。当時、私が勤め先の国会図書館に送った、友人たちの出していた館内ミニコミ・ペイパーへの寄稿文を、最近、見る機会があったのですが、そこにわたしは、「うさんくさいこと」はいいことだということを、いま、学んでいる、と書いています。

人との出会いとはどういう経験か――一人が、一人に出会える

その後、私は、鶴見さんに、フランス語系の自分の大学にも日本から先生を呼びたいが、誰がよいだろう、と相談して、もと、鶴見さんと一緒に仕事をしていた京都大学の多田道太郎さんに来てもらいました。そして、日本に帰ったあと、数年して、文芸評論などの仕事をはじめた私を、その多田さんが明治学院大学の新設学部の国際学部というところに呼んでくれて、大学で教えるようになります。

鶴見さんは、戦後、京都大学の人文科学研究所の所長となる桑原武夫に呼ばれ、抜擢され、二〇代後半という異例の若さで助教授となりますが、その後、鬱病となり、精神病院に入院し、大学をやめます。自分が名家の出であることから、やっかみ、のようなものを過敏に感じ、幻聴なども聞くようになったようです。桑原武夫さんから、しばら

く大学をやめないで、休め、といってもらった。そうでなければ、自殺していただろう、と後に聞いたことがあります。そこを生き延び、さらに東京工業大学の助教授となりますが、一九六〇年の安保闘争時に、政府の安保条約改定に抗議して、東工大もやめ、さらに京都の同志社大の教授となりますが、七〇年前後、同志社大が学園闘争で学生排除に機動隊を導入したのに抗議して、同志社大もやめています。以後、亡くなるまで、在野の評論家、哲学者として生きました。それ以前に、五〇年代に京大助教授のときに、スタンフォード大学から招聘を受け、応じようとしますが、反米的だというのでビザが下りませんでした。以後、一度も米国には足を踏み入れませんでした。米国が好きだから、いまの米国の行き方に反対する、という立場だったのです。

私の、日本に帰ってからの鶴見さんとのおつきあいは、帰国してから数年後、八〇年代後半から鶴見さんが中心に発行していた雑誌『思想の科学』の編集委員となって、恒常的なものとなります。

そこでもいろんなことを学びましたが、ここで申し上げたいことは、こういう人との出会いとは、どういう経験なのだろうか、ということです。

よく人生で大事なことは、みんな幼稚園の砂場で学んだ、とか、いろんなことがいわれますね。それでいうと、私は、人生で大事なことは、何人かとの人とのつきあい、出会いによって学んだ、という気がしています。

私は、三一歳で、偽学生としてモントリオールで英語の授業に顔をだして、はじめて、学ぶとは、こういうことなのか、と心の底からわかりました。学ぶとは、全身的なものだ、ということです。泳ぐのと一緒。手でコチャコチャとやってはダメ、最初の頃は溺死のリスクもある。全身を使い、呼吸法をおぼえないといけないのです。でも、なぜこの出会いが可能だったのか、と考えてみると、そのとき、自分が、言語的にも不自由な場所で、ある意味では、たった一人でそこにいたからだ、ということに気づきます。

そこは、日本ではありませんでした。また、私が鶴見という人と知り合ったのは、自分がたった一人でその新しい世界に飛び込んだからでした。先に、この授業を受けた友人たちをちょっと紹介しました。この友人たちに私は誰かから紹介されたのではありません。鶴見さんだけではなく、他の友人も、みんなそこで一人でいました。見るに見かねて助けてもらったり、偶然出会ったり、こちらが助けたり、そういうことがきっかけになって、できた友人たちでした。一人でいないと、一人には出会えません。それは、化学反応でいう、安定した化学式から離脱して、イオン化の状態に自分を置くということです。人と出会うには、自分を「イオン化の状態に置くこと」が必要です。自分を他人にうさんくさく思われるような場所に、投げ込むことが必要なのです。

高さと深さ

鶴見という人はなぜ、私をひっくりかえしたか。この人の知識、博識は、例外的です。頭のよさは、天才的ですが、それ以前に、一個の人間として、まあ、天才だったでしょう。人柄の高潔さもただものではありませんでした。とにかく、生活上のことでも、人の世話にはならない。授業が終わる、一ヶ月くらいしてからは、さきほどいった五〜六人で、酷寒のモントリオールの街の坂道をくだって、いつもの喫茶店に行く、そこでだべる。コーヒーとケーキで。いつも全額鶴見さんが支払う。私たちは、もう、礼もいわない。それがふつうになってしまうような人格なのです。

人間には、高さの力と、深さの力があると私は思っています。建物の高さと、井戸の深さ、というときの、高さと深さです。この違いが何かわかりますか。高さは、どんなに遠くからでも見える。高ければ高いほど、そうです。しかし、深さは、見えません。河ですら、深い川は静かに流れる、というように、深くなると、いよいよその姿は見えなくなるのです。

私が鶴見という人にこの人は大きい、と思ったのは、この人から、この人はよくよく苦しんだ人だ、という感じを受けとったからです。どことなく、うさんくさいのですが、苦しんだ、ということの気配が、とにかく深かった。深さの力がただごとではなかった。すぐれていたから、だけではありません。高いだけでなくて、深かった。高いというより、まず、深かった。その気配が、私に、ああ、この人はキチガイだ、敵わない、という感じを与え、この人を好きにさせたのでした。

何もいえない、という回答

一度だけ、この人に、人生上の相談をしたことがあります。私は、自分の個人的な問題、困ったことなどを、人に相談する質の人間ではありません。よくだんまりなんとか、といいますが、私もそのほうで、だいたいどんなことでも、人には言わず、ポーカーフェースですませます。しかし、人生は、生きているといろんなことがあります。私にも、にっちもさっちもいかない苦難に見舞われ、どうしたらいいかわからなくなり、絶望に近い心境になり、日本に帰った後、四〇代の半ばくらいだったと思いますが、一度だけ、鶴見さんに手紙を書いて、自分はいま、こういう目に遭って、苦しい、と助けを求めました。返事はほどなく届きました。家を出ようとしたら、団地の地階の郵便受けに鶴見さんからの封筒がきていたのです。駅に向かって歩きながら、それを開き、歩きながら、読みました。そこには、手紙を読んだ、とあり、しばらくあって、自分には何もできない、何もいえない、と書いてありました。そうしたら、歩いていて、どんどん元気が出てきました。私の問題は、家族とか、病気とか、それが治らないとか、そういうことに関係していたことなので、それがどうすることもできないことであるのは、私にもわかっていたのです。ではなぜ手紙を書いたか。自分の苦しみを知ってもらって、要するに、誰か自分の信頼する人間に、「受けとめてもらいたかった」のだ、とこの返事を読んで、気づきました。「何もできない」、こう書かれてあるのを見て、自分の苦しさが、しっかりと、この人に受けとめてもらえたとわかり、救われる思いがして、元気が出てきたのです。

犬も歩けば棒にあたる

人との出会いが、どういうものであるか、それを知ってもらいたいと思って、こんな話をしてみました。

よく、人との出会いを大事にしろ、というでしょう。しかし、大事にするにも、それはめざして獲得されるものではありません。また、出会いがなければ、大事にするもしないもありません。

私がみなさんにいいたいのは、違うことです。

この時受けた英語の授業が、鶴見さんの帰国後、英語の著作と日本語の著作になって出ています。このうち、日本語の著作は、『戦時期日本の精神史　1931〜1945年』(岩波書店、一九八二年)、『戦後日本の大衆文化史　1945〜1980年』(同、一九八四年)となって、朝日新聞社の大佛次郎賞を受賞しています。文庫本になったものの最初の方の本の解説は私が書かせてもらっています。これも名著中の名著で、日本の近代史を勉強しようと思ったら、基本書として、とても役に立ちます。わかりやすいです。

このときの授業について、後に鶴見さんは、この小さな授業での学生がそれまで自分が教えた中で一番、すぐれた生徒たちだったと書いています。私は、偽学生だったので、そこには入らないと思いますが、ここまでに述べてきたことからわかるように、学生の一人一人が、「一人」で「選んで」この場所に来ている。自分一人の運命を切り開いて、そこに実にいろんなところから集まっていた、ということと、この感想は無関係ではないと思います。

たとえば正規の学生に一人、きわめて優秀なカナダ人の女子学生がいましたが、鶴見さんがこの後、何をしたいか、と尋ねたら、看護師になりたい、と述べたそうです。アメリカなら、考えられない答えです。何しろマッギル大学は、カナダのハーバード、といわれるところで、その女子学生は、その大学の最優等生の一人なのです。アメリカでの優等生は、さらに社会的に上昇して、活躍しよう、というひとがすべて、ではないが、ほとんどです。

でも、カナダの、それもフランス語圏のケベックというところは、ちょっと違います。モントリオールで、パーティをやると、フランス系の学生がワインを持参します。そして、それをお茶にしたものをもってきます。これは、オレが作ったワインだと。また、どこかからハーブを採集していうのです。これは、オレが作ったワインだと。また、どこかからハーブを採集して、ふるまうのです。別れのパーティを開いたときには、親しかった大学院生が、「詩」を書いてもってきました。そして数人のパーティのなかで読み上げました。

なんとうさんくさいことか。涙がこぼれるようでした。

私がいいたいのは、次のことです。

犬も歩けば棒にあたる、ということわざがあります。「ヒト、人に会う」というのは、動物学者コンラート・ローレンツの本『人イヌにあう』のもじりですが、最初はこちらを演題にしようと思ったくらいです。どんな意味でしょうか。ことわざ事典などを見ると、最初の意味は、「犬がうろつき歩いていると、人に棒で叩かれるかもしれないというところから、でしゃばると災難にあうという意味」。それがいまでは、「当たるという言葉の印象もあってか、何かをしているうちに思いがけない幸運がある」という、反対の意味で使われている、とあります。

最初は、歩くとリスクがあるぞ、という意味で、それが後には、歩くと、チャンスがあるぞ、に変わったのです。しかし、私は、イヌは歩くと、よいことにも、悪いことにも会う、というようにこれを解したいと思います。よいことに会うことも、悪いことに会うことも、ともに意味がある。双方が、よいことなのです。人との出会い、が大事だ、それを探そう、という姿勢では人には出会えません。「できごと」には出会えません。イヌになって、歩くと、「棒」に当たる。それが「人と出会う」という「できごと」の奥義なのです。

イヌになって歩くとは、何か。

自分をうさんくさい存在にしなさい、うさんくさい場所に自分を投げ込め、ということです。すると、同じようにして流れてきた人と「ぶつかり」ます。

私はもう大学をやめたのですが、学生には、つねに、人から「後ろ指を指されるようになれ」、そのようにして生きろ、といってきました。それも同じ意味です。つねに、分かれ道があったら、「自分をイオン化させる」ほうの選択を行うと、よいでしょう。

ありがとうございました。

書くことと生きること

二〇一六年一〇月二六日
足利女子高等学校にて

書くこととは何か

「メンドー」を抱え込むこと

今日は、文章を書くということを手がかりに、書くことと生きることについて、これから社会に巣立っていこうという皆さんにいま私が伝えたいことをお話ししたいと思います。

まず、皆さんの前に立っている私が、どのように文章を書くということと関わりがあるのか、そしてそのことを、どんなふうに考えているのか、ということからお話しします。

でも、その前に。

最初に、こういうお話をするという短い案内を掲げました。そこに、「文章の研ぎ方」とあって、「おいしいご飯のような文章を書くには」と副題があるので、このなかで、少なからざる皆さんが、「おいしいご飯のような文章を書くには」どうすればいいんだ、早くいえよ、こっちも忙しいんだから、それを聞いたら、すぐにまた、部活に行かなければならないんだから、と思っているかも知れません。その「気」が私の方にもびしびしと及んでくるようです(笑)。

でも、少し待って下さい。そういう時間の流れがあります。お母さんたちが子供にいう、一番多いことばは、何か。みなさん、知っていますか。

調べによると、日本では、というか、日本でだけでもないかもしれないのですが、「早く、早く」というコトバなのです。平均して一日四〇回、いっているという調査結果があります。ここにいる皆さんも、そうして育てられてきています。ですから、この「早く、早く」がもう身体に入り込んでいる。それが今度は、僕に照り返されてきているわけです。

試験もそうですね。

カンニングをさせたくない。自分で考えさせたい、というので、教師が試験監督するのですが、そのための便法として、一定の時間内にやる、となり、そこからさらに進んで、いまでは、たとえば試験時間は、一時間、そこに沢山の問題を詰め込み、どれだけその時間内にできるかを競わせるみたいになってしまいました。それに、文章を書かせる問題も、組み入れられています。ほんとうは、一日おいて、あら熱を取り、冷まして、もう一度、見る、そして手を入れる、ということ、そこまでが、文章を書くことの妙味なのですが。困ったことです。でもそのことについては、後にまたいいます。

このように、事実、そういう時間のなかに私たちはいま、生きているのですが、もう一つの時間をもつ、ということも人間には必要、というか、あったほうがよいのです。

それが最初の話。

メンドーなことも、人生のなかに、繰り込まれていた方がよいということ。そしてじつは、言葉を書くということは、人がその「もう一つの時間」をもつ、「メンドー」なことに関わる、そのための、大切な方法なのです。

無文字社会から文字社会へ

こういうことです。たとえば、僕がちょっと夕バコを買ってきてほしいとしますね(いまはもうやめていますが)。僕は脚の骨を折って病院のベッドで寝ているのです。で、ここにあなた方の一人がいて、僕が、「夕バコ、買ってきて」という代わりに、手元の紙を取り出して、硬い下敷きボードを腕に抱えて、そこに紙を載せ、「夕バコ、買ってきて」と書いて、その人にその紙を渡すとしましょう。すると僕たちは、えーっ、何でそんな「メンドー」くさいことをするの？　と思うでしょう。そんなことをするなら、口で言えばいいじゃないか、と。

つまり、文字に書く、そしてそれを渡して、読んで、用を足しに行く、なんてことがあったら、なんでわざわざそんなメンドーなことをするのか、と僕たちは思うに違いないのです。

でも、そういうメンドーなことはもうやめよう、とみんなで思い、これからはわざわざ言葉を書いて伝えることはやめよう、全部、口頭でやりあうようにしよう、となったら、どうなるでしょう。

言葉があるのはいい。でも、わざわざ文字にして書くのは面倒だ。それはもっぱら、これまでSNSなどのなかった不便な時代に紙に言葉を書いていたものを——たとえば文学、古典などですね、それを——「読む」分には仕方がないが、これからは、もう「書かなくてよい」ようにしよう、ということです。その方がメンドーでないから、と そうなったら、どうなるか。

すると、こんなふうにいう人も出てくるかも知れません。動物を見ろよ。やつらは文字なんてもってないぞ。それでもちゃんと集団生活を送れているじゃないか。その方がずっとメンドーじゃないぞ。これからは、ことばなしでも、テレパシーというか、阿吽(あうん)の呼吸でやりとりして、用を足せるような時代になるんじゃないか、それを人間はめざすべきじゃないか、と。

メンドーなことはやめて、だんだん、便利に生活できるようにしていく、ということを一番の目的に、社会を前進させようとしたら、そうなるかもしれません。

でも、そのあたりで、ハタと、僕たちのうちの一人が、気づくかもしれません。でもおかしいぞ。昔は人類も、無文字社会だった。そこに、紀元前四〇〇〇年くらいに象形文字とか楔形文字が生まれるようになって、人類は、だんだん知性を高めていくようになったというじゃないか、と。つまり、人間はメンドーなことを発明するようになった。やりとりをわざわざメンドーなふうにするようになった、そうすることで、頭脳を発達させ、知性を高め、動物から霊長類に離陸していったのじゃなかったか、と。

そうだとしたら、こうしてメンドーなことを省いて便利に便利にと考えていくうちに、俺たちはまた、猿の世界に退化していくんじゃないか。そう、その人は、思うかもしれません。

むろん、だからメンドーなものも大事だ、というほど、この世の中は単純ではありません。メンドーなものと、シンプルなものとは、ここで、両者の長所を競わせ、互いに両方を鍛え合う関係になる、ということでしょう。これも、メンドーなことですが。

シンプル一筋のこの世の中では、「メンドー」なことの大切さも、気づかれなくてはならないが、「メンドー」なことの根源が、人類の文化では、「文字を書くこと」のうちにある、情報化社会の到来というのは、とうとう、このメンドーさの根源といってもよい「文字を書くこと」の牙城にまで、「早く、早く」が迫ってきた、という話なのです。

ハウツー本と『スロー・ラーナー』

さて、くどくどといわないで、どうしたら「おいしいご飯のような文章」、形容詞を加えるなら「ふっくらとした文章」が書けるのか、早く言えよ、と思っている人がもう、このあたりにきたら、かなりの数、いるでしょう。でも、これも同じです。あることを学ぶ、身につける、手っとり早い方法を、ハウツーといい、それを書いた本を、ハウツー本、といいます。英語の How-to ですね。しかしものごとを学ぶにも、ファスト・ラーニングあるいはスピード・ラーニング(速習法)とスロー・ラーニング(遅習法)があります。

スロー・ラーニングについては、トマス・ピンチョンというアメリカの風変わりな小説家の短編集のタイトルに、『スロー・ラーナー』というのがありますが、これは、「遅く学ぶ人」という意味、英語で「物覚えの悪い人」という意味で、本の中では「のろまな子」と訳されています。しかし別にいうと「自分のペースでゆっくり学ぶ人」、ということですね。トマス・ピンチョンは非常に変わったポストモダンの小説家で、公式の場に出てこないノーベル賞候補作家ですが、自分が他の小説家と違うのは、「スロー」

なところなんだよ、といっているかのようです。

また、僕はうといほうですが、ラップでも、ライムスターというヒップホップ・グループの歌に「スロー・ラーナー」というのがあって、宇多丸とマミーDという人がこの歌を歌っているようです。彼らは、謙虚ですから、「物覚えが悪くたって、いいじゃん」という歌になっています。間違ったっていいジャン、それが人生の醍醐味、ただのゴミじゃないゾ、といった感じです。

さらに、「東大をビリで卒業した」というノーベル賞の物理学者、小柴昌俊博士も、この「スロー・ラーニング」の大事さを強調していて、「ゆっくり時間をかけなければ出てこない発明や発見、ひらめきというものがあって、それが人類に大きな恵みをもたらしてきたこと。そして、それがなければ人類は豊かになれなかった」といっています。

パースという哲学者によると、人がものを考える仕方には、演繹(deduction)という一般的な原理を個別の具体例に適用して推論していく考え方、帰納(induction)という具体例から一般的な原理を推論していく仕方のほかに、仮説形成(abduction)という第三の方法があって、これは、着想、ひらめき、ということなのですが、小柴博士によると、この「ひらめき」というのは、ゆっくり考え、自分を遊ばせる、ということです。警察がすぐに捕まえないで犯人を泳がせる、といいますね。そんなふうに、すぐに逮捕しない。コトバにしない。考えをぼんやりと「泳がせ」ていないと、ひらめきは、出てこない、というのです。

いまは情報化社会といって、この「早く、早く」にターボがかかっていますから、どこまでいっても、この「シンプル」と「メンドー」の対比はつきものですが、一つのポイントが、この「早く」と「のんびり」あるいは「ぐずぐず」のあいだにあるわけです。「早く、早く」。「早く教えろよ」というハウツーの促しは、私に、ピンボール・マシンの釘を、メンドーだから、と次から次へと抜いていくさまを思わせます。いまは、脱毛文化の時代で、誰もが、つるりとした身体をもちたがり、脱毛、脱毛をめざすのですが、そのようにメンドーは、なくそう、というのも、ピンボール・マシンの釘を全部抜いてしまおうとしているように見えるのです。でも、ピンボール・マシンは、ボールを盤面に投入したあと、そこに多くの釘があって、ボールがはねる、そして、バーや羽根にあたり、通過し、そのたびにポイントがあがるというゲームです。そもそもが、ゲームというのは、「メンドー」さを作り上げ、そのメンドーさをクリアする、あるいはそれに挑戦することを「楽しむ」ものなのですね。つまり、「メンドー」さこそが、文化の根源なので、ここから、いろんな、動物が体験できない楽しみ、喜怒哀楽を、人間は受けとるようになり、また、知性を発達させてきた、というところがあります。そしてじつは、そのおおもとが、「文字の発見」であり、「言葉を書くこと」だったのです。

書き言葉の不思議さ

だから、「言葉を書く」「読む」ことは、「言葉を話す」「聞く」こと、「言葉を使う」こととも違うのです。文字ができることになって、人間のコミュニケーションのピンボールの盤面には圧倒的に釘の数が増えることになりました。それまでは、障害は「距離」くらいで、えっ、えっ、聞こえないゾオ、というくらいだったのですが、その後は、聞こえているし、その意味も文字としてはわかるのに、「何を言っているかわからないゾ」、「どういう意味だ、これは？」というような要素が、「言葉を書く」、それを「読む」ことのうちに、圧倒的に増えてきます。「言葉を書く」、「読む」というのは、メンドーに時間をかけて、話すこと、聞くこと、になってくるのです。

それが、情報化社会のもう一つの側面です。そこに入り込んでいるのはどういう「メンドー」さなのか、といえば、「早く、早く」の一方で、人は、「なんだかよくわからない・でも面白い」という楽しさにも触れるようになるわけです。

ですから、書き言葉にはあるが、話し言葉ではありえない「言葉」「文章」というものがあります。何かわかりますか。わかるひとがいたら、手を上げて下さい。――といって、誰も手を上げないでしょうね。そういうことは、僕も何年も、授業をしているので、わかっています。でも、外国の学生なんかだと、こういうときに、手を上げるんですよ。これも一つのゲームなのですが。

で、答えをいうと、それは、たとえば「私は死んでいる」という文章です。ふつうだったら、「何を言っているかわからないゾ」、「どういう意味だこれは？」、「何を言っているんだ、この人は」となりますね。でも何で、こんな「言葉」が可能なのか。

この言葉は、エドガー・アラン・ポーという小説家の短編のなかに出てきます。一種のホラーの短編です（「ヴァルデマール氏の病状」）。私が友人の遺言に従い、友人が死ぬ直前に催眠術をかける。すると、友人は、催眠術にかかったまま、そこで死へのプロセスを停止させてしまう。評判になり、学者達が調査に来る。その調査の途中で、話しかけると、その半年間、死にかかったまま停止している友人が、オー、何とかしてくれ、私は死んでいる、でも死にきっていない、どちらかにしてくれ、と青黒くなったままうめくので、私が間違って催眠術を解いてしまう。その瞬間、死体がみるみる腐敗し、どろどろになり、肉汁が調査の台の下に垂れ、排水溝に流れ込み、最後には白骨死体が残る、という話です。そこに「私は死んでいる」という言葉が出てくるのです。

つまり、このメンドーくささのなかから、単なる論理では解明できないような、面白さ、発想のひらめき、違う考え方、などが生まれてきます。それで、ジャック・デリダという哲学者は、――彼がこのコトバを引いているのですが――新しく「書き言葉」に立脚して思想を構築し、この言葉を論文の巻頭に掲げた『声と現象』という本を書き、大げさに言えば、そこからついこのあいだまで、四〇年近く、現代思想といわれる新しい思想の潮流が、起こったほどだったのです。

ピンボール・マシンは「メンドー」なのだ

ああ、メンドーくさい、と思っているかもしれませんが、我慢して下さいね。ここに「言葉を書くこと」のメンドーくささ、の意味があります。これが楽しくなるようだと、いいのですが。

文字の発明は、ピンボール・マシンの「釘」の発明と似ています。無文字社会というのは、つるっとした盤面です。ですからそこにボールを投入しても、さあっと盤面を落下し、何ごともなく、穴に呑み込まれます。「呑み込み」が早い。しかし、「楽しみ」はないのです。ですから、文化と智恵というのは、そこにメンドーさを作り出す。そして、楽しみを作る。その先に進む「困難」が、「楽しみ」、「元気」、「前進」のもととなるのです。

生きるということも、そもそも、そうです。ガリバー旅行記を書いたジョナサン・スウィフトという人は、イギリスに抑圧されたアイルランドで教会の大司教も勤めた大小説家ですが、大変な皮肉屋として知られており、こんなエピソードをもっています。ある日、靴が磨かれていない。それで召使いに注意すると、えっ、でもすぐにまた汚れるじゃないですか、と口答えした。それで、夜、その召使いに食事を与えなかった。召使いが抗議すると、えっ、でもすぐにまた腹を減らすじゃないか、と答えた、というのです。

生きるということは、それ自体が、メンドーなことをすること、靴を磨き、汚し、また磨く、ご飯を食べ、活動し、腹を空かし、また食べる、ことです。無駄なこと、そしてメンドーなことです。ですから、それを「楽しむ」、そしてそこに「意味」を見いだす、ことが必要になってきます。そこから困難と楽しみとをともに、受けとること、そしてそれを、何度も何度も繰り返すなかで、ある思いを育てること。それが、生きることの意味であり、妙味(楽しみ)なのです。

ゆっくりやること

二つの線路をもつこと

さて、ここで、少しだけ、私自身の紹介をしましょう。私は本職は、文芸評論家で、この間、大学でも教えてきました。また、戦後の文化、社会、歴史などの問題にも発言してきました。まあ、幅の広い意味で、評論家といってよいでしょう。でも、自分のつもりとしては、小説などを読んで、それについて書いたり、論じたりすることを中心に、思想などについて、書いたり、考えたりすることを自分の仕事の中心にしてきました。

教えてきたのは一九八五年から二〇年近く、明治学院大学で、二〇〇五年から一〇年近く、早稲田大学で。そして両大学を通じて教えたものに、「言語表現法」という学生に文章を書かせる授業がありました。

それをもとにした『言語表現法講義』という本が、タイトルは硬いですが、これまで僕の書いた本のなかでの最長のロングセラーです。一九九六年に、岩波書店から出ていて、新潮学芸賞というものをもらい、自分の口からいうのもへんですが、よい本です。というか、僕の書いた本の中で最も広範な人びとに受け入れられてきたのが、この本です。

それで、今日は、どうすれば「おいしいご飯のような文章」を書くことができるのか。その準備の仕方、「お米の研ぎ方」に似た、「文章の研ぎ方」についてお話ししようというわけで、呼ばれています。

でも、そのうちの半分は、もう話しました。つまり、「おいしいご飯のような文章」を書くには「ご飯」をおいしく「いただく」ことができないといけません。そのためには、「文章を書く」ということがそもそも「ゆっくりした」作業であることを知り、「メンドー」なことであることを知って、そのつもりで事にかかりなさい、ということ。それが手始めなのです。

そもそもこれは、読むこととも関わります。

「早飯」もほどほどにしなさい。「ご飯はゆっくり嚙む」ように。何ごとにも「さっさとやる」ということのほかに、「ゆっくりと学ぶ」「ぶらぶらと歩く」というあり方のあることを頭に入れて、スピードとスローと、両方に目を配る、そういう複眼的なあり方が必要だと、ここではいっておきましょう。

鉄道でいうなら、単線ではなく、複線を、敷設するようにしなくてはいけない。二枚腰を、身につけるようになさい、というのが最初の僕からの実践的なアドヴァイスです。生徒ですから、教室では、先生方の指導、学校の要請にも応えなければならないでしょう。しかし同時に、「言葉を書くこと」が要請する「ゆっくりやる」というリズムのための時間をも、もつということが大事になります。

「深く生きる」には？――書くことと私

この、ゆっくりやる、ということには、二つの要素があります。一つは「ゆっくりと学ぶ」、もう一つは「ぶらぶらと歩く」です。

そしてこの「ゆっくりと学ぶ」と「ぶらぶらと歩く」は、「深く考える」・「深く生きる」ための必須の方法で、そのための手がかりが、「書くこと」そして「散歩すること」だというのです。

まず、「深く生きる」ことのほうからいうと、こうです。

この「散歩する」、のところには、「何もしない」、を代入しても構いません。「役に立つこと」は「何もしない」。そういう時間をもつことです。

たとえば、僕はいまだいたい、ものを書いて時間を過ごしています。でも、できるだけ、一日に一度、午後二時か三時くらいに、住宅の下に降りて、建物に沿った河原の散歩道を三〇分ほどウォーキングというか、散歩することにしています。すると、書きながら考えていることに、あの「ああ、そうか」という「ひらめき」が訪れることが多々、あります。それを「泳がせている」と、そのうちのいくつかが、水の上にぽちゃんと落ちてきた果物みたいに、やがて発酵して、沈んできます。書くことは集中、ですが、散歩することは、拡散、なのですね。考えることだけでなく、生きることにも、互いに対極的なふたつのものをもつことが、とても大切です。

生きること、ということでいうと、それは「人とともにいる」ということと「一人でいる」ということでもあります。深く生きるには、たまに一人でいる、ということが、必要です。

さて、ここから本題ですが、今回、僕を呼んで下さった阿見拓男先生が前もって送ってくださった皆さんの文章、僕への質問、というものも読ませてもらってきています。そのなかに、こういうものがありました。

よくお母さんや親戚のひとに「もう少し浮いた話」とかないのか、と聞かれるが、まったくないので困っています。私は生まれてこの方、「異性に恋愛感情を抱いたことがない気がするのです」。恋愛感情ってどういうものなんでしょうか。そういう質問です。

これを、どうすれば恋愛感情が抱けるようになるのでしょうか、と受けとるなら、その答えが、このことに関係しています。

「ぶらぶらと歩く」ことが、「深く生きる」ためには、必須だ、ということ。つまり、また、「一人でいる時間」をもつこと。いつも「お母さんや親戚のひと」と一緒にいないで、「友だち」と一緒にいることも減らして、「ライン」を切って、たまに「一人になる」のです。そうでないと、なかなか、誰かに恋愛感情を抱くことは難しいでしょう。誰かを好きになるには、自分一人でいて、「ああ、さみしいな」という状態を経験していなければならないからです。それは、お腹がすいた、死にそう、という経験をしたことがないと、ご飯が本当に美味しくは味わえない、というのと似ています。そして、こういう経験のために必要なことは、「名づけられない時間」をもつこと、つまり、「用途」から切り離された時間をもつこと、ぶらぶらすること、散歩すること、何よりもまず、一人になること、なのです。

昔は、よく学び、よく遊べ、といいました。いまは情報化社会で、その「学ぶこと」と「遊ぶこと」の両方が、この社会の動き——効率化という原理——にコントロールされるようになっています。ですから、本人は、「よく学び、よく遊んで」いるつもりでも、何か大切な経験の側面が、欠けてしまっている。そこから、恋愛感情がわからない、というような難しさも、出てくるのだと思います。

でも、この問いを私にさし向けてきた人、悩む必要はありませんよ。このあなたの問いは、いま、多くの若い人の抱える問題でもあるからです。

この三〇年間近く、大学で教えてきましたが、近年の大学生は、恋愛が苦手です。これまでは、小説やドラマのなかに、若い男と女が出てくると、必ず「恋愛」になったものですが、そういう小説が苦手だ、という若い学生が増えています。あなたと同じ苦しみを感じているのです。ですから、たとえば、津村記久子という若い小説家の『ワーカーズ・ダイジェスト』(集英社、二〇一一年)という作品などが、好まれます。この小説を学生に薦められ、一緒に読み、授業に取りあげたときには、そこに出てくる関連会社の二人の男女の若い新人社員――それぞれ大阪と東京で働いています――が、最後、再会するが「恋愛」に発展しない、というところが、「ここがいい!」「ここが新しい!」と学生達に大変に好評で、僕も教えられました。

『色彩を持たない多崎つくると、彼の巡礼の年』(文藝春秋、二〇一三年)という村上春樹の小説では、最後、自分は無条件に人のことを愛せない、ということに気づいて苦しむ主人公が、フィンランドに住むガールフレンドに背中を押され、帰国して、恋人に、勇気を出して「僕はきみのことが好きだ」「一緒になってほしい」と電話するのですが、そこでも、学生達の多くの反応は、そんなことを勝手にいわれても、困る、ちょっと「引きますよ〜」、この主人公、自分のことしか考えてない、マッチョすぎる、いやだ、というものだったので、びっくりしたおぼえがあります(笑)。

それくらい、いまの世の中は、生きることが難しい。新しい難しさが生まれています。しかし、そうだからこそ、われわれは自分の中に、複線の線路を用意しておくことが必要なのではないでしょうか。

まっすぐに行く道。それと、ぐずぐずと、ピンボールの盤面を、多くの釘にあたりながら、バーに当たり、羽根を揺らして、行ったり来たりを繰り返す道。早く行く道と、ゆっくり行く道、の二つがそれです。その一つの核心が、一人でいる時間をもつ、ということなのだと思うのです。

「美味しいご飯のような文章」に近づくには?

さて、最後が、「深く考えること」、そして、皆さんの聞きたいだろう本命の話である(?)、「よい文章」を書くには、という話です。

たとえば、村上春樹は、自分はものをよく考えるために書くのだ、という意味のことをいっていますが、これは僕などには、よくわかる話です。

書かないと、よく考えられないのです。書いてみて、はじめて、自分が何を考えようとしているのかがわかる、というしかけがあるわけです。

これまでお話ししてきたことのポイントは、文章を書くことは、「メンドー」なことだが、その「メンドー」さに、書くことの一番大事な実質が入っているということでした。ですから、この「メンドー」さを楽しむような気持ちになることが、大切です。

そのために知っておかなければならないことは、そもそも、一定の時間にさっとまとめて、その質問に答えて書く、という訓練は、頭の体操にはなるかもしれないのですが、文章を書くことの苦しみ、そして楽しみ、喜びには、余り向かない、むしろそれから遠ざけてしまう働きをするだろう、ということです。

よく、映画やドラマなどを見ていると、小説家が机上の原稿用紙に向かって、はちまきをして、一行書いては、ああ、とか呻いて原稿用紙をくしゃくしゃにして部屋の片隅に置いてあるゴミ箱に放り投げる、その動作を何遍も繰り返して、ゴミ箱の周辺が、捨てられた原稿用紙だらけ、みたいな光景が出てきますね。それは、小説を書く、文章を書くのは、大変で、苦しい、時間がかかる、なかなか書けない、ということを示しているわけです。文章を書くのは、メンドーなことなので、難しい。特に、小説を書くのなんて、目的も理由もないし、誰が頼んでいるわけでも、誰から何を書けと命令されているわけでもない。好きこのんでメンドーに足を踏み入れているのと同じで、ますます、難しいのです。

ですから、せっかく文章を書くのですから、少しでもその片鱗にふれたい。うーん、うーん、と唸って、ああ、書けない、と呟くのはどうでしょう。書けない、という時間をもってみること、そういう時間を味わうこと。それは皆さんにだってできるはずですね。でも、それが、書くということの第一歩なのです。

でも、そんな贅沢をいっている暇はないよ、さっと読み、さっと書く。それにはどうしたらいいか、なんだよ、国語の小試験は。そういう声がまた、聞こえてくるようです。決められた時間に答えを書く、というのが、いま、皆さんが学校で経験している書くことのあり方です。長い文章を読ませられ、それについて設けられた問いに、決められた字数で書け。それも、決められた時間内に全部こなせ、というのですから、これは、「メンドー」なことにぶつかれ、それを楽しめ、味わえ、というのとは、方向が違うことがわかります。

これまで私がいってきたことが、スロー・ラーニングということだとすると、試験が必要としているのは、ファスト・ラーニングというか、速読、速習、速筆、早書き、というものだといえるからです。

しかし、こういうテストに対応できるような文章の力をつけるためにも、先の複線鉄路を用意する方法が、有効です。つまり、両方を併用してご覧なさい、ということです。学校文化の必要に対応するためには、一度、学校文化の外に出なければならないのです。

すると、いまの学校文化のなかでも対応できるかたちで、力がつくだろう。それ以外では、ハウツー的にしか、対応できないし、それで得られる新しい力なんて、たかが知れているよ、というと、皆さんにも少しはわかってもらえるかもしれません。

ゆっくり読み、書くことを続けることで、文章を読み、書く力ができたら、その「力」を早く読み、早く書くことに転用することは、さして困難ではありません。まず、深く文章を読み、書く「力」をつけなければならない。それには、「ゆっくりと」文章を読み、うんうんと苦しんで書く経験をしてみるとよいのです。

まず、皆さんは、文章をどのように書くでしょうか。いまなら、ブログなどをやる人、見る人もいます。文章を書くことは、パソコンにワープロで書くこと、スマホにメールを手打ちで書きこむこと、あと、教室ほかで紙にエンピツ、ペンで書くこと、の三つに別れています。

ノーベル賞を取った大江健三郎という小説家は、たぶん日本で最も文章を書く才能に恵まれ、その経験をどこまでも深めた人の一人ですが、あるときから、まず文章を書いたら、それを何度も、何度も、書き直す、それが自分の「書く作業」の主体になった、と述べています。そしてそれを「推敲」の意味でelaborationと呼んでいます。精緻化、彫作業というほどの意味だと思います。

むろん、われわれはノーベル賞を取る必要はないので、そのままこれに従う必要はないのですが、これだけ、経験を積んだ人の最終的にたどりついた書き方なので、少しは参考になります。

もし、ワープロに書く人がいたら、必ず、プリントアウトする習慣をつけること。それが第一です。そして、打ち出した紙に書かれた自分の文章を、一晩置いて、書いたときのあら熱をとる。そして、もう一度手を入れる。そんなふうにして、まあ、これくらいか、というところまで、最低、二〜三度は、手を入れて、書き直す。そういう習慣を付けることが大切です。つまり、文章は、一度書いて、あとでまた見かえす。そして、手を入れる。すると、自分の書いた文章が、よくなったり、なかなかよくなったりはしない、ということが見えてきます。自分の文章とのあいだに独特の「つきあい」、一対一の「つながり」ができるのです。

おでんという食べものがありますね。美味しいおでんの作り方、がどのようなものか知っていますか。まず、具を入れて温める。しかし、そこで食べるのではないのです。それを一度、冷ますのです。それも無理に冷蔵庫に入れて冷ますのではありません。新聞紙に包んだりして、ゆっくりさます。おでん屋さんでは、火を付けたり、さましたり、というなかで、そのプロセスが起こっています。おでんの付け汁は、具がさめるときに、深く深く、ゆっくりと、浸みるのです。

おでんを温める。それが、苦しんで書いてみる、二〇分でよいから、うーん、書けない、と家で、白い原稿用紙を前にするということです。

　そしておでんをさます。それが、一度書いたら、もう二度と見るのはいや、というところを我慢して、一晩たったら、もう一度、見てみる、そして、手を入れられないか、もういちど、その前で、今度は一〇分でもよい、文章をいじってみることなのです。

　文章も、書いたら終わり、ではその経験に、「味が浸みません」。それを一晩寝かす、そして、新しい目で次の日、もう一度、その自分の書いた文章を読む。そして手を入れる。そこまでが、文章を書く、ということなのです。そういう癖をつけること。学校で、試験があって、そこに二〇〇字で答えを書く。そうしたら、できれば、ほかの人の答えを合わせて、読み、それと比べて、もう一度、自分の文章に返り、それを眺めてみる。これも空間的な自分の文章の「さまし方」の一つです。

　一度文章をみんなで書いた、という経験が、とても参考になるので、いくつかの回答例を先生に教室で示してもらい、それと自分の文章を比べることも大事でしょう。

　第二のアドヴァイスは、とても具体的ですが、時間が経ってからまた自分の書いた別の文章との見比べもできるように、一度書いた自分の文章を大切にする。棄てないことです。そして、後で、もう一度、それを読み返してみることです。

一〇〇点満点をめざすな

約束しましたから、ここから先は、もう少し具体的にお話ししましょう。皆さんの書いた文章を先に送ってもらっています。その文章を例に少し教訓を取り出してみます。僕の第三のアドヴァイスは、今度は、心構えに関するものです。それは、一〇〇点満点の回答をめざすな、ということです。

いまの学校文化で、一〇〇点満点をめざしたら、かえって足を取られる。力がつかない。腹八分といいますが、八割でいい。八〇点をめざす、というか、八〇点でいい、という態度で、試験にも、授業にも、向かうことが大事です。

そう、僕は思います。

たとえば、送られてきたものは、国語の問題のかたちになっています。問題文に使われているのが、私の文章です。そのうち「しっかりと他人に対して他人でいられるようなまともな人」という個所に傍線が引かれ、問一、これはどういう人か。二〇〇字以内で説明しよう、となっています。

そこに、次のような答えがありました。多分にほかの人にも似た傾向が強い。

こういうものが多いので取りあげさせてもらうので、これを書いた人は、さほど心配しなくていいです。一つの例に使わせてもらうだけです。

誰かの考えや意見に対して、それにただいつも同調するのではなく、それについてじっくり考察し考え、その人とは「違う色」であるべく、自分の考え、感じたことをきちんとまとめ、自分だけの言葉にできて、かつそれをそうであるのが当然の機会には、怖気付かずに堂々と他人に伝えることができ、他人と自分は全く違う人間であると自覚し、多様な考え方を自分なりに噛み砕き消化できるような人。

これで一八四字です。一文です。ふう。とっても長い。頭に入りにくいですね(笑)。

これに要素ごと、番号をふると、こうなります。

①誰かの考えや意見に対して、それにただいつも同調するのではなく、②それについてじっくり考察し考え、③その人とは「違う色」であるべく、自分の考え、感じたことをきちんとまとめ、自分だけの言葉にできて、④かつそれをそうであるのが当然の機会には、怖気付かずに堂々と他人に伝えることができ、⑤他人と自分は全く違う人間であると自覚し、⑥多様な考え方を自分なりに噛み砕き消化できるような人。

つまり、①他人に同調しない人、②他人の考えをしっかり受けとめる人、③それに対する自分の考えを(その違いを)ちゃんと言葉にできる人、④それを具合の悪い場面でもちゃんと口にできる人、⑤他人と自分の違いをはっきりと自覚している人、⑥さまざまな多様な考え方を自分なりに理解し、受けとめることのできる人、の六種類。

しかし、このうち、⑥は、②とだいぶ重なります。あと、⑤は①から④までの要素を備えた人なら、黙っても⑤になるので、そこも重複の感じがあります。ですから、これを①から④だけにしてみましょう。また、この①から④をそのつもりで、眺めると、①②は受けとめ、受信、③④は表現、発信に関わっていることがわかりますから、二つに分けた方がよいことがわかります。すると、こうなります。

【問い】

文中の「しっかりと他人に対して他人でいられるようなまともな人」とはどういう人か。二〇〇字以内で説明しよう。

【答え】

誰かの考えや意見に対して、それにただいつも同調するのではなく、それについてじっくり考察し考えることのできる人。また、その人とは「違う色」であるべく、自分の考え、感じたことをきちんとまとめ、自分だけの言葉にできて、かつそれをそうであるのが当然の機会には、怖気付かずに堂々と他人に伝えることができる人。

二つの文になりました。頭に入りやすい。そして、こう直した上で、どうしても回答には「そ」の音、つまり代名詞が多くなるものですから、そのことに気をつけて、少し直すと、こうなります。

【答え】
誰か他人の考えや意見に対して、いつも同調するのではなく、それをじっくりと受けとめ、考察することのできる人。また、その人とは「違う色」であるべく、自分の考え、感じたことをきちんとまとめ、自分だけの言葉にできて、かつそれを必要な機会には、怖気付かずにしっかりと相手に伝えることができる人。

さて、こういう答えが得られたとして、問題はこれで一四二字だということです。ふだん、皆さんは二〇〇字で書け、といわれたら、字数を超えてはいけない、しかしあまり足りなくてもいけない。だいたい、八割、一六〇字から二〇〇字のあいだで回答せよ、と教えられているはずです。しかし、一四二字では、その一六〇字という下限にも足りないのです。

では、ここでどう考えるべきか。

私が一〇〇点満点をめざすな、というのは、この段階での皆さんに対するアドヴァイスなのです。一四二字では、きっと、「マジメに書いていないな」と思われ、二〇パーセント減くらいを覚悟しなくてはなりませんね。ですから、本当はもう書かなくてもいいのだが、何か書き加えないといけない、と思う。すると、少し大所高所から見直した言い方だが、ほんとうは①〜④でいったことと重なる、⑤と⑥を書き足そうか、となるのです。先の回答を見て下さい。⑤は「他人と自分は全く違う人間であると自覚」する人、⑥は「多様な考え方を自分なりに噛み砕き消化できるような人」です。

よく、家で皆さんが、親御さんなどに、早く宿題片付けなさい、などと注意され、面白くないので「はいはい」というと、「はい、は一回」といわれるでしょう。「はいはい」には「はい」への否定、その弱め効果があるからです。「はい・はい」は、「はい、すこしうざ！」という気分なので、「はい、は一度」といわれるのです。

それと同じで、「反復」は言明を弱めます。せっかく、受信の①②、発信の③④と分けて言ってみることに成功したのに、字数が余ってしまった。そこに⑤と⑥を加えたら、台無しです。ではどうするか。

そのとき、もう腹八分でいいや、と一四二字で区切って、提出する勇気をもってほしいのです。

すると、文章というものとの「つきあい」が生まれてきます。

なぜ、私がそういうか、というと、そもそもの二〇〇字以内、にはさほどの根拠はないからです。単に先生は、こういうときの問題は、一五〇字か二〇〇字か、ま、ここは無難に生徒の書きやすい二〇〇字にしておこうか、と思ったのかもしれないのです。

本当なら、先生が、自分で模範解答を考えてみて、それが一四〇字内外ですみそうなら、そこが許容の八〇パーセントにかかる一六〇字以内で答えよ、とするところです。しかし、そうでないこともありうるのです。今回のように、本式の試験ではなく、講演のために、事前の回答例を作るため、国語科の先生につくっていただいたようなばあいには、そういうことが多々あります。

国語の問題としてみたら、この問いの傍線部の前後はこうなっています。僕の「人生相談」の答えの部分、その最終部なのですが、引くと、

「で、なぜこういうことが起こるか。

当然でしょう。この世は、他人にみちているからです。さまざまな見方がさまざまにゆきかっている多様な世界だからです。そう思ったら、あなたも、誰かに対して、そういう『違う色』であるべく、自分の感じたことを、しかるべき機会にはしっかり伝えられるようだとよいでしょう。ま、よくいわれる——僕は苦手だが——『感性を磨く』なんていうのも、もとはと言えば、しっかり他人に対して他人でいられるようなまともな

人でいてね、というメッセージまたは命題だろうと思います。」

です。

ですから、傍線部を他で言い表した個所は、

「あなたも、誰かに対して、そういう『違う色』であるべく、自分の感じたことを、しかるべき機会にはしっかり伝えられるようだとよい」

という個所なので、この問いの答えは、一番簡単な形で言うと、

「自分の前に立つ誰か他人に対して、その人とは『違う』存在として、自分の感じたことを、たとえ反対の意見でも、必要な機会にはしっかり伝えられるような勇気のある人。」

というくらいでしょう。これで七七字です。これを普遍的に、というか広げて説明しなさい、というのが設問なので、これをもとに、自分の考えをつけ足してなにか言えば、だいたい、一二〇字〜一四〇字。大目にとって、やはり、一五〇字くらいの制限が、ほんとうは、この問いの場合、適切だったことがわかります。

たぶん、先生は、長い方が生徒には楽だろうと考え、大目に二〇〇字とされたのだろうと思いますが、多いと、文章が長くなる。そして、文章は、一般的には、削れば削るほど、強くなる。足せば足すほど薄まり、弱くなります。

トマトを甘くするには、水をやらない、いじめる、といわれますが、文章もそれと似

ているのです。

さて、このことは、何を語るか。問いがあり、それに答える。しかし、その問いに一〇〇パーセント、一〇〇点満点で答えようとすると、問い自身が、十分じゃないばあいがあるので、その問いの不足分にかえって足を取られることがあるゾ、ということです。そんなに問いを信用してはいけない。問いからも自分の独立を確保することを、考えなさい、ということなのです。

いまは、問いと答えの双方を考え、これに対することが必要で、そこから出てくる教訓とは、一〇〇パーセントをめざすと、かえって足をとられる、ということなのです。

問いと答え

ここでは時間がないので、とりあげませんが、この問いのもとになっているコンプレックスと魅力に関する私あての「人生相談」の質問が、じつは、

〈他人から見たところの魅力となる部分が、自分自身の中では理解できないところ、あるいはコンプレックスになるような部分であった場合、どのようにそれをとらえていけばいいのでしょうか？　そして、どうしてこのようなことは生じてしまうのでしょうか？〉

というもので、かなり不自然なものでした。例文に対する皆さんの答えには、だれかが自分の短所をほめてくれた、それをどうとらえればよいか、ということに、相手の褒め言葉を信じてよいのかどうか、ということにこだわったものがいくつか見られましたが、それも、この問いが、ちょっとおかしい、ためにする質問になっていることから、そういう反応が生まれているのだと、今回、読ませてもらって、僕も感じました。僕自身が、この回答の最後に、

でも、どうもこの質問の口調が気になる。僕は、誤解してこれを書いてしまったかな。でもゴカイもカイのうち、ということで……。

と書いていますね。というのも、僕はウェブの人生相談、というものをこのとき二年以上続け、それをまとめたものが、二冊の本になっているのですが、特に二冊目、この例が引かれた『何でも僕に訊いてくれ』というたいそうなタイトルの本のほうでは、「どんな問いにも答える」と銘打ったため、わざと変な問いがきても、だいぶ実直にそれを採用し、それに答えたので、なんだかメンドーな、本当に訊きたいのか、というような持って回った問いが多くなってしまったのです。

それは、これがウェブでの問答だったこととも関係があるでしょう。インターネットの世界では、自分がこう書くと、相手がこう思うのでは、いや、そう思って私が書いていると、さらにこう思われるのでは、というように予備的な思惑が重層化して、反応が過剰になりやすい。すべてが、過敏になる。ですから、そういうすべてから、ちょっと距離をとったほうがよい。ここでも、そのためには、八〇点でもいいや、というくらいの態度が、自分の独自さを保持するために、必要になってくる。そういう問題が生まれているのです。

面接でも同じことが言えます。面接では僕はほとんど全部落ちています。就職試験などでの経験です。どうも自分は初対面の印象が悪いはずと、自分でそう思っているので、それが顔に出るのでしょう。しかし大学に勤め、自分が面接をするようになって、いろんなことがわかりました。

その一つは、どんなによい面接をやっても、面接者がしっかりした人間でなかったら、その良さは通じない、ということです。ＡＯ入試とか付属校入試の面接はふつう二人で行うのですが、あるとき、私がアニメ好きな高校生の面接で、この生徒は面白い、とＡプラスをつけたところ、終わってみて、同僚と照らし合わせたら、僕の同僚の評価はＢマイナスでした。ですから、相手に気に入る面接をやっても、うまくいくとは限らないばかりか、思い切った本当によい面接ができても、相手が、その良さを受け取れなければ、評価はダメなのです。

そこから何がわかるか。面接で落ちると、全人格を否定されたように感じ、落ち込みます。しかし、その必要はない、ということです。面接官が、おかしいことは、多々ある。その場合の方が多いくらいです(面接を落ちまくった僕のひがみかもしれませんが)。だから、そこから一〇〇パーセントを期待するな、というのが一つです。そこから、無難にやるのもよいが、どうせなら、リスクを背負って、自分のやりたいような面接を心がけてもよい、という僕のアドヴァイスが出てきます。

文章も同じです。字数があまっても、これでよい、と思ったら、そのままにする。リスクを冒す。そうやって自分の文章の感じ、を大事にするのです。そうすると、その文章と書いたあなたのあいだに一対一の関係が生まれる。自分の書いた文章だ、という感じが、そのリスクを冒すということから、やってくるのです。

ポイントは、人からくる問いをそんなに信じない。八〇パーセントで、いい、あとは自分を信じてやる、そのほうがよい、ということです。

大学では、いろんな経験をしましたが、面接での、質問と問い、ということでは、こんなことがありました。

面接で高校生みんなが、紋切り型の回答をしていたら、僕の相棒の同僚の教師――先ほどとは別の人――が、「はいはい。わかりました。もう、質問はしない。代わりに君が僕に質問して下さい。何でも、一生懸命に答えるから。はい」といったのです。

　そのときの高校生の様子は、見物でしたね。全員が絶句。青ざめ、何も言えず。同僚が、「ほら、たとえば、先生は大学で何を教えているのですか、とか、この学部のよいところは何ですか、とか。いろいろあるでしょう？　先生は答えるよ？」というと、もうあとずさり、です。この同僚の専門はアフリカで、長年、アフリカに滞在した経験をもつ研究者でした。

　余りに面接の高校生の言うことが、一〇〇パーセントの準備にこり固まっていて紋切り型なので、想定された問いを口にして、それに紋切り型で答えてもらってもしょうがない。問いと答えの関係を逆転したほうが面白い、とその教師は考えたのですね。

　これから皆さんが巣立つ社会には、誰がいるかわかりません。しかし、同時に、社会はかなり薄っぺらくなっています。しっかり準備することは、そのうすっぺらさにつきあって自分がうすっぺらくなることでもある。ですから、そろそろ、八〇パーセントで世間とつきあう。二〇パーセントは、自分が自分であるための空間として取っておく。そういう新しい「腹八分」が、これから、「ご飯をおいしくいただく」ためには、必要だろうと思います。

「微力」について――水俣病と私

二〇一六年五月五日
水俣病公式確認六〇年記念講演会にて

微力ということ

今日の私の演題は、「水俣病と私」といいます。私は「水俣病」についてほとんど何もしてこなかった人間ですが、そういう私に、水俣病の患者の方々の苦しみが、どのような意味をもってきたか、という話をさせていただくつもりです。うまくお話しできるか、自分でもよくわからないのですが、このまま、お話ししてみます。

ここにおられる皆さんが、水俣病の、当事者であられる、あるいは水俣病の患者の方の救済にかかわって活動をされている、あるいは、水俣病に何らかの形で関心をもっておられる、また、この事件をこれだけ被害者に大きな犠牲を強いるものにさせた、日本社会の問題に心をかけてこられた人びとであられるとして、そういう方々に、私が、どんなお話ができるのか、と考えると、私から出るどんな話も、おこがましく思われます。私には、こういうことくらいしか、思いつかないのです。

じつは、もう五年くらい前に、一度、現在この会の理事長をされている実川悠太さんから、会に顔を出して何か話すようにと声をかけていただき、それをお断りするということがありました。声をかけていただいたのは、ちゃらんぽらんな会友としてですが、もうずいぶんと前から、この会に参加して、会費だけは、何とか遅れたりもしながらも、お支払いしていたからだと思います。

そのきっかけは、わが身にも、水俣病の苦難を人ごととは見られないような経験が、ささやかながら、あったからです。それで、水俣病の患者の皆さんの苦しみの経験に、遠いところで、自分もまた、力づけられる、ということがありました。それで、自分なりに、微力なりと、恩返しというか、連帯の気持ちを表したいと思い、一人の「会友」として、この会と関係を持ち続けてきたのです。

では、なぜ、そのとき、お断りしたかというと、私は、この会に、いわばこの問題に関心を寄せる一市民、言論人としてというよりは、もう少し、「患者」の方々に連なる、似たような「病気」の関係者として、身をおいているつもりだったからです。そして、この会とは、そういう「言葉を持たない」微力のサポートのあり方でつながっていたい、と思ったからです。

ふつうだと、私のような者にも、もしその可能性があるのなら、水俣病で苦しんでこられた方々に、そのせめてなりと「ことば」を介して、何かお役に立てるほうがよいはずです。そういう考えに立てば、水俣はチェルノブイリを経由して現在の福島第一の放射能汚染による子どもたちの甲状腺の病気被害とか、ほかのさまざまな被害における企業、国家、行政の怠慢と被害者の関係の原点である、その「病気認定」がかくも遅れている点で原爆症認定の問題にもつながる、また、公害問題の原点として、いまなおさまざまな問題を考える現場であり続けている、など、私のようなものにも、すぐに浮かんでくる思いがあります。しかしながら、水俣病に関しては、その手前に、私自身が、自分の個人的な経験のなかで、むしろ、力づけられる、生きる勇気をもらう、ということがありましたから、そのため、それよりは、いわば「病気に苦しむ」ということの当事者の端くれという「微力」の部分でのつながりのほうを、自分としては大切にしたい、という気持ちのほうが勝りました。なぜかといえば、そのつながりのほうが、自分にとって全身的だと思われたからです。言論人としてなら、もっと効果的に役には立てるかもしれない。当事者の端くれとしての共感でつながる人間としては、「微力」しかない。しかし、その「微力」でのつながりのほうが、自分にとっては深い。そこでつながることが、私にとって「水俣病」の患者の方々との関係を、大事にすることではないか、と思われたのです。

私にとっての水俣病

なんだか、変に小さなことにこだわっていると思われるかもしれません。けれども、私にとって「水俣病」とは、その小さなことにちゃんと場所を与えてくれる、そういう「つながり」を基礎とする場であることに、大切な意味をもっています。患者の方々の苦しみがひとかたのものではなかった、またそのこともあって、その苦しみを世に知らしめる「ことば」にも、これまでにない「深さ」が宿った。そして、その「苦しみ」と「ことば」で、公害というまったく新しい人間と社会の問題にこれまでにない光を当てる、はじめてのできごとになった。それが「水俣病」の集まり、運動がもっている大事な意味なのではないかと思います。

ここでは申し上げませんが、私にも、個人的に少しだけ、家族一同、苦しんだ経験、苦しんできた経験、があります。そのため、私は水俣病というできごとに、もう四〇年近く前、自分も家族をもつようになってからほどなく、自分のなかの「微力」の部分、ことばをもたない部分、当事者の端くれという部分で、はじめに関心をもち、つながりました。そのため、私にとって、「水俣病」というできごとと、患者の方々の経験は、こういう、「当事者」であることとそうでないこと、「ことば」をもつことともたないことのあいだに、じつは大切な問題があることを教えてくれる場となったということがあります。そのことにこだわることが、私にとっての「水俣病」とのつながりの内容だった、というところがあるのです。

言葉とささやき

数年前、三・一一の東日本大震災と福島第一原発の事故のあとで、チェルノブイリ原発事故の犠牲者、遺族への聞き書きをまとめたスベトラーナ・アレクシエーヴィチさんの『チェルノブイリの祈り』を読みました。

そこにこんな一人の父の言葉が出てきます。この父は、ベラルーシ人です。アレクシエーヴィチさんのこの本のなかで、彼の話は、「僕は証言したい」とはじまります。自分は「作家じゃない、文章で表現できない、教育もたりない。ごく普通の、たいしたことのない男だ」。でも、ある日突然、原発の近くのプリピャチ市に住んでいたことから、放射能を浴び、「チェルノブイリ人になった」、といいます。娘さんと奥さんが「身体中に黒い斑点ができ」る。病院に連れて行った。そう話は続きますが、そこで、突然、叫ぶのです。「ああ、もうじゅうぶんだ！　おしまいにします！　話していると、僕の心が『おい、お前は裏切っているんだぞ』とささやくのが聞こえるんです。なぜなら娘を赤の他人のように描写しなくちゃなりませんから」この人の娘さんは亡くなったのです。「だめだ、もうじゅうぶんだ、おしまいだ、おしまいにします！　とても話せない」といいながら、彼はそのことを話します。

むろん、私の経験は、この人とも、また、水俣病の患者の皆さんの苦しみとも、とても比べられるようなものではありません。しかし、そのようなものですら、人間の運命を左右するのが、病気というものです。私は、この本を読んで、「話していると、自分の心が『おい、お前は裏切っているんだぞ』とささやくのが聞こえる」「なぜなら娘を赤の他人のように描写しなくちゃな」らないからだ、と語った、この人に深い共感をおぼえました。また、こういう発言を、このように文章に取り出してくれたスベトラーナ・アレクシエーヴィチに深い敬意を抱きました。

アレクシエーヴィチは、この本やその他の本とで、去年(二〇一五年)、ノーベル文学賞を受賞したのですが、これはきわめてすぐれた本です。私は、読み終わったとき、心動かされ、同時に、すぐに、もし自分が編集者で、事情が許すようであれば、この著者アレクシエーヴィチを日本に呼んで、『苦海浄土』を書いた石牟礼道子さんとの対話を企画するだろう、と思いました。

『アメリカの影』

さて、私がこれまで、水俣病にふれたのは、二度です。一度目は、一九八二年に書いた「『アメリカ』の影」というもので、その末尾にこのフォーラムの評議員をされている社会学者の栗原彬さんのご著書から引いて、一九七七年の暮れになくなった上村智子さんをうたった詩のある部分を、引いています。

森永都子さんの詩で「らんらんらん」というものです。上村智子さんは、ユージン・スミスの名高い写真「入浴する智子と母」の被写体となった人です。その智子さんへのお母さんの言葉を引いて、詩には、「智子は宝子じゃっでな／我家(おるげ)の毒をみんな吸い取って／生れてきてくれた娘じゃっで／なあ／智子」という詩句が記されています。これを引いて、最後、われわれは、「高度成長に遅れまいと、感受性をとぎすませて」やってきた。「しかし、いま必要なのは、その逆のこと、その感受性のとぎすまされえない部分をこそ足場に、高度成長を見返し、また『国家』とむきあい、これを見上げること」なのではないだろうか、と、この文章を書き終えています。

そこには、「弱く、深いものに導かれてわれわれ自身が強くなる」、ということばもあります。

江藤淳さんというどちらかといえば保守的な批評家が、国のように強くてしっかりした親のような存在とのつながりのうちに自分の足場を見出し、日本人は「成熟」することが大事だと述べているのですが、この評論では、これに対し、水俣病の苦しみの経験を手がかりに、むしろ弱い、よるべない存在にこそ、われわれは、支えられて強くなるのがよいのだと、書きました。

これを含む、一九八五年に出した『アメリカの影』というものが、いわば文芸評論家として私が書いた最初の本なのですが、この文章を書いた背景に、自分なりの「水俣病」へのつながりの気持ち、力づけられたことへの感謝の気持ちがありました。

佐藤真監督の『阿賀に生きる』

次に、二度目に「水俣病」にふれたのは、一九九二年に制作された佐藤真監督の『阿賀に生きる』について書いたときです。このときは、どのような経緯だったのかは詳しくおぼえていないのですが、試写会のような場に呼ばれ、そこで映画を見た後、佐藤さんと、しばらくお話をしました。なぜ、このような映画の作り方をしたのかに関心があったのだと思います。

そのときの感想の文章は、新聞に書いた後、『阿賀に生きる』のパンフレットのようなものに再録されました。いま、読むと、こんなことが書いてあります。

この映画を見ると、最初に、まず、何でもない「阿賀に生きる」流域の人びととの日常のふだんの生活がたんたんと描かれていく。すぐには何について描かれた映画なのかわからない。それから、見ていてしばらくして、これが阿賀野川流域で起こった新潟水俣病のことを描いたドキュメンタリーなのだということが、ようやく観客にはわかってくる。つまりふつうのドキュメンタリーとは逆に、何が問題なのかということの了解が、遅れて、遠赤外線のように、背後のほうからやってくる。そのことで、水俣病が、何を壊すものだったのかが、観客の頭に、しずかに納得されるような作りになっている。そこの順序がいわゆるドキュメンタリーとは、違っている。

そのため、この水俣病の本質が、私たち誰にもやってくる「病気」の一つだというように、地続きの感じで私たちに訪れてきます。

「この映画が私たちにさしだしているのは『水俣病』という病気の『ただの病気』としての感触だ。それは甘い。ほんの少しくわいの味もする」。私は自分の感想の終わりを、こう書いています。タイトルは「重い主題を描く〝文体〟」。これは新聞がつけた題名ですが、「重い主題」を扱うのに、とても繊細な「スタイル」と「方法」が用意されている、ということだったと思います。

水俣病の患者の人びとの苦しみは、隔絶しています。しかし、同時に、普遍的です。

そして、われわれにつながっています。私たちは同じ苦しみの水に漬かっている。そして、そこから滋養を得ている。同じ水辺の植物だ、ということが、この映画を見ていると感じられる、といいたかったのです。

佐藤さんはこの後、亡くなられましたが、「水俣病」に関わろうとして、どういう問題にぶつかったのか、この映画を見て、私はわかる気がしました。それは、ここでの言葉で言うと、水俣病に、自分の中の「ことば」をもっている部分、「強力でたしか」な部分でつながるか、あるいは、「ことば」をもたない部分、「微力でふたしか」な部分でつながるか、という選択肢の前に立ち止まる、ということではなかったかと思います。そのままではない、しかし、この「微力」でのつながりから見えてくる水俣病というものに、光を当てようとされていたのだと、思います。

ブリューゲルの「十字架を担うキリスト」

では、この「微力」と「強力」のあいだに顔を見せているのは、どういう問題でしょうか。

佐藤さんの映画の、はじまり、見ていると、しばらくしてから、何の映画なのかわかってくる、というあり方が私に連想させるのは、ピーター・ブリューゲルのある絵です。

彼に、イエス・キリストの受難を描いた「十字架を担うキリスト」という絵があるのですが、これは、一六世紀の画家ブリューゲルがフランドルの風景をもとにゴルゴタの丘を十字架をかついで引き立てられるキリストを遠くから描いた大きな絵で、なかに広い空の下のゴルゴタの丘と、そこにひしめく百人以上の群衆がいるのです。そのため、最初見ると、何の絵かわかりません。絵を眺めていて少ししてからようやく、絵の中央に十字架を担うキリストがいることがわかってくる、そういう絵です。ただしく中央に描かれているのですが、できるだけ目立たないように、というような何気なさで、イエス・キリストが描かれています。私はブリューゲルが好きで、一度、この絵だけについて書かれた『ひき臼と十字架』(マイケル・F・ギブソン)という題名の本を読んだことがあるのですが、その著者の最初の問いが、こういうものでした。つまり、一目見てから、この絵がキリストのことを描いているとわかるまで数秒、あるいは十数秒、時間がかかる、そんなふうにブリューゲルがキリストを描いたのはなぜだろう、というのです。

それは、ブリューゲルが、ふつうの、自分たちと地続きのできごととして、キリストの受難を見てほしい、と思ったからだと思います。この絵は一五六四年に描かれています。宗教改革の激動の時代です。それまでは、だいたい、キリストの受難というのは特別のできごとで、麗々しく描かれていました。でも、ブリューゲルが生きたのは、キリスト教が二つに割れてしまった時代で、ネーデルランドはスペインの植民地で、旧教の支配のもと、キリスト教の新教を信じる人たちが宗主国に抵抗するかたちで次々にギロチンで処刑されたり絞首刑にあっていました。ブリューゲルの友人も、多くが死んだり亡命したりしています。そういうとき、それまでのいかにも受難を描いた、といった宗教的な図柄では、見えないものがあると思って、当時三〇代後半のブリューゲルは、そうではない描き方をしようと思ったのでしょう。不思議な絵で、出てくるのは当時の服装をしたネーデルランドの人たち、取り締まりに馬に乗って現れる兵士は、スペインの傭兵の服を着て、みな同時代の様子をしています。

また、そこには、自分がキリストの受難を描くとは、どういうことだろう、という自分への問いもあったと思います。描くということは、自分に見えているものを、不特定の誰にも見えるようにするということです。しかし、自分の見ているものをそれだけ他人に示そうとすれば、そこだけを普通より濃く描くか、それ以外のものを消すか、するしかありません。そうではなく、自分に見えているままにそれを他人に指しだし、その絵を見ている人が、ああ、こんなことが起こっていると自分で、それに気づく、見出す、というように、それを描きたい、と画家が思うとき、それを実現するのは、なかなかに難しいことなのです。つまり、〝描く〟ということは、「強い」力を用いることであるため、もともとの〝見えている〟という「微力」な関係を、壊してしまう。その「微力」のあり方を「強力」によって示そうと思うと、大変な注意が必要になります。

娘のことを「証言」しようとした『チェルノブイリの祈り』のお父さんに聞こえた、「おい、お前は裏切っているんだぞ」という心のささやきも、この違いの意識から、やってきたでしょう。

ですから、もし絵でこの「微力」の伝わり方を活かそうとしたら、画家は、見る人がそれに気づくまでの時間を、辛抱強く、我慢して、待たなければならないのです。

アイリーン・スミスさんの判断

このことに関して、いま、思い出されるのは、先の上村智子さんを写したユージン・スミスの写真「入浴する智子と母」をめぐる、その後の話です。

ご存じの方も多いと思いますが、写真家ユージン・スミスが撮影した上村さんの母子入浴の名高い写真について、ユージン・スミスのパートナーで、写真集『水俣』の共著作者で、一緒に写真撮影にも参加し、現在の著作権者であるアイリーン・美緒子・スミスさんが、二〇〇〇年に、「この写真使用の決定権」を「被写体の家族である上村夫妻に委ねる」ことを決めたと発表し、写真の世界に反響を呼びました。

写真の著作権は、ふつう、写真家に属します。また、それを使用する権利は、一部、それを購入した美術館や、出版社に移ります。コピーであれば、その使用はもっと自由です。しかし、このことにより、この後、この写真の使用が、上村夫妻の意思を尊重して、自由にコピーしたり、パンフレットに使ったりできなくなったのです。

なぜ、こういう決定をしたのか。清里フォトアートミュージアムの館長で彼自身写真家である細江英公さんと学芸員の質問に対し、アイリーン・スミスさんは、こう述べています（「『入浴する智子と母』に関する写真使用をめぐって……／アイリーン・美緒子・スミス氏インタビュー」清里フォトアートミュージアム友の会・会報11号、二〇〇〇年、「アイリーン・アーカイブ」にも収録）。

被写体である上村智子さんのご家族から、「もう智子を休ませてあげたい」、今後印刷物への発表を差し控えてほしいとの意思表示があった。それで「どうしたら智子さんを大切にできるか、長い間ご家族と話し合」った。「その合意した結論が出版を控えるというもの」だった。

この写真は、一九七一年に写真家と家族とが話し合い、「大事な写真を撮る」のだと写す側と写される側の気持ちが一緒になって撮影されました。ユージン・スミス、アイリーンさん、智子さんとお母さん、お父さん、みんなで協力して撮影を行ったということです。智子さんは夫妻にとって「初めてのこども」で「生後二週間で痙攣し水俣病になってい」ました。この写真を撮ろうという全員の共通した思いは、そのとき、「一種のポリティカルな訴え」であり、「あの姿、あの思い、あの母子の関係、命に対してのステイトメント、それを世間に主張しようじゃないかという暗黙の了解」が、そこにはありました。しかし、とアイリーン・スミスさんは、そこで答えています。「そのときは、智子さんは生きていた」。

「やはり親としてみれば、彼女が生きていたときのあの写真の存在と、亡くなった後では」、写真の意味は違うと思う。智子さんは、裁判で判決が言い渡されて、自分の名前が呼ばれたとき、「ウォー」と「本当に初めて裁判所で声を出した」。いろんなことが「随分わかっていた」。亡くなったあと、その写真の意味が、残されたご両親にとって、変わったということを、自分は大事に受けとめたいと思った、アイリーンさんは、こう述べています。

一枚の写真の意味が、「生きていたときと、亡くなった後では」ずいぶんと違ってしまうというのは、胸をつかれる話です。その通りだと思います。遺族にいわれ、こういうことに気づき、同意することのできる写真家は、すぐれた創作者だと思います。

また、アイリーンさんは、こうもいっています。ご両親は、「公害撲滅」、「同じことが二度と起こらないように」という強い気持ちをもっておられて、けっして自分たちだけのことを考えて、こう申し出られたのではない。一緒に話し合って、数年間、いろいろと考えさせられた。たとえば、「智子さんのポスターが大量にばらまかれる、チラシが落ちれば人が踏む。智子さんは亡くなったのにどんどん世界に出続けている。親としては、早く休ませてあげたい、大分長い間そういう気持ちだったけれど、やはりすぐには言い出せなかったと思うのです」。

これを受けたアイリーン・スミスさんの結論は、こうでした。

一つはっきりしているのは、「両親の願いを押しのけてこの作品を出し続けることは、作品に対する冒瀆であり、否定でもある」ということ。「あの写真の言う命、愛情を大切にということを裏切ること」になる。二つは、では発表をやめることで、たとえば小学生がこの写真を知る機会を失う点はどうするか。この点について、彼女は、今回の決定は、この写真を「地上から消す事ではない」といいます。

「美術館のオリジナルプリントや、写真集、教科書などは既にあり」、今後も限定された形でではあれ、この写真が「見られる」という行為は存在していくだろう。そのため、この「限定」は、この写真を「見る」という機会を今後確実に減らしていく。しかし、と同時に、この写真を「見る」という行為を、たとえ教科書のなかに何気なく見るとしても、だいぶ変えることになるだろう、と。

それは、こういうことだと思います。いつも気楽に見られるというのではない、いつかは見られなくなるものが、いま、自分に見えている、ということから、それは一回、一回、見る人に、自分がいま、この写真を見ているという経験を、これまでとは違ったふうに考えさせ、また新たな意味をもつものに、変えていくだろう。

この写真をアイリーン・スミスさんとともに撮影したユージン・スミスは、もう亡くなっていて、いないのですが、写真の使命について、こう書いています。

「ジャーナリズムにおける私の責任はふたつある。第一の責任は私の写す人たちにたいするもの。第二の責任は読者に対するもの」

この二つの使命に沿って言えば、私は、二〇〇〇年のできごとは、見ることのうちに、「揺動」、ゆらめきですね、それと「動揺」、私たちのなかの逡巡、ためらい、疑い、ですね、「揺動」と「動揺」のその双方を、生まれさせることで、二つの責任の感覚をもう一度私たちのうちに、見るものと見せるものの双方に、蘇らせる働きをもったのだと思います。

言葉を語ることにおいても、事情は同じでしょう。第一の責任は、語られる存在との関係からきて、第二の責任は、語るものを受けとる相手との関係から生まれます。ここにあるのは、あの「微力」、弱い力と、「強力」、強い力の関係で、この二つは、互いにささえあうことで、運動を、また、関心を、生き生きしたものに保つのだと思います。

石牟礼道子さんの『苦海浄土』

『阿賀に生きる』の印象の出所を、さきほどは、ブリューゲルの絵でお話ししましたが、こう述べてくると、同じことが、石牟礼道子さんの『苦海浄土』についてもいえることに気づきます。というか、そのようなあり方の原点が、石牟礼さんのこの「事件」、できごととの関わり方のなかにあることに気づかされます。というのも、『苦海浄土』の第一章「椿の海」の冒頭の話をなす「山中久平少年」の記述も、それと同じく、旧版文庫本でいうなら、七頁目にやっとその「少年」の名前が語られるまで、ゆっくり、不知火の海辺の村落の海の底から湧く「泉」、そのかたわらに動く「赤い可憐なカニ」、また井戸のゴリの描写などに向かって、時間を使って、進むからです。石を置く土間のくぼみ、その石の丸み、ゴトリという音、などが時間をかけて語られ、それからようやくして水俣病のことが、山中少年と市役所の担当者のやりとりを介して、語られています。

カギは、たぶん、この、時間です。先日、ある新聞に『チェルノブイリの祈り』のアレクシエーヴィチさんへのインタビューが出ていましたが、そこに、彼女が、自分は自分の本に出てきている人びとにインタビューをしたわけではないのだ、と述べていました。これは、石牟礼さんの『苦海浄土』の解説で、渡辺京二さんが、石牟礼さんは、聞き書きをしたわけではない、あねさんとして、彼らと一緒のときを過ごし続けたのだ、といっているのと同じです。『阿賀に生きる』の佐藤さんも、あのドキュメンタリーの映画を作るに際して、二年間、阿賀にスタッフと住むことからはじめています。そこに描かれているのは、直接の言葉のやりとりではなく、ともに過ごした時間の記憶なのだろう、と思います。

なぜ五年前にはお断りした私が、今回、ここでお話しさせていただいているのか、というと、そこにも、時間が働いているでしょう。前回、お断りした後、だいぶしてからですが、ゆっくりと後悔の念が生じたのです。先には、自分のなかの「微力」の水俣病とのつながりを大切にしたい。「ことば」をもつものとして関わることが、社会的には意味があるにしても、その大切な自分のなかの「微力」でのつながりを壊すように感じられました。それで、お断りしたのですが、いや、「微力」を壊さない「強力」な関係を作り出す、ことが、同時に大切なのだ、そう思うようにしよう、と考えが変わったのです。

「強力」な関係を結ぶのだとしても、そこで、「微力」の大切さを訴えることができる、といまは考えています。そうすれば、「強力」(ことば)と「微力」(ことばがないこと)は、対立することがあるにしても、その対立が、双方を強くする、と。「微力」のつながりを大切にすることが「強力」をもっと、本当の意味で、強くできるのだ、そのように「強い」つながりのことも考えようと、いまは思っています。

私にとって「水俣病」とは何か。それは、患者の方々の苦しみを通じて、ながいあいだ、私を力づけてくれるものでした。それはいまも、続いています。ですから、この場を借りてこのことを感謝申し上げなければなりません。しかし、同時に、「水俣病」は、こんなふうに、何かとても「小さなこと」をめぐって、もう一人の私を動揺させ、惑わせ、考えさせてやまない磁場でもあり続けています。そのような試練の場としてあったし、いまもあることに対しても、「ことば」を生業としているものとして、お礼を申しあげなければなりません。

ありがとうございました。

Ⅳ

「破れ目」のなかで

矛盾と明るさ——文学、このわけのわからないもの

二〇一六年一〇月二二日
梅光学院大学にて

はじめに

今日は、「佐藤泰正先生特別講座」にお呼びいただきありがとうございます。「文学の力とは何か」ということについて、「矛盾と明るさ」、また「文学のわけのわからなさ」ということを手がかりに、お話ししようと思います。

この主題は、じつは、佐藤先生から昨年お電話があった際に提案をいただきました。その二ヶ月ほどあとに、今度はその佐藤先生のご逝去の報を受けとることとなりました。佐藤先生の前でお話しさせていただけないことが残念です。

佐藤泰正先生を、ほんとうは佐藤先生と呼ぶべきなのですが、この場で、そうお呼びすると、そこに何か世間的なものが入り込む気がします。それで、ここは文学について

語る場なので、このあと、佐藤さんと呼ばせていただきます。ご容赦ください。

ここでは、佐藤さんも関心深く、何度も言及されたドストエフスキーを一つの手がかりに、少し変わった切り口から、文学について話してみようと思います。

文学とは何か――お猿の電車について

なぜ子どもたちはお猿の電車が好きなのか

まず、文学とは何か。今年(二〇一六年)の五月、台湾の東呉大学というところで、二〇名ほどの学生さんを前に、このような話をしました。皆さんが学ぼうとしている文学とは何なのだろうか。たとえば、小説と論文、エッセイはどこが違うのだろうか、と。

私は、小説は、お猿の電車であり、論文、エッセイは、普通の車掌さんの運転する電車だと思っています。そして、なぜ、子どもたちは、普通の電車も好きだけれども、特に――いまはもうあまりないはずですが――、遊園地などにあったお猿さんの電車が、好きなのだろう、と考えるのです。

簡単にいうと、お猿の電車では、運転手と乗客の関係が、普通の場合とは逆転しています。普通は、電車について乗客よりも詳しい専門の車掌さんが、運転台に立つのですが、お猿の電車では、危なっかしいお猿さんが、そこに立つ。どこにいくかわからない。

あてにならない。たよりにならない。でも、そういうものに先導されるということは、ふだんの生活では、あまりありません。とくに、子どもはいつも、大人に先導され、指示され、教育される存在です。ああ、そういうことってもうあきあき、という気分があります。

ですから、お猿さんの電車、などというものが現れると、社会との関係が逆転する、とたんに小さな子どもたちはわくわくするのです。

小説を読むときの面白さも、これと似ているのではないでしょうか。書き手が危なっかしいので読むことも危なっかしい経験になる。

そこには、すぐに考えても、いくつか、論文とは違う性質のあることがわかります。

小説の秩序

たとえば、そこには間違い、というものがありません。小説を領しているのは、何が正しくて、何が間違い、という秩序ではないのです。昔、中学校の教科書でだったと思いますが、宮沢賢治の「オツベルと象」を読み、面白く思いました。白い無垢な心の象をどこまでも酷使したオツベルが最後、白象を助けに来た森の象たちにやられる話です。でも、そのあと、ある受験参考書で、トルストイの編んだ民話集のなかの「象」という話を読んで、なるほどと思うことがありました。そこでは、悪い飼い主が象に踏み殺されるというまでは同じです。でも、象が振りかえると、そこにその飼い主の奥さんと幼い子供達が立っていて、奥さんが象に、「象、父を殺したのだから、この子達も殺しておしまい」というのです。象は、子供たちをじっと見て、上の子を鼻で背中に乗せると、その後、その子のために働いた、となっています。あ、この話のほうが深い、と私は感じたのです。「オツベルと象」はむろん間違っているわけではありません。でも、トルストイの「象」のほうが、深い。つまり、間違い、正しいということを介在させないまま、どこまでも、深くなりうる。叡智というものに、底はない、というのが、文学を領する秩序なのです。

間違うことをめぐる二つの話

あるいは、一歩をすすめて、こうもいえます。文学では、間違う、ということが、大きな力をもって、そのまま受けとめられるのだと。

たとえば、芥川龍之介が一九一九年に書いた「蜜柑」という短編、魯迅が一九二〇年に書いた「小さな出来事」という小品には、ともに、自分が間違った、恥ずかしいことをした、という話が書かれています。これも、論文、エッセイでは、なかなか、書けません。論文では、間違ったことは、それをもとに、正しいことがどういうことか、という文脈のもとに回収されてしまいますし、エッセイでも、間違った、ということを書く書き手は、いわばそれを反省して書いているので、安全圏にいます。いまは間違っていない自分が、かつて間違ったときのことを書くのです。しかし、小説では、間違った、自分は愚かだった、恥ずかしい、ということが、そのまま、書かれえます。

芥川の「蜜柑」では、インテリの自分が、疲れた体を列車の二等車に預けていると、そこに田舎者まるだしの娘がやってきて、トンネルまぢか、窓まであける。二等車と三等車の区別もわきまえないのか、とこの小娘の挙動に内心腹を立てていた「私」が黒煙の車中への侵入に、さらにむっとしていると、トンネルをすぎ、意外なことが起こります。娘が、フロシキから蜜柑を何個も取り出したかと思うと、窓から身を乗り出し、目も鮮やかにそれを、踏みきりに向かって投げる、そこではこの小娘の弟たちらしい田舎の子らが大きく手を振っている……。娘はいま「奉公」に出ようとしている。それを見送りにきた弟たちの労に、こうして報いているのですが、たちまちにしてそのことをさとり、「私」は、このところの倦怠と疲労を忘れ、いくぶんかの恥ずかしさとともに、久方ぶりに清涼の気分を味わうのです。

他方、魯迅の「小さな出来事」では、「私」が北京で、用事があり、急いで人力車を走らせていると突然往来に老婆がよろめき出てきて転びます。「私」から見て怪我をしたとも思えない。わざわざ自分の方から事件をこしらえたか。「私」は構わず、やってくれ、と車夫にいうのですが、車夫は私のいうことを無視して老婆を助け起こし、怪我はないかと尋ねる気配。そして、そのまま道路を横切り向こうに行きます。その先には派出所がある。すると、私は「一瞬、一種異様な感じに襲われた」。車夫の後ろ姿が急に大きくなる。そして自分の「卑小」さがみるみる思い知らされてくる。やがて、巡査が、車夫は引けなくなったので、車を変えてくれ、といいに来ます。すると咄嗟に私はこれを車夫に、とひとつかみの銅貨を巡査に託すのです。そして歩きながら考えます。このわが振る舞いは、何か。銅貨は車夫への褒美のつもりか。「私は自分に答えられなかった」。こう書いて、この話は、この六年、いろんなことが政治のうえであったが、すべて記憶から消えた。ただこの小さな出来事だけがいまも「私の眼底を去りやらず、私を恥させ、私を奮い立たせ、さらにまた、私の勇気と希望を増してくれるのである」と、しめくくられます。

こういう小品を読むと、これが文学というものだ、という気がします。ああ、俺はこんなにも卑小で、こんなにも間違った。そのことが、自分を「恥させ、奮い立たせ」、また自分に「勇気と希望を増してくれる」。そんなことが、論文に書けるか、また、エッセイに書けるだろうか。こういうものが小説なのだと、そう理解して下さい、とそこでは話しました。

文学の力とは何か――ホッブズ、ルソーからドストエフスキーへ

さて、ここではこのような前置きをおいて、文学が一般的なモラル、哲学、つまり論考の書かれ方をどのように踏み破って新しいモラルの地平を作り出すのか、という話をしてみようと思います。

具体的には、ドストエフスキーがなぜ、『地下室の手記』によって、新しい小説家として生まれ変わるのか、そこに起こっているのはどういうことか、ということの一側面をお話しすることになります。

それを、哲学から文学へ、という進み行きのなかで見ていきます。

ドストエフスキーと新しい小説家

ドストエフスキーは、一八二一年の生まれです。一八四六年、二五歳のときに『貧しき人々』を書いて華々しく文壇にデビューしますが、その後、「二重人格」とか、どうも癖のある短編を書いたり、もともと人と如才なくつきあうことができない狷介（けんかい）な人柄なども災いして、没落し、四九年、二八歳のときに、最左翼グループの一つといってよい社会主義者ペトラシェフスキーを中心とするグループの策動に参加します。そして、国家転覆の企てに加わったという罪科で逮捕され、死刑を宣告され、死刑執行の直前に

皇帝の恩赦が下されるという政府側が仕組んだ茶番劇のもとで魂を震撼させられるような経験をへると、五〇年から五四年まで、四年間、シベリアでの流刑生活を送っています。

しかし、その後、彼が、いま私たちの知るドストエフスキーへと「離陸」するのは、一見すると、これまでの経験とは何の関わりもなさそうな、奇妙な小説によってです。それが、それからさらに一二年後、一八六四年、彼四三歳のときに書かれた『地下生活者の手記』ないし、『地下室の手記』と題された、奇妙な中年のもと下級官僚の語り手が自分の失敗談についてだらだらと語るという、一般的に、じつに読みにくいとされる小説なのです。

読みにくいというのは、とにかくくどい。だらだらと、くどくどと、愚痴のような話がそこに延々と続くからです。

それでもこの作品の価値を否定する人はどこにもいないでしょう。この作品を機に、ドストエフスキーは、小説家としてガラリと変わり、その後、『罪と罰』(一八六六年)、『白痴』(一八六八年)、『悪霊』(一八七一年)、『未成年』(一八七五年)、『カラマーゾフの兄弟』(一八八〇年)と世の中を変えるような傑作群をえんえんと書き続けることになるからです。

ここに働いているものは何か。そこにも、「文学の力とは何か」という佐藤さんの遺された問いに応えるものが、顔を見せています。

それを、先の話を受けて、いわば、論文から小説へ、という「離陸」のドラマとして、ここでは語ってみたいのです。

ホッブズ問題

まず、論文の話から。

近代の政治哲学には「ホッブズ問題」といわれているものがあります。トマス・ホッブズ(一五八八～一六七九年)は一七世紀の人で、一六五一年に『リヴァイアサン』を書きました。彼は、人間を動かすものは、欲望と恐怖、つまり自己保存の欲求だけだ、というところまでいったん人間の条件を降り着かせ、「万人の万人に対する闘争」のなかから、どのように「人びとの安心と正義」が再構築できるか、そこにはどのような考え方が必要か、ということについて、考えました。乱暴に整理すると、人を動かすこの最低限の材料、いわば「私利私欲」(と「恐怖」)というものから、どのような最高度の達成、世の中の「公共的」な制度というものが作り出されるか。要約すれば、どうすれば、「私利私欲」のうえに「公共性」を作り上げることができるかと、考えたのです。これが「ホッブズ問題」です。

ロック、ディドロ、ルソー

しかし、ホッブズもこの問いに答えることはできませんでした。これに続くジョン・ロック(一六三二〜一七〇四年)になると、いや、何も「私利私欲」を「公共性」と対立的に捉えることはないだろう、となります。ロックは、所有権を自然に神から与えられたものとみなし、個人が所有してよい限度は、自らの労働によって獲得された物が腐らないで役に立つ程度であるという中庸の考えを示します(『市民政府二論』)。両者は、共存できる。それを調節すればよいという立場です。それで、この問題はいったん後景に退く。そしてそれがフランスの百科全書派のドニ・ディドロ(一七一三〜一七八四年)によってもう一度、取り上げられるのですが、そこでは、だいぶ穏健な自然権の考え方のもとに、答えを得ます。

ディドロは、一八世紀なかば、ホッブズの利己的人間にも「最低の理性」はあるのではないか、と考え、それに従えば、「自己保存の欲求」に立って、最後、「公共的」な政体を作ることは可能だという考えを、百科全書の「自然権」という項目に記します。

しかし、そんなのはウソだ、とこれに反旗をひるがえすのが、近代の社会哲学を一新させたジャン゠ジャック・ルソー(一七一二〜一七七八年)です。ルソーは、学校を出ていません。まったくの独学者です。一七五〇年にディジョン市の懸賞論文に応募し、受賞したことから、その論文(『学問芸術論』)で社会を驚かせ、以後、社会哲学者となり、その後、めざましい著述活動により、発禁、告発、国外追放などの弾圧にあい、独立独歩の人柄のため、同時代の知識人界のなかでの嫌われ者になります。そして、孤立すると、『新エロイーズ』、ついで『告白』といった文学をものし、最後には『孤独な散歩者の夢想』を書く。ロマン主義という近代小説の新たな地平に道を開くのも、「私」について、はじめて書くのも、ルソーです。ハンナ・アーレントは、ルソーは、ジャン＝ジャックと、ファーストネームで呼ばれる珍しい哲学者だと書いて、このルソーの一面を鮮やかに取りだしていますが、ルソーはいわばこの時代の哲学世界のトリックスターともいうべき文人・哲学者、いわば論文と文学を橋渡しするような位置に立つ哲学者でした。

そのルソーが、このディドロの説を「道学者」先生の説にすぎない、と述べて、私の内なる「独立人」なら、そんな生ぬるい説には納得しないゾ、さあ、私の内なる「独立人」にも、なるほど「公共的な社会」は必要だと、納得させるような説を出して見せろ、出せないのなら、私が出す、と新しい考えを打ち出そうとするのです。

それが、一七五八年から草稿が書かれ、最終的に一七六二年に公刊される『社会契約論』なのですが、この「独立人」という独特な表現を「文学者」と呼び変えると、ここでの彼の「橋渡し」の意味がはっきりとします。

ルソー『社会契約論』——「草稿」からの後退

『社会契約論』は大きくいうと、二段階からなっています。まず、草稿が書かれますが(「ジュネーヴ草稿」)、そこでルソーは問題にぶつかり、解けない。それで、その挫折を隠すため、課題自体を取り下げてしまいます。いわば、越えるバーを低く設定し直し、何とか越えたことにするのです。

その当初の高いバーが、あの「ホッブズ問題」でした。ルソーは、そんな生ぬるいのじゃダメだぞ、とばかりディドロを批判します。その思い切った挑戦を敢行したものが草稿で、この草稿は内容が特に前半部分で『社会契約論』と違っているので、「ジュネーヴ草稿」と呼ばれています。その最初のほうで、「私利私欲」の徒であるルソーの「独立人」と呼ばれる登場人物が、ディドロに反論します。あなたは、人間は「公平」であれ、という。たしかに、あなたがいうように、誰もが「公平」だとわかっているなら、自分もそうしよう。でも、誰がそんなことを保証してくれるのかね。わからないではないか。だったら「正直者は馬鹿を見る」のタトエ通り、自分だけが損をする。私は、そんなのはいやだ、もし保証できないのなら、そんな公平心を私に期待するのはやめてくれ、そう、ルソーの「独立人」はディドロに反論するのです。彼はいいます。

私としては、自分が抑制することで、どうして暴力から免れる保証が得られるのかが、まったくわからないわけだから、なおさら、あなたの言うとおりの状態を喜んで受け入れる。そのうえ、強者を自分の味方にして、弱者からの横領品を強者と分かち合うことが、私の仕事となるだろう。このほうが、私の利益にとっても、また安全にとっても、正義よりは役に立つだろう。(ルソー「社会契約論」〔ジュネーヴ草稿〕、『ルソー全集』第五巻、二七六頁)

強者の仲間になって弱者から物を奪い、それを分配しあうというのが自分の仕事になるだろう、自分はそういう道に進むゾ、というのです。

当初のルソーの目的は、こういう私利私欲の徒をすら、なるほど、もしそうなら、自分は「公共的」な方向に舵を取り直す、というような強い理論が作られなければならない、そして私はそういう理論を作る、というものでした。彼はいわば、ここで「ホッブズ問題」を最終的に解決できなければ、社会的な問題は解けないが、自分がそうする、と啖呵を切っているのです。

しかし、ルソーは、その「強い理論」を作れません。それに道筋をつけるのはこの後、カントを経て、「主人と奴隷の弁証法」によって主奴のあり方の逆転というダイナミックな関係をこの「欲望」と「目標」のあいだにもちこみ、この両者を「市民社会」と「国家」へと振りわけるヘーゲルだといってよいでしょう。しかし、それもやはり、「私利私欲」と「公共性」という正命題と反命題の止揚としての「国家」の一員となることで、人は「独立人」からいわば「公共人」へ止揚される、というものですから、当初の「公共性」と同じものかというなら、問題が残る。カントがヘーゲルのこの「公人性」を「公共的」なものと認めるとは思われません。さらにその先、現代にまで、この問題が先送りされているゆえんですが、その問題は、ひとまず措いて、ここでこの先見ていきたいのは、それが、文学のほうに受けとめられて、どういう展開を遂げるか、また、どんな答えを与えられるか、ということです(このあたりのお話は、私の『戦後的思考』という本の「ルソーからドストエフスキーへ」の章がより丁寧に扱っています)。

さて、ルソーはその後どうするかというと、考えたあげく、『社会契約論』からはこの草稿の最初の基礎部分を除いてしまいます。結局この問題を解くことができなかった。それでこの「問い」を消してしまうのです。『社会契約論』は、草稿のこの基礎部分を削除して、公刊されます。

ルソーが解けなかった問題がもう一つあります。それは、国は、賛同者が集まって社会契約をして社会を作る。だが、もし、次に子どもの世代が出てきて、そんなオヤジ達のした「契約」なんて俺たちの知ったことか、といったらどうするか、という問題。社会契約の世代間継続の問題です。

彼は、この二つの問題を解けません。第一の問題については、「独立人」の登場を外し、代わりに、外からやってくる「立法者」という一種の天才が、この社会契約の第一歩を作り出す、というアイディアを置くことで、何によって万人の万人に対する戦いのなかから「社会契約」という「公共的」な企てが起こってくるか、という、この社会契約第一歩の問題に解決を与えています。いわば地べたに立つ「独立人」の代わりに超人的な例外者である「立法者」が呼び出されるのです。

また、第二の問題については、「社会契約」の世代間継承の課題をクリアするために、市民宗教という国家宗教を導入しようとします。国家神道のようなものを作り、後継世代にイデオロギー教育をほどこす、というのです。

このうち、「立法者」の章は、『社会契約論』全四編のうち、第二編第七章に「立法者について」として出てきます。また、「市民宗教」の章は、第四編の最後、「結論」の前に、ぽつんととってつけたように「市民の宗教について」として出てきます。

しかし、これは、この二つの課題をルソーが解けなかったことの表れと見るべきでしょう。そして、その「破れ目」から、次の動きが起こってきます。つまり、ルソーの社会契約説の通俗化、そして、受けとられ方の変質が、そうです。ルソーは、この『社会契約論』によって全体主義的な社会哲学を導いた張本人というように一部で批判されます。むろん、それは通俗的読解による誤読というべきなのですが、そういう誤読がなぜ起こってくるかといえば、その理由はルソー自身のなかにもあるのです。

ここで余談を加えると、『社会契約論』のこの二つの「破れ目」に反応しているのが百年後のドストエフスキーで、彼は、一八六四年、この消えた「独立人」をより徹底した相貌のもとに地べたから地下にまで住むレベルを下げて「地下生活者」を造型し(『地下生活者の手記』)、次には一八六六年、新たに連れてこられた「立法者」をもとにラスコーリニコフの天才の論理を作りだすのですが(『罪と罰』)、ほぼ同じ時期、この『社会契約論』の「破れ目」に反応した知識人が、もう一人います。

すなわち、ほぼこれと同時期の一八七一年に、もう一つの後進国、日本の中江兆民は、明治政府の司法留学生としてフランスに留学し、ルソーの『社会契約論』と出会っていますが、彼は七四年に帰国すると、「民約論」(一八七四年)、「民約訳解」(漢語訳、一八八二年)とこれを二度まで訳出しながらも、その際、いずれも、それを「第二部第六章」までで訳しとめてしまうのです。なぜでしょう。

「第七章」の立法者の章には、どう書いてあるか。ちょっと引いてみると、こうあります。冒頭、

もろもろの国民に適する、社会についての最上の規則を見つけるためには、すぐれた知性が必要である。(『社会契約論』六一頁)

この「すぐれた知性」が「立法者」です。ではこの「立法者」とはどんな存在なのか。

一つの人民に制度を与えようとあえてくわだてるほどの人は、いわば人間性をかえる力があり、それ自体で一つの完全で、孤立した全体であるところの各個人を、より大きな全体の部分にかえ、その個人がいわばその生命と存在とをそこから受けとることができるようにすることができ(中略)る、という確信をもつ人であるべきだ。(中略)

立法者は、あらゆる点で、国家において異常の人である。彼は、その天才によって異常でなければならないが、その職務によってもやはりそうなのである。(中略)

リクルゴスは、その祖国に法をあたえたとき、まず王位をすてた。(同前、六三頁)

「立法者」とは法の外に立つ人です。そうでなければ「法」を自ら作ることはできない。明治期の日本でいうなら、天皇が「法」の外に立って、この「法」を「臣民」に与える、という構図がすぐに浮かんできます。ですから、中江兆民は、ここまでを訳してしまうと、この『社会契約論』が伊藤博文の「欽定憲法」説に逆利用されてしまいかねないと思い、その手前で訳しとめた、と考えられるのです。

これは私の説ではなく、私の友人である野口良平という人の近刊『幕末的思考』(二〇一七年)という本に出てくる指摘です。

しかし、「立法者」の章は、ほんらいの『社会契約論』の構えからは逸脱を含むのではないか、ということを一八六〇年前後のドストエフスキー、一八七〇年代後半の中江兆民が、ともに感じとっているわけで、そう考えれば、この「離陸」のドラマは、私たちにとってもだいぶ身近なものであったことがわかるのです。

では、この先、「私利私欲」から「公共性」へ、というホッブズ問題は、どうなるのか。ルソーの「独立人」は、別名を「文学者」と呼んでもよかっただろうと、先にいいましたが、この興味深い発話者は『社会契約論』では姿を消します。そして、人びとの一番の「底部」から「公共性」が立ち上げられる代わりに、「立法者」という異常者、天才が現れ、いわば「上から目線」で新しい「公共性」を打ち立てる、という構図が新たに作られます。しかし、その姿を消した「独立人」が、今度は一〇〇年後、文学者によって引き取られる。そして、このルソーの問題回避に対する反逆が企てられる。それが、いわば「論文」から「文学」への〝離陸〟をなすのですが、そこに「文学の力とは何か」という問いが改めて、浮かびあがってくるのです。

『社会契約論』から「水晶宮」の思想へ

右にいうルソーの『社会契約論』の通俗化とは、こういうことです。

ルソーの問題回避は、以後、社会変革を「理性」主導のものに変えます。ルソーの優等生を自任したジャコバン党の領袖ロベスピエールは一七五八年の生まれで、これは「ジュネーヴ草稿」が書かれた年でもあるのですが、革命成就後、恐怖政治を推進する一方、一七八九年のフランス革命を継続させようと、ルソーの「市民宗教」の考えに則った革命祭式を考案します。そして、一七九三年に行われるその革命の祭典は、「理性の祭典」と呼ばれます。また、一方、その後、ナポレオンが現れると(皇帝就任、一八〇四年)、それはルソーの「立法者」の体現者として受けとられるようになります。今の私たちからすると、ナポレオンという皇帝の出現は、フランス革命の否定にほかならないと見えるのですが、それがすんなり受けとめられることの軌道もまた、ルソーの問題回避が準備したことであって、日本から来た兆民には、自分の国の抱える問題に照らしてそのことがよく見えていたのだろうと思われるのです。

さらに、ナポレオンのエジプト遠征に随行したあと、その空想社会主義を展開するシャルル・フーリエ(一七七二〜一八三七年)の提唱する理想社会建設の象徴(ファランステール)と呼ばれる都市構想。『四運動の理論』一八〇八年)は、その後、一八五一年のロンドンでの第一回万国博で展示される水晶宮(クリスタル・パレス)と合体し、その名で、理性主体の新しい理想社会建設のイメージとして流布するようになります。ルソーの『社会契約論』は、その問題回避、「ねじれ」を通じて、以後、ロベスピエール、ナポレオン、フーリエを経由し「水晶宮」のような透明な理性信仰的な未来社会建設のイメージへとつながっていくのです。

『何をなすべきか』――「水晶宮」の思想のロシア的展開

さて一八六三年、ロシアで獄中にある社会主義者チェルヌイシェフスキー(一八二八～一八八九年)が『何をなすべきか』という小説を書いて、これが公刊されると、若者に爆発的に受け入れられる、ということが起こります。この小説では、理想的な社会主義建設が、前向きな主人公たちによって語られる。ところでここに「地下室」と「水晶宮」が対比的に出てきます。ヒロインのヴェーラは、両親の強いる上役の息子との結婚から逃れ、自分たちで仕事を作りだし、正義漢の医学生ロプーホフと結婚します。けれども、やがてロプーホフの友人キルサーノフを愛するようになる。そこでロプーホフは自殺を装い、姿を消し、ヴェーラは絶望します。でもその後、革命家のラフメートフに励まされ、気を取り直し、キルサーノフと再出発する。やがて、アメリカに渡り、彼自身、別の女性と結婚したロプーホフが帰国すると、彼らはまた手を取り合い、五人で新しい未来に向かって生きていこうとするのです。『何をなすべきか』は、こんな話ですが、ヴエーラは作中、中産階級の堕落した「地下室」の境遇から救い出され、「水晶宮」のような未来をめざす、と語られています。

ところで、このチェルヌイシェフスキーは、ペトラシェフスキー事件以来、ドストエフスキーの歳下の知り合いの一人でもありました。この小説では、結婚したヒロインが別の男性を好きになり、エゴイズムと利他心が衝突する、しかし最後、そこに調和が生まれるという物語が語られます。そんな「合理的なエゴイズム」は生ぬるい。ドストエフスキーは、ちょうどルソーがディドロに反発したように、この「微温的な」チェルヌイシェフスキーに反発し、これを打破しようと、「地下室」からの反撃を企てます。そしてそれが、彼を〝離陸〟させる『地下室の手記』(一八六四年)となるのです。

ドストエフスキーはこのとき、シベリア流刑経験をへて、大きく新しい場所に抜け出ようとしています。シベリア流刑の最後近く、知人の婦人に書いた「たとえイエスが真理ではないと証明されても、自分は真理ではなく、イエスの側に身をおいていたい」という言葉は、このときの、彼の踏み出そうとしていた一歩をよく示しているでしょう。

これは、別に言えば、せっかく問題を取り出しながら、けっきょく挫折し、あの「ホッブズ問題」から逃げてしまったルソーに代わり、いまや「水晶宮」の代名詞にもなってしまった俗流ルソーの理想主義に、今度は小説家のドストエフスキーが三度目の挑戦を試みた、ということでした。

最初に、ホッブズが提起し、それを十分に命題化できていなかったものを(一六五一年)、次にルソーが「ホッブズ問題」として『社会契約論』の草稿段階で鮮やかに取り出し、しかし、うまく答えを得られず、「立法者」に介入要請をして、問題回避してしまった(一七六二年)。その二〇〇年越しの社会哲学の問題を、今度は小説家のドストエフスキーがその社会主義経験とシベリア流刑の経験をもとに、「文学」の問題として再度、挑戦しようとしている(一八六四年)。こういう系譜を取りだすことができます。では、彼はこれをどのように展開し、そしてそれに答えを与えたか。

私は、この問いに対する答えが、『地下室の手記』によって開かれたドストエフスキーの後期の作品群だったろうと思うのです。

文学、このわけのわからないもの
——『何をなすべきか』vs『地下室の手記』

『地下室の手記』でドストエフスキーは、はっきりとチェルヌイシェフスキーの『何をなすべきか』に照準を絞り、批判のつもりで、この作品を書いています。第一部の表題となっている「地下室」というのが、そうですし、そこでの攻撃の的が「水晶宮」の名で語られるというのもそうです。

主人公は現在四〇歳の元下級官吏「ぼく」です。二部仕立てになっていますが、第一部「地下室」は、こうはじまります。

ぼくは病んだ人間だ……ぼくは意地の悪い人間だ。およそ人好きのしない人間だ。ぼくの考えでは、これは肝臓が悪いのだと思う。(『地下室の手記』六頁)

そこで、彼はいまの世に迎えられている「合理的なエゴイズム」という考え方を徹底的に批判します。こんな具合です。

諸君は、永遠に崩れ去ることのない水晶宮を信じておられる。つまり、内証でぺろりと舌を出されたり、こっそりと赤んべえをされたりするはずのない建物の存在を信じておられる。ところがだ、ひょっとするとぼくは、この建物が水晶でできていて、永遠に崩れ去ることがなく、内証で舌も出せないような代物であるからこそ、それを恐れているのかもしれない。(同前、五五頁)

そして、彼は自分を「地下人」とみなし、こう言います。自分の心の底を割ってそのどん底まで降りるということがどういうことかを、世の君らは知らない。だから、ぼくがそれを示してやろう。世の誰もが「最も好んで話題にできること」は「自分のこと」だ、しかし、誰にも、「他の人間には打ち明けられないような、自分にしかこっそりとしか打ち明けられないような、いや、自分にさえ打ち明けるのがためらわれるような」秘密がある。ぼくは、それを君らの前にぶちまけてやろう、と。そして、そこでは、「恣欲」の名で、こんなふうに、「私利私欲」がいかに自分の足場をなしているかが語られます。

　しかし、こんなことはすべてきれいごとの空想にすぎない。ああ、教えてくれ、だれが最初にあんなことを言いだしたのだ？　人間が汚らわしい行為をするのは、ただただ自分の真の利益を知らないからだなどと(中略)。もし人間を啓蒙して、正しい真の利益に目を開いてやれば、汚らわしい行為など即座にやめて、善良で高潔な存在になるにちがいない(中略)だと？　ああ、子供だましはよしてくれ！　無邪気な赤ん坊もいいところだ！(同前、三二〜三三頁)

また、

だいたいが例の賢者どもは、人間に必要なのは何やら正常で、しかも道徳的な恣欲であるなどという結論を、どこから引張りだしてきたのだろう？（中略）どうしてそんな想像しかできないのだ？　人間に必要なのは（中略）ただひとつ、自分独自の恣欲である。たとえこの独自性がいかに高価につこうと、どんな結果をもたらそうと知ったことではない。だいたいが恣欲なんて、そんなわけのわからない代物なのだ……（同前、四〇～四一頁、傍点原文）

しかし、諸君、恣欲というやつは、きわめてしばしば、というより、たいていの場合、まったくかたくなに理性とくいちがうものだ。そして……そして……実をいうと、そこがまた有益であり、ときには讃むべきことでさえあるのだ。（同前、四六頁）

見られるように、ここで「私利私欲」は「恣欲」の名の下に語られ、いわれているのはルソーのディドロ批判と同じです。しかし、遥かに徹底しています。ルソーの「独立人」の批判が地べた、一階の床からの二階への批判だとすると――そしてルソーの『告白』がこの一階でなされる「独立人」の告白だとすると――、ドストエフスキーの批判は、それこそ「地下室」からの批判というだけでなく、「地下室」からなされる、後にいわれるように「他の人間には打ち明けられない」のみならず一階に住む「自分」にすら「打ち明けるのがためらわれる」告白をも含む批判なのです。彼は、エゴイズムに立とうと、理性的に、公共的な社会建設に向かうことは可能だという考え方を「浅瀬を渡る」エゴイズムとして否定し、エゴイズム、というのはそんな甘っちょろいものじゃない、といいます。そして、次の第二部「ぼた雪にちなんで」までを読むと、作者ドストエフスキーが、人間は、「エゴイズム」、つまりあの「私利私欲」の底の底まで降りていかなければ、本当の「公的なもの」には出会えないのだ、とホッブズ、ルソーを超えた新しい「文学」の見方で、ここに彼らにとっての「公共性」を自分なりの「公的なもの」によって示そうとしていることが、わかってきます。

第一部で、主人公「ぼく」は自分を「地下人」とみなし、こういいます。自分の心の底を割ってそのどん底まで降りるということがどういうことかを、世の君らは知らない。だから、ぼくがそれを示してやろう。世の誰もが「最も好んで話題にできること」は「自分のこと」だ、しかし、誰にも、「他の人間には打ち明けられないような、自分にしかこっそりとしか打ち明けられないような、いや、自分にさえ打ち明けるのがためらわれるような」秘密がある。ぼくは、それを君らの前にぶちまけてやるのだ、と。

そして第二部になると、その「自分にすら打ち明けられない」恥ずかしい話が、語られます。

『地下室の手記』

それはこういう話です。一五年前の話、仲間と娼館にいった。自分は仲間の嫌われ者だったが、どうにも人恋しくなり、俗っぽい男の送別会に出たのだ。その流れで、娼館に行き、自分は最後の売れ残りの一人を指名し、うさばらしにその女と寝た。そこで、ひょんなことから、女と話をすることになり、気持ちがむしゃくしゃしていたので、娼婦というものがいかに人の道をはずれた存在で、最後、どんな惨めな運命をたどるかを彼女に力説してやった。気がつくと彼女の心はこなごなになっていた。彼女は絶望するが、ぼくの手を強く握ってくる。つい、おさまりがつかず、アドレスを渡し、「よかったら訪ねてきてくれ」などといってしまった。帰宅してからは、まさか来ないだろうなと戦々恐々たる気分になったが、すると、この女がやってくる。たまたま家の召使いがアポロンという尊大なやつで、いつもいまいましいのだが、その日も、アポロンとの諍いで、気分がむしゃくしゃしていた。そこにおりあしく、この女、リーザがくる。それで、この最悪のめぐりあわせに動転し、どぎまぎし、ぼくはいっそ高圧的に出てやろうと、先日のやりとりの「真実」をぶちまけた。自分は少しも君に同情なんかしたのじゃないのさ。友だちとぶつかり、みなにつまはじきされた後だったので、もっと弱いやつをいじめてやろうと思って君をつかまえただけなんだ。ぼくっていうのはそういう男なんだよ。「ぼくは君が憎らしくてならなかった。それもあのとき、きみに嘘をついたからなんだ」。ただ適当なことを連ねていただけで、本心では、君なんて破滅すればいいって思っていたのさ。

そして、これに、あの『地下室の手記』の名でよく引かれる、名高いくだりが続きます。

「そうなんだよ！ ぼくに必要なのは安らかな境地なんだ。そうとも、人から邪魔されずにいられるためなら、ぼくはいますぐ全世界を一カペーカで売りとばしたっていいと思っている。世界が破滅するのと、このぼくが茶を飲めなくなるのと、どっちを取るかって？ 聞かしてやろうか、世界なんか破滅したって、ぼくがいつも茶を飲めれば、それでいいのさ。きみには、こいつがわかっていたのかい、どうだい？ まあいい、ぼくにはわかっていたんだ、ぼくがならず者で、卑劣漢で、利己主義者で、なまけ者だってことがね。この三日間、ぼくはきみがやって来るのじゃないかと、恐怖にふるえていたものさ」。(同前、一九二頁)

そして、「ぼく」は、彼女、リーザに、さあ、わかったろう、帰れよ、というのですが、このとき奇妙なことが起こります。リーザは、すべてを理解し、こんなふうに自分にひどいことを言いつのる彼は、どんなに苦しいところにいるか、とそう、この「ぼく」のふるまいを受けとめるのです。そして、不意に椅子から飛び上がり、気後れしたままおずおずと「ぼく」に手をさしのべます。「ぼく」は、すっかり動転して、次の瞬間には、二人して抱擁し、声を上げて泣き出す。彼はいいます、ぼくは……よい人間にはなれないんだ、どうしてもダメなんだ、と。しかし、そうしてしゃくりあげているうちに、いまとなってはかなりばつが悪いな、すっかり役柄が逆転してしまったゾ、……そんな思いがまたしてもやってきて自意識家の「ぼく」は思うのです。さて、どんなふうにこの愁嘆場を切り抜けたものか、と。それで後から思い返すと、顔から火が出るような恥知らずをまたやったあと、いらいらし、彼女を帰らせようとし、とうとう彼女は立ち上がるのですが、部屋を出る間際、つい五ルーブリ札を彼女につかませる。その行為も、よく考えれば、彼女へのむしゃくしゃした憎悪から、出たことでした。「小さな出来事」の魯迅よりも悪い。でも、すぐに後悔にかられ、待ってくれ、と彼はリーザを呼びます。しかし、階下で扉の閉まるバタンという音がする。そして、気づくと、彼女の手に握らせたはずの五ルーブリ札が、机の上にもみくちゃのまま置いてあるのです。「ぼく」は狂気のようになって服を着替え、階下に下ります。すると「ぼた雪」が降っています……。彼女はまだ二〇〇歩と行っていない。彼は追いかけます。しかし、降りしきる雪のなか、先の十字路までいくと、リーザは消えている。どこにもいない。

それ以来、ぼくは一度もリーザに会っていないし、彼女の噂も耳にしない。(同前、二〇三頁)

手記はこうして、数行続いたあと、終わります。

この小説をどう読めばよいのでしょうか。ここに現れた「リーザ」とは誰なのでしょうか。

『罪と罰』

この次に書かれる『罪と罰』を読むと、そこに私たちは、この『地下室の手記』の色濃い残響を認めます。そして、そこからこの問いの答えを半ば得ます。この作品にもルソーの影が濃厚に落ちています。まず、そこでラスコーリニコフは友人のラズミーヒンから翻訳の片棒を担がないかともちかけられますが、そのときラズミーヒンが翻訳の主眼にすえているのは、「ルソーの『告白録』の第二部」です(第2部第2章、二六三頁)。また、前作でルソーの社会観の通俗的なシンボルともなっていた「水晶宮」が、ここで彼らのよく行く酒場の名前――『水晶宮(パレ・ド・クリスタル)』――として出てきます(たとえば第2部第4章(三一三頁)、同第6章(三九五頁)など)。しかし、それ以上に、何よりラスコーリニコフが自分の犯罪行為を新しい世の中を作るための犯罪だという理屈のもとに行う、その論理が、先に見た、ルソーの述べる「立法者」についての論理とそっくりなのです。

ルソーは、「一つの人民に制度を与えようとあえてくわだてるほどの人は、いわば人間性をかえる力があり」、「あらゆる点で、国家において異常の人である。彼は、その天才によって異常でなければならないが、その職務においてもやはりそうなのである」と書いていました。そこにふれられるローマの立法者、リクルゴス(リュクルゴス)がラスコーリニコフによっても語られますが、予審検事ポリフィーリイに尋ねられ、ラスコーリニコフが説明する、自分の論文「犯罪について」の論理が、ほぼこのルソーの立法者の論理をなぞっているのです。

ラスコーリニコフは、人間は、天才と生殖材料(動物)の二種類に分けられる。そして、天才は、社会を変えるために、法を超えることを許されている。そのようにして、人類は、世の中を変えようとしてきた。その一番よい例が、立法者という英雄たちだ、そう述べます。天才は新しい社会を作るためであれば、動物を殺しても罪にはならない。その法を、彼は社会に与えようとしているからだと、彼は書きます。ここには、あの「私利私欲」から「公共性」へ、というホッブズ問題的志向の挫折し、逆転された姿こそが示されているのです。

先には、ルソーの「社会契約論」(ジュネーヴ草稿)の「独立人」の継承者として「地下人」、「地下生活者」が『地下室の手記』に出てきたのですが、次には、その緊急避難のためにルソーが介入要請した「立法者」の信奉者として、ラスコーリニコフが登場してくるわけです。そして、その「地下人」の前に、現れて消えた娼婦のリーザが、今度は新たな娼婦ソーニャとしてラスコーリニコフの前に現れ、再び彼を挫くことになります。

ここでは『罪と罰』については述べませんが、私は、このリーザの出現が、ドストエフスキーにおける神なるもの――「公的なもの」――の最初の現れではなかったかと考えています。あの「もしイエスに真理がないとしても、自分は真理ではなくイエスの側につきたい」とドストエフスキーのいった「イエス」が、ここに〝売笑婦〟の姿を取って現れているのだと思うのです。

彼女を追いかけて、「ぼく」が路上に出ると、「ぼた雪」が降っています。それは天から垂直におりてきます。そのなか、二〇〇歩先に見えたリーザが、追いかけると、もういない。一五年前、そういうことがあったと、「ぼく」はいうのですが、あれは、イエスが、彼の前に現れたということだった。そう思うのです。なぜ、現れたのでしょうか。そこまで、「私利私欲」の場所から離れまいとした。そこで人間の「低さ」にどこまでもとどまろうとした。その力が、彼をイエスに出会わせたのだ、と思います。

すると、先の問い、あのホッブズ問題はどうなるでしょうか。人はどのようにして「私利私欲」から「公共性」へといたるのか、という問いです。

それは、「哲学問題」から「文学」へと〝離陸〟することで、「恣欲(私利私欲)」から「イエス(神的なるもの)」へ、つまり「公的なもの」へ、という方向を示すことで、ドストエフスキーによって、一つの答えを与えられている、と見ることができます。

なぜ、「私利私欲」が「公的なもの」＝「神なるもの」につながるのか。また、その裏返しともいってよい「理性の魔」ともいうべき「理性信仰」が、やはり、壁にぶつかって挫折したあと、「神なるもの」へとつながるのか。

『地下室の手記』、『罪と罰』は、この問いに、論理的にではなく、「文学」という「わけのわからない」力を通じて、応えたものだといってよいでしょう。ルソーの天才的な推論と立論の能力をもってしても、解けなかったこの「私利私欲」から「公共性」へ、という道筋の開拓が、ドストエフスキーの手で、文学によってなされるのですが、それは「神」をいわゆる教会経由の信仰とは異なる回路で呼び入れる道でもあった、といえるのではないかと思います。

社会哲学のほうからいっても、信仰の道からいっても、変則的です。しかしここに文学がある。

『地下室の手記』のリーザ、『罪と罰』のソーニャは、ともにこの系譜における「イエスなるもの」の最初期の現れです。そしてその「イエスなるもの」が最後、もう一度、ドストエフスキーの作品に帰ってくる、それがあの『カラマーゾフの兄弟』における

「大審問官」の章なのだろうと思われます。

文学の答え——「大審問官」の章

「大審問官」の章というのは、『カラマーゾフの兄弟』の中に出てくる一つの章立てです。これは、ドミートリイ、イワン、アリョーシャ、という三人の兄弟の物語ですが、それぞれが『地下室の手記』の「ぼく」の「恣欲」(＝私利私欲)、『罪と罰』のラスコーリニコフの「理性」、そしてここには述べませんが、『罪と罰』に続く『白痴』のムイシュキンの「無垢＝宗教性」の系譜の上に位置しています。このうち、そこに出てくる理性の魔ともいうべき冷徹な次男のイワンが、この小説の主人公でもある宗教的な資質をもつ三男のアリョーシャに語って聞かせる。そういうイワンの構想する「劇詩」の話が、この「大審問官」の章なのです。

さて、この劇詩は、こんな話です。時は一六世紀。舞台は、異端裁判の火が燃えさかるセヴィリア、いまのスペインです。そこでは毎晩、何人もの異端者が火あぶりにされています。異端審問の最高位にあるのが大審問官です。ところで、その集団ヒステリアのさなか、この異端審問の地に、キリストが現れます。これを一目見て本物のキリストだと知った大審問官が、警吏に命じてとらえさせ、夜、その牢獄に一人で訪れ、キリストに話しかけます。彼はキリストにいうのです。お前は、昔、勝手なマネをして羊のように弱い世の人間たちに、自由な信仰というとんでもない重荷を与えた。でも、そんなものに世の人間が耐えられるはずがないではないか。そのため、お前が死んだあと、われわれ教会を任せられた教父たちは、自分の信仰の初心を殺し、世の羊のように弱い人間を導くべく、一五〇〇年もの間苦労しなければならなかった。現に、いまも、異端者を取り締まるという形で苦労している。それなのに、なぜ、いま頃、戻ってきたのだ？ 迷惑ではないか。私は明日、一番に、お前を火あぶりにして処刑するつもりだ。いま頃、のこのことやってこられて、また、世の教会の秩序を乱し、世の心弱い信徒達の信仰心をかきみだしてほしくはないからだ。

むろん、私はお前が本当の信仰というものをめざしたことは知っている。ただ、そんなものに普通の人間は耐えられないことを、お前は考え及ばなかったのだ。なぜ、おまえは、ゴルゴタの丘で十字架を背負い、むち打たれながら歩みを進めたとき、奇跡を起こさなかったのか。その理由だって私は知っているぞ。

とそう大審問官は、いいます。

誰もが、奇跡を起こして、お前が宙にでも浮かんで見せたら、一挙に神の子だとわかり、お前に帰依しただろう。あっという間に、お前はこの世を神の国にできたに違いない。しかし、なぜそうしなかったか。お前は、人びとを奇跡の奴隷にしたくなかったのだ。奇跡を起こしたので、神だとわかった、それで信じる。そんなふうに自分に帰依してほしくなかったのだ。奇跡だ、すごい、などということのどこに、信仰があるだろう。そこには奇跡の奴隷の心があるだけだ。お前はそう考えた。むしろただの人としての自分のことばと、ふるまいだけで、そこから各人のリスクで、保証なしで、間違いかも知れないが自分はこの人の言葉を、自分の全存在をかけて信じる、という仕方で自分に帰依してほしい。そうお前は願ったのだ。だから、お前は奇跡を起こさなかった。しかし、人間など、そんなに強くはないゾ。それでわれわれは、それが本当の信仰ではないと知りながら、偽善の道を、十字架を背負うつもりで、お前の死後、担ってきたのだ。

そういうと、これまで一言も発さずに大審問官の長口上を聞いていたキリストが、牢獄の格子に近づいて、大審問官にそっと口づけをします。大審問官はぶるっと体を震わせる。そして、顔をそむけ、牢獄のカギを開け、さ、早く出て、二度と私の前に現れるな、という。キリストは、立ち去る。この間、キリストは一言も言葉を発さない。

これが、イワンの大審問官の劇詩の話です。

この話をどう受けとるのがよいでしょう。イエスとキリストの違いは、イエスはキリスト教創始者の名前で、ヨシュア、これがなまってイエスとなったもの。これに対し、キリストは、その後、処刑され、復活した彼に与えられた救世主としての敬称だといわれます。ここでキリストは、再び降臨することを通じて、自らイエスに戻り、「たとえ真理がイエスにないといわれても、イエスの側にとどまる」、そんな仕方で人びとが自分に帰依することを願った、といわれる境地を、人びとに伝えているのです。

この大審問官とキリストの対面の構図は、そのまま、『地下室の手記』の「ぼく」とリーザ、『罪と罰』のラスコーリニコフとソーニャの対面の構図と重なるでしょう。リーザはどこに消えたか。天上に消えたのでしょう。そしていままた、そこから舞い戻ってきた、それが「大審問官」の章の、キリストなのです。

終わりに

文学とは何か。

私は、先に書いた本、『敗戦後論』という本のなかで、この「大審問官」の章にふれ、ここにあるキリストのあり方、自分を間違いうるリスクを取るなかで、選びとってもらいたい、というあり方をさして、「可誤性」と名づけたことがあります。あることを、考える、決めるのでも、どう考えてもこれしかない、という論理的な推論のあり方――これを「不可疑性」といいます――のほかに、間違いうるなかで考えることに意味を見出す、こういう推論の仕方があります。間違いうることのなかにこそ、考えることの自由、力があるという考え方です。これを私はそこで、「可誤性」と名づけ、「大審問官」

の章のイエスは、このあり方を体現している、と述べました。この考え方にこそ、文学の力がこめられている、と思ったのです。

さて、ここまできて、話は冒頭に戻ります。

なぜ、子供はお猿の電車が好きなのでしょうか。どうして、私たちの誰もが、子供のころ、お猿の電車に乗る、となったら心がワクワクするようだったのか。

なぜ、文学は、間違うことに大きな足場を見出すのか。

芥川も、魯迅も、そうするのか。

それを、可誤性の中に身をおくことの自由、元気、面白さ、明るさ、ということができるかと思います。

「私利私欲」はどのように「公共性」にいたれるのか。厳密にいえば、この問いは、社会哲学の問いとしてはここでも解かれずに置かれているといってよいかもしれません。しかし、これに対し、ここには、「私利私欲」から「誤りうること」へというもう一つの道が示されています。そこに、文学のいつまでも古びない力が顔を見せていると私は考えます。

参考文献

ルソー『社会契約論』桑原武夫・前川貞次郎訳、岩波文庫、一九五四年

同『社会契約論(ジュネーヴ草稿)』作田啓一訳、『ルソー全集』第五巻、白水社、一九七九年
チェルヌィシェーフスキイ『何をなすべきか』(上下)金子幸彦訳、岩波文庫、一九七八〜八〇年
ドストエフスキー『地下室の手記』江川卓訳、新潮文庫、一九六九年
同『罪と罰1』亀山郁夫訳、光文社古典新訳文庫、二〇〇八年
野口良平『幕末的思考』みすず書房、二〇一七年
加藤典洋『敗戦後論』講談社、一九九七年、ちくま学芸文庫、二〇一五年
同『戦後的思考』講談社、一九九九年、講談社文芸文庫、二〇一六年

戦争体験と「破れ目」――ヤスパースと日本の平和思想のあいだ

二〇一五年一二月五日
日本ヤスパース協会第三二回大会にて

はじめに

ここでは、一人の門外漢として、ヤスパースを試金石に、私たちの国の戦争体験について考えさせてもらおうと思います。あるいはこれを、私たちの戦争体験を試金石に、ヤスパースについて考える、といい換えたほうがよいかもしれません。私の数少ないヤスパース体験として、先に、その『責罪論』から多くを教えられたことがあります。今回ここに私がいるのも、それが機縁になってのことです。しかし、ここでは、その思考の徹底度において誰よりも深い西欧の哲学者の一人であるヤスパースの戦争体験論、戦争責任論を手がかりに、いかにそれと私たちの国の戦争体験の受けとり方が違っているか、という点をめぐり、いま私の考えている戦後の問題について、小さなことをお話ししてみます。

ヤスパースを専門とする方々にとっては少々変則的な話になるかと思いますが、ご容赦いただければ幸いです。

お話ししようと思うことは、三つあります。一つは、ヤスパースにとって敗戦という経験がどのようなものだったか。二つは、そこに現れたヤスパースの敗戦観と日本人一般のそれとの違い。三つは、それに関わって現れてきていると私には見える、原爆をめぐるヤスパースの受けとめと、日本の受けとめとの違いについて。すべて、門外漢の感想です。

なぜここにいるのか

まず、私がなぜここにいるのか、ということからお話しします。

ドイツは、日本に先立ち、一九四五年五月に無条件降伏します。この年の暮れ、早くもヤスパースは、戦後初の大学での講義の準備を行っています。講義は、翌四六年一月から二月にかけてハイデルベルク大学で行われます。『責罪論』はこの講義のうち、ドイツの戦争責任をどう考えるべきか、という主題に関する部分を取り出したものです。

これを、四六年、ヤスパースは単行本の形でドイツとスイスとで公刊し、さらに六三年に論文集のなかに再録する。これを翻訳したのが日本で六五年、橋本文夫訳で理想社から刊行される『責罪論』です。

ところで、この本が、三三年後、九八年に『戦争の罪を問う』というタイトルで平凡社ライブラリーに入り、ついで一七年後の今年(二〇一五年)、もう一度、『われわれの戦争責任について』というタイトルとなって、ちくま学芸文庫から再刊されています。じつは、この九八年の再刊をうながす一因になったのが、九七年に刊行された私の『敗戦後論』という著作と、それにまつわる論争でした。そこで私が講演でこの本に言及したことが再刊につながったという機縁から、『戦争の罪を問う』に、解説を書かせていただいています。その内容は、後にふれますが、この著作に続いて書いた『戦後的思考』という続編でも、私は「戦後的思考」の原型をなすものとして、このヤスパースの著作をあげ、いささか論じています(「一九九七年の『歴史主体論争』――日本・ドイツ・韓国」一九九八年)。

『敗戦後論』のもとになった論考は、一九九五年の戦後五〇年を期して書かれ、発表されました。それから二〇年が経ちますが、今年、戦後七〇年を迎えて、もう一度、このヤスパースの論が読まれる時期がきたと編集者の方が考えたのでしょう。再度タイトルを改めて、刊行されました。奇しくも、やはり再度、戦後のことを抜本的に考え直してみようという気持ちが私に起こり、私もやはり、『敗戦後論』に続くやや本格的な戦後論として、『戦後入門』なる著作を出したところです。『われわれの戦争責任について』再刊がきっかけになって、このたび、偶然にも戦後論を二〇年ぶりに書いた私が、ヤスパース協会の年次総会に声をかけていただき、ここにいるわけです。

ただし、先に述べたように、私はヤスパースという哲学者に関しては、ほぼまったくの門外漢だといってよいかと思います。関心をもったきっかけは、一つが『敗戦後論』を書いたことで調べるようになった一九八〇年代のドイツの歴史家論争で、もう一つが、ハンナ・アーレントのヤスパース論です。アーレントは一九六八年の『暗い時代の人々』という人物論集に、ヤスパースに関する論を二つ収録しています。ともに容易ならざる論で、それを読んでヤスパースに関心が芽生え、歴史家論争にも出てきたこの『罪責論』(以下、現在のタイトル『われわれの戦争責任について』)にたどり着きました。

でも、もう一つ、二〇〇八年くらいから新しく関心を抱くようになった地球の有限性の問題に関連して、再度、この敗戦直後のヤスパースの仕事に出会うということがありました。ヤスパースが一九四九年に刊行している『歴史の起原と目標』という著作が、そうです。

この著作で、ヤスパースは「軸の時代」という考え方を提示しています。ユダヤ教からキリスト教、古代ギリシャの様々な哲学思想、諸子百家から老荘や儒教、バラモン教の哲学から仏教にいたる巨大な思想、哲学、宗教などからなる今日までの文明の基本の思想の原型が紀元前六〇〇年くらいから紀元前二〇〇年くらいまでの間に世界のほうぼうで独立に同時多発的に一斉に形成されたことに注目して、これを世界の歴史の「基軸」をなす時期とみなし、ここからこれまでの西洋中心、キリスト教中心の世界史の考え方を、いわば「地球の人類史」へと拡張し、更新しようという、ある意味で、驚くべき思想的な企てでした。

私は、去年(二〇一四年)、三・一一の原発事故を受けて露わになった「有限性の近代」ともいうべき問題を正面に据え、『人類が永遠に続くのではないとしたら』という著作を出しています。これは、このヤスパースの論を手がかりにした見田宗介さんの所説をきっかけの一つに、考えはじめられています。見田さんはこのヤスパースの「軸の時代」に二〇〇八年のシンポジウムで、はじめて触れるのですが、そのシンポジウムは、ヤスパースを受け、「軸の時代Ⅰ／軸の時代Ⅱ――いかに未来を構想しうるか？」と題されていました。

ところで、こうしたヤスパースの戦後の仕事のすべてが、私の考えでは、ヤスパースの敗戦経験のただなかから出てきています。ヤスパースにとって、敗戦というのは、そういう経験だったようです。というか、彼は自分の敗戦体験というものを、そのような一つの思想的な自己更新の機会として捉えます。後に少しだけふれる「限界状況」として、敗戦を捉えているといってもよいかもしれません。そのことが、『罪責論』の冒頭を読むと、わかります。そこには、一九四五〜四六年冬学期の戦後最初のヤスパースの連続講義の概要が、「序説」として示されていますが、この講義で、ヤスパースは、

一、世界歴史、地球の人類史の問題、技術万能と人類の危機の問題
二、ドイツ人の問題、ナチズム、また罪の問題
三、ドイツ的であること、ドイツの歴史
四、ドイツの未来に向けての可能性

という四つの問題を取りあげると断っています。そのうち、「二」をなすドイツ人の罪の問題について、この本では取りあげられます。しかし、ほかに、「一」の世界歴史、地球の人類史の問題が、右にふれた一九四九年の『歴史の起原と目標』となり、技術万能と人類の危機の問題が、この後ふれる一九五八年の『原爆と人間の将来(邦訳名、現代の政治意識)』となってその後、世に問われます。戦後のヤスパースの仕事の骨格が、この敗戦の年に準備された四六年一月の講義のなかに、すでに萌芽のかたちで現れている。敗戦が彼においては一つの思想的な跳躍板となっているのです。

そこで最初に、敗戦という経験がヤスパースにとってどのようなものだったか、ということから、入ってみましょう。

限界状況と敗戦

ヤスパースにとって敗戦がどういう経験だったか、と考えると、私にはピュイ・ド・リュミエール(puits de lumière)というフランス語の建築用語が思い浮かびます。これは、「光の井戸」という意味で、五階とか六階といった高い建物の真ん中に、光の差し込む井戸のような中空の空間を挟み込む、建物の仕組みをさしています。ちょうど建物の真ん中に井戸を掘るような形で、中空をえぐりとると、中庭に開いた各階の窓に、その中空空間から光が注ぎ、「光の井戸」になります。光取りの井戸、ということですね。

戦争期と敗戦の経験は、それ自身、他の人にとってと同様、ヤスパースにとっても、暗い井戸であるような経験だったと思います。しかし、と同時にそれは、彼の思考にとって、外からの光を全身に受けるような思想更新の経験でもあった。そこがほかの哲学者、たとえばハイデッガーなどとは違うところです。

その背景に、「限界状況」というヤスパースの「状況」の捉え方があるように思います。「限界状況」という概念は戦前からの彼の哲学思想の中核をなす考え方の一つですが、むろんそれについてここで詳しく述べることはできません。でも、たとえば一九三二年の『哲学』を読むと、それが彼を心理学から哲学者に変えた、こんな感じの、彼にとっては重要な、跳躍板的な概念だったことがわかります。

まず「状況」について、ですが、ヤスパースは、「状況とは、ただたんに自然法則的な現実のことなのではなく、むしろ意味連関的な現実をさしているのであって、この現実は、心理的でもなければ物理的でもなく、同時にその二つであって、私の現存在にとっては利益や損害、好機や制限を意味する具体的現実としてあるものである」(『哲学』三三九頁、傍点原文)と述べています。こちら側に主体があり、客体としての現実を、「心理的」にあるいは「物理的」に考究する、というばあいには、その考究は、心理学、物理学という学問を構成するわけですが、その対象と主体が「意味連関的に」つながっていて、主体がその対象に「含まれている」ことに気づいてしまうと、この考究は、とたんに動的なものになり、主体は、実存と代わり、対象も「状況」と代わるというのです。これでは、もう心理学者ではいられません。心理学の足場の安定が、問われているからです。

そして、この実存としての主体と対象としての状況の動的な関係のなかで、主体が状況を変えようにも、その状況が「にっちもさっちも」いかない「壁」のようなあり方で現れるばあいがある、そのような極端なばあいには、その「状況」のほうが、「主体」を決定的に変える、いわば、主客が転倒する、といわれ、この極端なばあいが、「限界状況」と名づけられています。

私はつねに状況の中に存在し、争いや苦悩なしに生きることはできず、不可避的に責めを自分に引き受け、死ななければならないものである、といったような状況のことを、私は限界状況と名づける。（中略）限界状況は、見渡されることのできぬものである。（中略）限界状況は、壁のようなものであって、われわれはそれにぶつかっては挫折するだけである。（『哲学』三四二頁、傍点原文）

かなり乱暴な取り出し方をさせてもらえば、総じて、彼は、戦争と敗戦の体験をも、そのようなものとして受けとめたのだといえるでしょう。なぜそのようなことが、彼に起こりえたか。井戸の比喩でいえば、その井戸の上空が、そのまま「実存」という主体の捉え方を通じて、いわば世界普遍性に開かれていたから、といえます。戦争責任論についていえば、彼は民族というものをも問題にしますが、つねにその上位に、それを超える世界普遍性ともいうべき境位を見すえ、このことは、最後にふれたい点ですが、さらに「実存」との関わりで、その世界普遍性の「破れ目」に目を向けることも、忘れませんでした。

ところで、はじめて接したとき、私にとって新鮮だったのが、一方で「狭い」民族なるものにこだわり、他方で、「広い」世界普遍性へとひろがる、このヤスパースの戦争責任論のダイナミックなあり方でした。

二〇年前、ヤスパースの『われわれの戦争責任について』にふれて、戦後的思考の原型がここにある、と感じ、そう述べたのは、敗戦という危機的な局面にあって、多くの思考者がそこにひそむやっかいな問題を避けて通ろうとするなか、ヤスパースが、自ら火中の栗を拾うような姿勢を見せ、そこから思想を展開している、その姿勢に強い印象を受けたからです。

私はドイツの事情にはそれほど詳しくないのですが、そういうヤスパースのあり方が、日本の戦後に重ねると、あまり見ない、例外的なあり方を示していると思ったのです。ヤスパースは、戦争中は、ナチス政府に対するはっきりした反対者、果敢な抵抗者でもあれば、またその厳しい迫害の対象でもありました。夫人がユダヤ人であったために、大学を追われ、最後には、夫人の収容所送致に家に立てこもって抵抗、二人とも収容所送りになるところ、住んでいるハイデルベルクが米軍に占領されることで「祖国に殺されるところ、寸前に敵軍に命を助けられる」というほどの経験を味わっています。しかし、ドイツが戦争に敗れると、今度は一転、「今はじめて、私がドイツ人であり、私の祖国を愛するのだと、ためらいなくいいうる」といい、自分のドイツ人性を引き受ける。そして、ドイツ人の再生をめざし、この本を書く。こういうケースは、ドイツにあってもきっと珍しいものだったでしょう。この著作に対するドイツ国内の反応からそうわかります。この本はドイツでは不評でした。また、この後、ヤスパースはドイツで孤立する。そしてスイスのバーゼルへと生活の場所を変えることを余儀なくされます。しかし、日本の戦後の場合に照らしても、このようなあり方は、ほぼ例のない、マレな態度でした。

たとえば、小林秀雄、河上徹太郎といった文芸評論家は、戦後の促成の民主主義への転向に抵抗の姿勢を示した点で、ヤスパースに似ています。しかし、その依って立つ価値観は、戦前から持ち越した安定した保守的なリベラリズムのままで、事実、戦争中は、迎合こそしないまでも、軍国主義の対立者ではありませんでしたし、また迫害を受けたわけでもありませんでした。美濃部達吉、津田左右吉といったオールドリベラリスト達も、戦後の腰の軽い民主主義謳歌に抵抗を見せた反骨ぶりでヤスパースと似ており、かつ、戦前には体制側からの弾圧を受けてもいますが、その依って立つ場所は、天皇への信従をそのまま維持した保守リベラルの立場でした。

一方、『世界』によった新しいリベラル派、丸山眞男や都留重人は民主主義を深く展開しようという意欲をもち、世界普遍性に開かれ、戦前も抵抗の立場に位置していました。なかで丸山眞男は、後年、「忠誠と反逆」という考え方のうちにこのヤスパースに似た二つのあり方のあいだのせめぎあいを問題にするようになります。しかし、彼にあっても基軸の世界普遍性の立場自体が揺らぐということはなく、「いまこそ、祖国を愛すると、ためらいなくいいうる」というほどのダイナミックな姿勢が示される、というのではありませんでした。また、後に見るように、その世界普遍性を「形而上の罪」といった「破れ目」を見せるまでつきつめるということも、ありませんでした。

かろうじて、小説家の太宰治が、真のリベルタンなら、いまこそ、「天皇陛下万歳」といえ、などと書き(『パンドラの匣』)、坂口安吾が、「堕ちよ、堕ちよ」と『堕落論』で唱えましたが、その姿勢は、反社会的なものにとどまっていました。

ドイツの民族性、個別性にこだわりながら、同時に、世界普遍性という足場を失わずに、その二つのあり方のあいだのせめぎ合いの場所を自分の思考の場とする、ヤスパースのような範型は、敗戦直後には、日本に見られないもので、つまりそれは、その後現れる、吉本隆明、鶴見俊輔といった戦後思想の担い手たちの思想のあり方の原型的位置にあると、私には見えたのです。

たとえば、吉本隆明は、敗戦に遭うと、皇国少年の立場から、そのあり方を手放すことなく、これまでとまったく違う仕方でマルクスを読むようになります。民族性と世界普遍性という相対立するものをともに抱え、自分のなかで化学反応を起こさせようとするのです。独自の戦争責任論がそこから提起されます。また、鶴見俊輔は、留学中の米国にあって日本の無謀な戦争が敗北に終わることを知って、敗北するとき、故国にいないと、その再建に携われないと直観的に感じ、一九四二年に交換船で日本に帰り、すぐ召集をうけ、軍属としてインドネシアに送られています。戦後の企ては、自分のなかにない「民族性」を理解しようという世の中と逆向きの方向をさします。彼の創刊する『思想の科学』は海外の思潮の紹介からはじまり、やがて小さな民衆間のメディア、コミュニティ活動の発掘を伴うようになります。また、両者により踵を接するようにして、それぞれ独自に、「転向論」、「転向研究」がはじめられるようになります。

そのような理解に立ち、私はヤスパースの『われわれの戦争責任について』の解説では、たとえば、

　われわれは次の点をはっきりと意識しておくがよい。すなわちわれわれわれが生き、生き残っているのはわれわれ自身のおかげではないのだ。恐ろしい破壊のなかに新たな好機を持つ新たな状態が与えられているのは、われわれ自身の努力で達せられたのではないのだ。当然われわれに属すべきはずでない合法性を勝手に自分に認めたりするのはやめよう。

続けて、

　今日、いかなるドイツ政府であろうと、それが連合国の任命した独裁政府である

と同様に、ドイツ人は誰しも、言い換えればわれわれの一人一人が、今日、連合国の意志ないし許可によって、自己の活動範囲を与えられている。これがなまなましい事実なのだ。われわれが誠実である以上、この事実は一日も忘れられない。誠実ゆえにわれわれは傲慢にもおちいらず、おのれの分を知ることを教えられるのである。（二六〜二七頁）

といった個所などを引いています。自分たちは自由になったが、それを自力で獲得したのではない、そしていま自分たちに自由を保障しているのは「連合国の任命した独裁政府」であって、その自由もまた「連合国の意志ないし許可」のもとで享受されるものにすぎない。しかし、それを当然のことであるとして、「誠実」に受け入れよう。このような苦境にあってなお「公明正大」であること、それが、われわれが民族ということを引き受けながら、なお、それを超えて考えていくための唯一の方法なのだ。そう、ヤスパースはいうのですが、その呼びかけが、私自身の『敗戦後論』という著作での――「ねじれ」と起点の「よごれ」を受けとめようという――主張に重なるものと、思われたのです。

しかし、いま、ここで申し上げたいことは、その後、私に見えてきたヤスパースと日本の「戦後」の受けとめ方の違いということのほうです。二〇年前は、自分の考えに重なる、一つの手本のように見えたヤスパースのあり方が、いま、その先で、一つの違いを浮き立たせるものとして見えてきているのです。

ヤスパースと日本の平和思想

そのことを説明してみます。

二〇年前、私が、先にあげた『戦後的思考』という著作で、ここに「敗戦」の諸問題を受けとめてなお未来に開かれた「戦後的思考」ともいいうる思考のタイプの原型があると考え、引いたのは、ヘーゲルの「主人と奴隷の弁証法」にふれた、ヤスパースのつぎのような『われわれの戦争責任について』のくだりでした。

戦争に敗れ、さまざまな誤りを目の当たりに示され、絶望に突き落とされた人間が、そこから再生する道とはどういうものか。そう問い、ヤスパースは、こう述べています。

敗戦は罪をなげかけてよこすが、この罪に対して、国民一般の対応は、およそ「身を投げ出すか横柄に構えるか」のいずれかになる。一方は、一転して「自己の罪を告白する衝動」にかられ、そうする。しかし、それは「嘘の告白」である。それは告白者の様子でわかる。「そういう人間の告白には」「権力意志」から「告白者が告白によっておのれに価値を与えて他人よりも抜きんでたがっている様子が感じられる」、そういう告白には「他人に告白させようという魂胆」がある。

他方、その対極にあるのが「横柄な誇り」であって、この対応に染まった人は、他人が攻撃をしかけてくると、いよいよ頑なになる。「内面的な独立」を維持しようとするが、責任を回避し、決定的なことを曖昧なままにしたままなので、やはり「内面的な独立」はえられない。

これが、敗戦という現実に正面から向き合うことができないことから生じる二様の責任回避のあり方だが、これでは人は生まれ変われない。何が足りないのか。何が必要か。どうすることがここで、敗戦に向き合うことだといえるのか。

そう問うて彼は、こういいます。

決定的に重要な問題は時代を超えた根本的な事態にある。この永遠の事態が今日新たな形をとって再び現われているのだが、その事態は何かというように、完全な敗戦状態にあって死よりも生を選ぶ者は、生きようとする決意がどのような意味内容を持つかということを意識しながらこうした決意に出るのでなければ、今やおのれに残された唯一の尊厳ともいうべき真実の生き方をすることができないということである。(『われわれの戦争責任について』一八六頁)

つまり、敗戦を「限界状況」としてとらえること。そして、引かれるのが、ヘーゲルの主人と奴隷の弁証法なのです。

すなわちヘーゲルによれば、無力な者として、奴隷として生きようとする決意は、生を樹立する真剣味を帯びた行為である。この決意からは一切の価値評価を修正する人間の生まれ変わりが生じる。この決意を遂行し、そこに生ずる結果を引き受け、進んで苦悩と労役を選ぶことになれば、これこそ人間の魂のこの上もない展開の可能性なのである。ヘーゲルの説くところによれば、精神的な未来を担う者は奴隷であって主人ではない。ただしそれには奴隷がその苦難の道を誠実に歩むのでなければならない。（同前、一八六〜一八七頁）

人は敗れ、奴隷となる。しかし、この事実を受けとめ、「無力な者として、奴隷として生きようとする決意」を遂行すれば、「人間の魂のこの上もない展開」が可能になる、とヤスパースはいっています。これについて、私は、『敗戦後論』そして『戦後的思考』では、敗戦のうちにある矛盾（ねじれ）と屈辱（よごれ）をしっかり受けとめれば、そこから「新しい展開」が可能になると受けとめ、そこにわれわれが見習うべき戦後的思考ともいうべきものの原型が認められると述べたのでしたが、いま、私が受けとる力点は、このようなヤスパースの戦争体験、戦後体験の捉え方と、日本の戦後体験のあり方とは、だいぶ違うようだ、という差異のほうなのです。

私は、先に述べたように、今年、『敗戦後論』に続く、二〇年ぶりの戦後論として、『戦後入門』という著作を世に問うています。

そこで日本の戦争体験が、それ自体としてはかなり不十分なものであったことに、いまさらながら、改めて深く気づくということがありました。そして、それをしっかりと私たちの戦後の思想の礎石に据えるには、そのことを指摘することも大事だが、その「不十分性」を見すえた上で、それを補う、あるいはその特異性に見合った対応を行うことが、必要だと思うようになりました。

「不十分性」の第一は、それが被害者としての体験に徹したものであるため、そこにいまいうところの加害者意識ともいうべきものが欠けていることです。日本の戦争体験とその継承が、そのことに気づくには、一九六〇年代のたとえば小田実による指摘(「平和の論理と論理」一九六六年)まで待たなければなりませんでした。

しかし、そこにひそむ「被害者体験としての深さ」という、それ自体「不十分」であるものの意味を、もう一度、受けとり直す必要があるのではないか、とこのたび、強く思うようになりました。きっかけは、西欧の哲学者の戦争に対する考え方と、日本の平和思想に育てられた自分の考え方の違いに改めて、気づかされたことです。

イギリスの哲学者エリザベス・アンスコムは一九五七年、トルーマン大統領の原爆投下命令は、単なる殺害(killing)とは異なる「自分の目的の完遂のために人を殺害する」謀殺(murder)に該当するとして、彼女の勤務する大学であるオクスフォード大学がトルーマンに名誉学位を与えることに、反対の声をあげました。原爆投下は、そのおりの米国が、そのことなしには自国の存立が危ういというような「極限の状況」のもとで行われたものではない、いくらでも他の手段が可能であった、と彼女はいいます。そして、そうしたなかで取られた原爆投下の決定は、「謀殺」となると結論するのです。ただし、そのことを表明したパンフレット(「トルーマン氏の学位」)のなかで、彼女は、自分の考えが、ラッセル流の絶対平和主義から出ているのではないと断り、たとえばナチスの行ったユダヤ人絶滅政策のような極限的な「不正」をただすためになら、戦争は許容されうる、と主張します。彼女によれば、そのことと原爆投下「不正」の論は、結びついていきます。そう考えないと、戦争における原爆投下の「不正」はいえなくなる、というのです。

たしかに戦争すべてが「不正」だとすると、そこからそれだけふるい分けした「原爆」という戦闘員・非戦闘員無差別大量殺戮兵器使用の「不正」は、相対的なものとしてしか取りだせません。その不正が「殺戮」と「謀殺」としっかり区別されるには、戦争のなかに許容されうるケースが認められなければならない。これは論理的に間断するところのない主張といえます。しかし、私は、これこれの条件であれば、戦争は許容される、という主張を、どうしても素直に受け入れることができない自分がいることに、このアンスコムの考えに遭って、気づかされました。

私のこの考えが、いわゆる日本の被害者意識に徹した戦争体験と、それを基盤とした平和思想によって培われたものであることは、ほぼたしかでしょう。

そうした態度、考え方をもっとも鮮やかに表明したものが、一九六六年に井伏鱒二の手で書かれた原爆犠牲者の家族の物語である『黒い雨』に出てくる、「いわゆる正義の戦争よりも不正義の平和の方がいい」という、主人公の述懐です。たとえ、正義に合致しなくとも、論理的には不整合であっても、戦争はいやだ、平和の方がよい、というのです。

また、これが戦後の日本の平和思想の根幹をなしていただろうことが、次のことからある程度、例証できます。一九七七年に日本赤軍によるダッカ日航機ハイジャック事件が起こったとき、当時の福田赳夫首相は、要求が飲まれないなら、人質を順次一人ずつ殺害していく、という犯人側の言明に、「一人の人間の生命は地球よりも重い」と述べて、これを受け入れ、当時の金で一六億円の身代金を支払い、九人の刑務所収監者の釈放という超法規的措置を行いました。じつは、乗客のなかに当時のカーター米国大統領の親しい友人である米国人銀行家が含まれており、犯人側もそのことを知っていて、人質はアメリカ人から殺害すると述べていたことが、現在ではわかっています。ですから、このときの日本政府の判断、福田首相の決定が、タテマエとして述べられた人命重視の人道的な配慮によるものだったかどうかは大いに疑問です。しかし、ここで大事なことは、この時の首相の決定を、日本社会が最終的に、ほぼ違和感なしに受け入れたということです。批判がないわけではなかったものの、総じて世論の大勢が、これを受け入れました。事実、これにより、福田首相が支持を失い、辞任の危機を迎える、ということはありませんでした。

この決定は、いわゆる「テロリストとの取引き」に応じることですから、今なら、政府の対応として、なかなか考えにくいものです。しかし、当時はいまと違っていました。国際社会のなかでも、まだ、このような例が行われていました。とはいえ、国民の反応まで加えて考えれば、これは、当時にあっても突出した反応の一つだったはずです。つまり「一人の人間の生命は地球よりも重い」、だから法の規定を超えることもありうる。こうした首相の判断が、メディアからも世論からも、ほぼ仕方のないものとして受け入れられたのです。

そのような受容を可能にしているのが、右の、どのような理由があろうと、戦争には反対、という被害者体験の深さに裏打ちされた、日本人の戦争体験だったろうと私は考えます。アンスコムの主張に接し、私は自分の平和思想、戦争観のなかにも、同じものが生きていることに気づかされたのです。

この平和思想の特徴は、そこに「破れ目」があること、論理的に不整合だということです。私は、『戦後入門』では、その「不十分」性(その主要な要因は加害者性の問題です)を補うことを条件に、この論理的な不整合のうえに、日本の平和主義思想は再構築されなければならないのではないか、という新しい提案を行っています。

日本の平和思想は、論理的に不整合なので、よくない、論理的に変えるべきだ、ではなく、この論理的な不整合のうえに立って、もう一度平和思想を再構築すべきだ、と考えてみたのです。

この彼我の違いはどこから生じているのでしょうか。

そう考えると、アンスコムのパンフレットとほぼ同時期に発表されたヤスパースの著作が、実は、内容としては異なりながらも、右のアンスコムの考えに通じる論理的な正しさをもって、その帰結として原爆について主張していることがわかります。一九五八年に刊行された『現代の政治意識　原爆と人間の将来』がそれですが、アンスコムとのあいだに見られると同じ種類の違いが、ヤスパースの敗戦観、原爆観と、日本の平和思想とのあいだに、存在していることに気づかされるのです。

生への決意性と生の偶有性

その違いを、ヤスパースに沿っていうと、生への決意性と生の偶有性ということになるのではないか、というのが、少し乱暴かもしれないのですが、現在のところの私の見立てです。

ヤスパースは、敗戦のただなかで考え、これを「人間の魂のこの上もない展開」に結びつけるには、自分が「無力」で「敗北」した「奴隷」の身の上にあることを「誠実」に引き受け、そのような者として「生きようとする決意」がなければならない、といっています。そこまでは、『敗戦後論』に述べた私の考えも、ほぼ同じです。

しかし、そのことの説明として、この「奴隷として生きようとする決意」を、ヤスパースが、そのままヘーゲルの主人と奴隷の弁証法に結びつけているところが、少なくとも日本の平和思想とは違っていますし、私の考えとも違っています。彼は、このことを、より広く、「完全な敗戦状態にあって死よりも生を選ぶ」こととみなし、そこで「生きようとする決意がどのような意味内容を持つかということを意識しながらこうした決意に出るのでなければ、今やおのれに残された唯一の尊厳ともいうべき真実の生き方をすることができない」と述べています。そして、「すなわちヘーゲルによれば、無力な者として、奴隷として生きようとする決意は、生を樹立する真剣味を帯びた行為である」というところに、この「決意」をつなげるのですが、厳密にいえば、敗戦に遭い、「無力な者として、奴隷として生きようとする」ことは、「完全な敗戦状態にあって死よりも生を選ぶ」こととは、違うのではないでしょうか。あるいは、こういったほうがよいかもしれません。「完全な敗戦状態にあ」ることと、「死よりも生を選ぶ」ことは、違うのではないでしょうか。

というのも、「無力な者として、奴隷として生き」ること、つまり「完全な敗戦状態にあ」ることは、気づいたら、生き残っていた、ということであって、「死よりも生を選ぶ」という選択は、そこではもうできないからです。「死よりも生を選んだ」ことを受け入れるかどうかだけが、そこでの問題なのだからです。ということはつまり、「完全な敗戦状態にあ」ることとは、「生きるか死ぬか」という選択を、すでに奪われているという事態なのではないでしょうか。

このようなことをいうのは、日本の戦争体験をつぶさに見ると、その本質は、「死よりも生を選ぶ」という場面をもたなかったということではないかと思われるからです。これを「生への決意性」を選択する契機と受けとめるなら、その有無こそが、ヤスパースのいう「完全な敗戦状態」との違いだとわかるからです。ヤスパースの戦争責任論と日本の平和思想の違いは、ヤスパースが自分の敗戦体験をヘーゲルの主人と奴隷の弁証法にむすびつけ、「生への決意性」のうちにその戦争責任論を取り出しているのに対し、日本の平和思想には、それにつながる場面、「生きることを選ぶか、死ぬことを選ぶか」という場面が、見当たらないことなのです。

むろん、皆無ではありません。たとえば天皇を信奉する軍人や一部の皇国少年などが、戦争に敗れ、天皇に殉じて、あるいは戦争の大義に殉じて、「死ぬか、生きるか」の問題にぶつかり、自決したり、自決できなかったり、ということはありました。しかし、日本の戦争体験の原点を、そこに置くことはできません。その後、原点をなしたのは、むしろ、気づいてみたら、自分は生き残っていた、そして自分の大切な身内の人間は、戦争で死んでいた、ともいうべきもう一つの「無力」なほうのあり方、死者とのつながりに足場をもつ、「生き残り」の事実の受け入れ、のほうだったからです。

生き残った自分に、死んだ人間たちへの思いを抱え続け、これに応えるために、何ができるのか。

それが、日本の戦争体験の原点であり、そこから生まれたのが、「いわゆる正義の戦争よりも不正義の平和の方がいい」という、井伏鱒二の小説の「負け犬」としての主人公の述懐、つまり、どんなことがあっても、戦争には反対、という、原爆投下をへて得られた日本の反戦平和思想だったのです。

ここからやってくるヤスパースへの疑問とは、敗戦に際して「無力な者として、奴隷として生きようとする決意」を、「死よりも生を選ぶ」決意にそのままつなげることは正しいか、というものです。ドイツにあっても、国民の多くが、はたして、ナチスの大義、あるいは西洋近代のヒューマニズムの理念に準拠して、「生きるか、死ぬか」という問いの前に立ち、そこで「生」を選ぶという場面をもったのかどうか。私は、そのことを疑います。その契機が、脱落していること、もはや奪われていることを、「頽落」として批判するのではなく、逆に、そのことに、第二次世界大戦以後の新しい問題の現れを見ることが、ここで求められているのではないか、といま、考えるのです。

ここから先は、私の急ぎ足の素描になりますが、仮にここに示されたあり方を、ヤスパースの「生への決意性」と呼んでみましょう。するとこれが、ハイデッガーの「死への決意性」に対応しながら「生の本来性」をめざす、ハイデッガーとは対極の——しかし同質の——接近法と見えてきます。これもやや乱暴な言い方かもしれませんが、ハイデッガーが、ナチスの時代に、「死への決意性」のうえにその哲学思想を築いたのに対し、ヤスパースは敗戦に際して、「生への決意性」のうえに哲学思想を築くことで、彼なりの応答をしようとしているのだ、と受けとることが、可能かもしれないのです。

しかし、この「死への決意性」の哲学に対して、戦後、「死の不可能性」(西谷修)ともいうべき新しい展望が示されたように、ヤスパースの「生への決意性」に対しても、新しい展望が示されうるのではないか(この「新しい展望」に関心のある方は、「死の不可い）。

能性」と「偶然性への意思」についてふれた拙論「ゾーエーと抵抗」を参照して下さ

たとえばレヴィナスは、生きることの重さ、そのことからくる疲労の経験から、生の意味はやってくる、といっています。敷衍すれば、生の意味は、「死への決意性」や「生への決意性」がなくとも、ただ生きていることのうちから、取りだせるし、取りだされるべきだと、いうのです。

ちなみにやはり戦争終結の直後、一九四七年に刊行されたレヴィナスの『実存から実存者へ』には、こうあります。

ウィリアム・ジェイムズが有名な例で示したように、怠惰は起き上がらねばならないという明らかな義務と、ベッド・マットに足を置くという行為との間に位置している。（『実存から実存者へ』三四頁）

死への不安でもなく、生への決意でもなく、生きていることの重さからくる疲労と倦怠、その「怠惰」のうちに、生の意味はある、という記述のなかに見られる一節ですが、このあり方をレヴィナスは、ユダヤ系フランス人の捕虜としてドイツで抑留生活を送り、家族の多くをナチスに殺害された経験から、取りだしています。存在するということは何かを「もつ」ことであり(「ある("il y a")」というフランス語には非人称 il のもと、「もつ(avoir)」という動詞が含まれています)、そしてその何かは「重い」(あるいは「軽い=重さを欠かしている」)というのです。

日本人の戦争体験は、ヤスパースの「生への決意性」よりもこのレヴィナスの「生きていることの重さ」のほうにずっと近接しています。むろん、レヴィナスのユダヤ人としての被害者性と日本人の被害者性とのあいだには大きな懸隔があります。日本人の被害者性は不十分きわまりないもので、そこではその被害者性が他の人びとに対する加害者性と分かちがたく結びついています。レヴィナスの背後にあるユダヤ人の被害者性は、これとはまったく違っています。この日本人の戦争体験については、加害者意識の欠如を受けとめ、これを再構築することが必要なこととなりますが、それと同時に、この両者の違いは、ヤスパースの「極限状況」に立つ実存論への、一つの問い返しの場所を私たちに差しだすものでもあるのではないでしょうか。

つまり、気づいたら、自ら選択することなしに、生の場所に投げ出されていた、ということにも、戦争体験の出発点としての権利が認められうるのではないでしょうか。

そのばあい、生きているということは、生への決意に基づくのではない、むしろ、たまたま生き残ったという偶有性に基づくのだ、と日本の戦争体験、またそれに立脚する平和思想は、いっていることになります。

いま、私は、このような日本人の経験の不十分性と、偶有性のうえに立って、ヤスパースの戦争責任論、戦後の原爆論を、再検討してみたいと思うのです。

『原爆と人間の将来』における「精神的転換」

こう書いてくれれば、ここにおられる皆さんにはおわかりかもしれません。私が、自分とヤスパースの違いを痛感することになったきっかけは、『責罪論』の後、一九五八年に刊行された『現代の政治意識』で、彼が原爆について、私たちとははっきりと異なる判断を示していることを知ったことでした。

上下二巻からなる浩瀚な著作なので、手っ取り早く、訳者である細尾登の「あとがき」から引きますが、細尾は、この本について、こう書いています。

この書の基本的な立場は、東西対立の中で明確に選ばれた西の自由主義陣営の立場であ〔る〕。(中略)しかし、(中略)この日本で、この書物の内容が全部すなおに受け入れられるということは困難であろう。「平和も尊い。自由も真理も尊い。しかし全体主義が自由を破滅させようとするのならば原爆を断念すべきではない。なぜなら全体主義支配の現実は原爆以上に悲惨で深刻であるから。もしその両者(平和と自由）が尊ばれ、絶対的に平和が確保されなければならないのならば、東西いずれの陣営たるを問わず、個々の人間の回心——精神的転換——がなされなければならない。そうしてこそ初めて原爆の危機は真に克服される。」この書物はこう言っている。（『現代の政治意識』上巻、四七四〜四七五頁、傍点原文）

また、

原爆に即して考えた場合、申すまでもなく日本は世界で最初の、しかも唯一の原爆被災国であり、あの憎むべき原爆の恐ろしい災禍をうけた日本のわれわれにとっては、原爆はいかなる戦争目的のためにも使用されてはならぬという心情と論理が圧倒的に優勢である。（中略）その点で、「全体主義支配の現実は原爆以上に悲惨で深刻である。」というヤスパース先生の前述の発言は、（中略）ここ日本では大きな問題となる。（同前、四七六頁）

ちなみに、この本の訳書は、『現代の政治意識』をタイトルとし、副題に「原爆と人間の将来」と述べていますが、原著では、「原爆と人間の将来」がタイトルで、「現代の政治意識」のほうが、副題です。この本は、「原爆」の登場に照準を当てた著作であり、そこでヤスパースは、もしナチスの全体主義のようなもの――それがここではソ連の共産主義と同一視されています――が再度現れるのであれば、それを打破するために、あるいは未然に防止するために、「原爆」の存在、それによる威嚇、ないしそれによる「不正」の破砕は「断念すべきではない」と、述べているのです。

理由は、「全体主義支配の現実は原爆以上に悲惨で深刻であるから」。このヤスパースの論理が、先に見たエリザベス・アンスコムの論理と相似形をなしているのがわかります。

というのも、アンスコムは、ドイツが核開発の可能性を断たれ、米国がそれなしには国の存立に関わるような「極限の状況」に立ち入っていない条件のもとで、核を使用したことをトルーマンの「不正」の理由の一つに数えていたのですが、それは逆にいうなら、もし、それなしには世界の「自由と平和」を守れないというような「極限の状況」が現出するなら、核の使用も正当化されうるということです。そしてヤスパースは、当時のソ連の「全体主義」をナチスのそれとほぼ同義のものと考え、その「不正」は原爆の「不正」以上に「深刻」であるという理由で、原爆の使用がありうるという論理を、提示しているわけなので、それは同じ論理の展開なのです。ともに、論理的に考え尽くされています。瑕疵（かし）がありません。その共通点は、Aは、不正である。しかし、これ以上の不正であるBがあり、その不正Bを打破するのに不正Aを行使する以外にないばあいには、不正Aは許容されうる、というのです。アンスコムは、そこから、(核をもたない)ナチスの全体主義を打破するためには、戦争は許容されうるばあいがある、といい、ヤスパースは、(核をもつ)ソ連の全体主義を打破するためには、核の使用は許容されうるばあいがある、といっているのです。

ヤスパースの主張と、「日本のわれわれ」の「心情と論理」とのこの大きな違いについて、日本のヤスパース研究者の方々がどれくらい、立ち止まり、検討を加えられているのかを、私は寡聞にして、知りません。しかし、いま、私たちがヤスパースについて考えるなら、この点の考究は避けて通れないところです。なぜ、このような違いが生まれるのか。私たちは、これを私たちなりに検討してみることを求められているはずです。私のばあい、これを問い、とりあえずたどりついた彼我の分岐点が、日本の戦争体験のたまたま「生き残った」という原点とヤスパースの「生への決意性」という戦後の起点の違いだったということです。

右のあとがきに引かれた、将来の「平和」のためには「人間の回心――精神的転換――」がなければならないという個所の「精神的転換」も、それが彼の「限界状況」の概念と結びつくものであることを示しています。「原爆の危機の真の克服」のために人間の全体的な価値観の転換、回心が必要だと、そこには述べられていますが、それをもたらすものは、その「限界状況」が「原爆」によってもたらされる以上、人間の主体的な決断だということになるでしょう。そこでも、それは、ヤスパースの論理において、「生への決意性」と結びついていると見えるのです。

形而上的な罪と「破れ目」

しかし、ヤスパースの戦後の主張とは裏腹に、このような論理的な構えに「破れ」を作ったものが、第二次世界大戦の経験だったのではないでしょうか。そして、そうだとすれば、逆に、日本人の戦争体験、あるいは、「死の不可能性」、レヴィナスの生の疲労の思想のほうから、このヤスパースの戦後の思想を振りかえることも、できるのではないでしょうか。というより、そうすることが、必要でもあるのではないか。

そう考えるとき、私に、改めて大事に思われるのが、『われわれの戦争責任について』に彼が述べる「形而上的な罪」という概念です。

ここで彼の戦争責任論にもう一度、戻ると、ヤスパースは、ドイツ人として、人間としての自分たちの「罪責」には、次の四つがあると述べています。

第一は、「刑法上の罪」で、これは法律に違反するという客観的に立証可能な行為において成立します。審判者は正式な手続きを踏んで、事実に基づき、これを確定し、法律に適用する裁判所です。

第二は、「政治上の罪」で、これは施政者の行為において成立します。私たちもある国の公民であるという地位において、この罪の対象となりえます。審判者は、戦勝国の権力と意志です。決定権をもつのは勝利です。

第三は、「道徳上の罪」で、これは私が私のなすすべての行為において成立します。それが上からの「命令だ」という弁解は無条件には通用しません(危険、脅迫、恐怖の程度いかんによって情状酌量の余地は生じますが)。審判者は自己の良心と、知友たちとの精神的な交流です。

これに加えて、ヤスパースの加えるのが、第四の罪である「形而上的な罪」です。これは、これまでの三つが、だいたいこれまでにこのような状況であげられてきた分類とさして変わらないものであるのに比べ、ここで、ヤスパースによって、はじめてあげられたものとして、注目されます。では、これはどういう罪か。ヤスパースは、こう述べています。

> そもそも人間相互間には連帯関係というものがあり、これがあるために人間は誰でも世のなかのあらゆる不法とあらゆる不正に対し、ことに自分の居合わせたところとか自分の知っている時に行なわれる犯罪(crimes committed in his presence or with his knowledge)に対して、責任の一半を負わされるのである。私が犯罪を阻

止するために、自分でできるだけのことをしなければ、私にも罪の一半がある。私が他人の殺害を阻止するために命を投げ出さないで手をこまねいていたとすれば、私は自分に罪があるように感ずるが、この罪は法律的、政治的、道徳的には、適切に理解することができない。このようなことの行なわれたあとでもまだ私が生きているということが、拭うことのできない罪となって私の上にかぶさるのである。

（『われわれの戦争責任について』五四〜五五頁、傍点とその個所の英訳引用は引用者）

人と人の関係のうちには、ある局面で、にっちもさっちもいかなくなるということがある。一人が一人の前で、殺されそうになる。残る一人は、成功の見込みはないが、命を投げ出して相手を助けようとするか、成功の見込みがないのであきらめ、自分は生きながらえるか、二つに一つを選ぶしかなくなる。あるいは、二人のうちいずれかに犯罪が加えられる、それを拒もうとすれば、二人が死ぬしかないが、二人が死ぬか、一人だけが助かるか、そのどちらかを選ばなければならない、など。そういうばあい、人は生き残れば、必ず「自分に罪があるように感ずる」、しかし、その罪は、法律的、政治的、道徳的な罪に該当しない。これが、形而上的な罪である。これに対する審判者は、神であるとしかいいようがない。彼は、そういうのです。

さて、この形而上的な罪については、これまで、さまざまな解釈が重ねられてきています。しかし、私はここで、この四つを隔てるものを、人とのつながりから考えてみたいと思います。

ヤスパースはこういっています。すなわち、「生きるか死ぬかのいずれかしかないという絶対的な関係」が生じるばあいがある。それは、「あらゆる人間の連帯性」によるのでも、「国家の公民の連帯性」によるのでも、「ましてそれ以下の小集団の連帯性」によるのでもなく、「きわめて緊密な人間的結合にだけ見られる」。そこから、われわれ人間に「こうした罪」つまり、「形而上の罪」が生まれてくる、と。

ここでは、「あらゆる人間の連帯性」によって生じる罪が、「刑法上の罪」に、「国家の公民の連帯性」によって生じる罪が、「政治上の罪」に、「それ以下の小集団の連帯性」によって生じる罪が、「道徳上の罪」に、対応しています。刑法上の罪は、該当する誰にも適用される法的な裏打ちに立って、たとえば殺人が重い罪であると規定するものですし、政治上の罪は、人が「国家の公民」であることに基づいて生まれてきます。同じく、道徳上の罪は、主に自分の良心との関係から生じますが、それは、ごく少数の「知友たちとの精神的な交流」に反映せざるをえない本質をもっています。というか、それとの相互性のうちにささえられています。例を出せば、そのため、たとえば、殺人を犯した『罪と罰』のラスコーリニコフは、自分の老婆殺しはけっして「罪」ではないと自分の「良心」に照らして確信し、殺害を決行するのですが、母からの手紙を読み、肉親に接するうち、自分がもはや、以前のように彼らとのんびり、くつろいで話すということは永遠にできない、という直覚に襲われて、慄然とします。そして、苦しくなる。その果てに、その確信の崩壊に直面せざるをえなくなるのです。

これに対し、形而上的な罪は、人間の関係が「きわめて緊密な人間的結合」を見せるばあいに、生じる、といわれています。では、ここにいう、人間としての連帯性(the solidarity of all men)、公民(fellow-citizens)としての連帯性、より狭いグループ(smaller groups)、すなわち知友・肉親としての連帯性と異なる、「緊密な人間的結合(the closest human ties)」に基づく連帯性とは、何なのでしょうか。それを私は、あるできごとのなかでたまたま生じる絶対的な関係性から生まれる連帯性、つまりたまたま「居合わせる」という、偶然が作り出す絶対的な連帯性——偶有的であるために絶対的でもある人間間のつながり——と定義してみたいのです。

つまり、形而上的な罪とは、生きることの偶有性からやってくる、他に開かれた「罪」なのではないでしょうか。そして、そこで、ヤスパースの「生への決意性」の哲学は、限界状況を通じて、その「破れ目」と、出会っているのではないでしょうか。「破れ目」というのは、そこではもう「生きるか死ぬか」の決定を行い、「生への決意性」を発現させる場が、奪われている、ということです。

あるばあい、にっちもさっちもいかない状況を生き抜いたあとには、どのような既成の「罪」にも該当しないのに、生き残ったということ、そのことから、罪の感覚が生まれてくる。理屈がつかない。論理的には不整合なのに、「私は自分に罪があるように感ずる」。そう、ヤスパースはいっています。なぜ、その中身を言い当てることができないのに、「罪」はあると感じられるのか。そこには「生への決意性」の「破れ目」が口を開けているのだと、私は思うのです。

そこでは、「生きるか死ぬか」の選択はもはや奪われている、というのがよいのではないでしょうか。人がそこで出会っているのは、その選択ができない、という事態なのではないでしょうか。そしてそのことは、そのいずれを選択しても、そこから意味が生まれるのではないことを、語っているのではないでしょうか。そこでは、意味は、いずれが選択されたとしても、そのことからくるのではなく――その選択は偶然の結果にすぎない、という認識をへて――、むしろ、主体が、遅ればせに、その偶有的な結果を受けとめ、受け入れる、という事後的な受け入れの意思から、やってくるのだ、と考えるのがよいのではないでしょうか。

そういう「状況」を作り出しているのは、たまたまそこに「居合わせる」という偶有性から生じた、知らない者同士の「にっちもさっちもいかない」関係性です。そうである以上、それにあらかじめ備えることはできません。事前にそれを「不安」に感じることもできません。それに向かって事前に「決意」することも、できないのです。

さて、私がそういうのは、実はこのようなヤスパースの「破れ目」の洞察が、いまなお、ほとんど政治哲学の世界では受けとめられていないことを、現在の哲学の一部における「難問」問題ともいうべきものの隆盛が、示しているからです。現在、三人乗りの救助ボートに四人の乗客が殺到したときどうするか、とかのケースを例に、政治哲学者、社会学者たちが、すぐには判断のつかない問題をどう考えればよいか、という議論を一般の人にもちかけるということが行われています。マイケル・サンデルの『白熱教室』というテレビ番組が有名ですが、ウィリアム・スタイロンの小説『ソフィーの選択』とか、「トロッコ問題」とかがその難題の例で、そういう問題が、学会などでも論じられています。しかし、そこに私は一つの逃避の欲求を感じます。彼ら明敏な学者たちは、なぜ答えの出ない、ないし出にくい問題を人びとの前にさしだし、彼らを戸惑わせ、こう考えればよいのだ、と、自分はそれこそ「審問官」のようにメタレベルに立ちながら得々と説明し、それが哲学であるかに語るのでしょうか。それは哲学の頽落なのではないでしょうか。それは、ここにいう「形而上的な罪」――哲学の「破れ目」――に直面することへの恐怖、忌避の感情の表現にすぎません。そのことを彼ら「教師」たちが自覚していないということの表れにすぎない。私にはそう、見えるのです。

同様に、ヤスパースの原爆に関する考えへの違和感を、アンスコムのばあいと同じく、そこには何一つ「破れ目」がない、と語ってみることができます。人類が原爆をもつということは未知の事態です。原爆投下に遭って死ぬということも、未知の事態です。むろん、アウシュヴィッツで殺されて死ぬということにも、未知の要素があるでしょう。そして、この三つの未知の事態のうち、後の二つを覆っていたのは、偶有性という事態(無差別の殺戮、民族性以外に理由のない無選別の死)、「決意性」を不可能とする事態でした。最後のものについて、この後、ジョルジョ・アガンベンが最低位の犠牲者のありようについて、「回教徒」の名で語ることになるようなことがらは、その一例をなすでしょう(『アウシュヴィッツの残りのもの　アルシーヴと証人』)。これに対し、「全体主義が自由を破滅させようとするのならば原爆を断念すべきではない。なぜなら全体主義支配の現実は原爆以上に悲惨で深刻であるから」というヤスパースの言明には、「破れ目」がありません。理路が整然としています。しかし、それは、原爆とアウシュヴィッツのあとでは、むしろおかしなことなのではないでしょうか。

この「形而上の罪」に顔を覗かせている偶有性が、第二次世界大戦の戦後が私たちに残した「破れ目」、ヤスパースの哲学思想の次の展開への開口部のように、いま私には、感じられます。

ヤスパースがこのあと、戦後すぐに提示したこの「形而上の罪」について、どのようなことを述べているのか、門外漢の私には知りたいところです。また原爆についても一九五五年のラッセル・アインシュタイン宣言をへて、あるいは一九五三年のハイデガーの講演「技術への問い」をへて、どのような発言を行なっているのかも知りたいと思います。日本のヤスパース研究者の方々に、ぜひそのような点について教えていただければと思っています。

参考文献

カール・ヤスパース『哲学』小倉志祥・林田新二・渡辺二郎訳、中央公論新社、二〇一一年
同『責罪論』橋本文夫訳、理想社、一九六五年(『戦争の罪を問う』として一九九八年、平凡社ライブラリーより、『われわれの戦争責任について』として二〇一五年、ちくま学芸文庫より再刊)
Jaspers, Karl, 1947, The Question of German Guilt, translated by E. B. Ashton, Capricorn Books, 1961
同『現代の政治意識　原爆と人間の将来』(上下)飯島宗享・細尾登訳、理想社、一九六六年、一九七六年
Anscomb, G.E.M., 1958, "Mr. Truman's Degree" in The Collected Philosophical Papers of G.E.M. Anscomb, vol. III(Ethics, Religion and Politics)Blackwell, 1981
エマニュエル・レヴィナス『実存から実存者へ』西谷修訳、朝日出版社、一九八七年
ジョルジョ・アガンベン『アウシュヴィッツの残りのもの　アルシーヴと証人』上村忠男・廣石正和訳、月曜社、二〇〇一年

井伏鱒二『黒い雨』新潮社、一九六六年
西谷修『不死のワンダーランド』青土社、一九九〇年
加藤典洋『敗戦後論』講談社、一九九七年
同『戦後的思考』講談社、一九九九年
同『人類が永遠に続くのではないとしたら』新潮社、二〇一四年
同「ゾーエーと抵抗」『岩波講座 現代1 現代の現代性』所収、岩波書店、二〇一五年
同『戦後入門』ちくま新書、二〇一五年

ゾーエーと抵抗——何が終わらず／何が始まらないか

死の不可能性

かつて「死の不可能性」ということがいわれたことがある。それは鋭い指摘だったといま思う。砂浜に打ち寄せるさまざまな様態の波のように、それは何度も、繰り返し、いわれた。

断片的に、はかなげに、互いに似通いながら、少しずつ違って。

よく言及された一人は、モーリス・ブランショである。彼は『文学空間』(一九五五年)の中の、「私は、死ぬことができるか？」という問いを含む章のなかで、ドストエフスキーの『悪霊』の登場人物キリーロフの自殺にふれて、こう述べた。

キリーロフは、真に、死ぬのだろうか？（中略）死の内にあってまで、彼は、死のこうした意味を保持し得るのか？　終末を作る能力であり終末から始まる能力であることの能動的で活動的な死を、死の内にあっても、保持し得るのか？　なおも死を、おのれに役立つ否定の力に、決定性の刃になしうるのか、彼自身の不可能性までが或る能力というかたちで彼に到来する至高の可能性の瞬間と、化し得るのであろうか？　それとも反対に、この経験は、ある根本的な逆転の経験なのだろうか？　その場合、彼は、死にはするが、死ぬことが出来ないのであり、死が、彼を、死ぬことの不可能性へと委ねるのである。(ブランショ『文学空間』一二九頁、傍点原文)

人は死のうとすることができる。それは自ら価値を作りだす行為でもある。でも、実際に死ぬのは、ひと一般なのではないか。死ぬところまではいくのだが、実際に死ぬことがはじまると、そこで死んでいるのはヒト、「人類」の一人としての身体で、そこにはもう彼はいないのではないか。ある「根本的な逆転」が起こっている。人は、私としては、死ぬことができない(ただヒトとして死ぬだけ)、というのが正しいのではないか？　そう彼はいった。

さして面倒なことではない。

そこには、彼自身の戦争中の経験が反響している、と受けとることもできる。

それは、彼の最後の短い作品「私の死の瞬間」に出てくる話だ。一九四四年の彼自身の体験を述べたものともいわれている。一人の青年が、ドイツ軍にとらえられ、銃殺されそうになる。ギリギリのところでレジスタンス組織の反撃の砲声が聞こえ、彼は逃れるのだが、兵士に銃を構えられ、ああ死ぬ、というときに、彼は、「尋常ならざる軽さの感情、一種の至福(それでも幸福なところは少しもなかった)を感じた」という。

この軽さの感情を、彼の代わりに分析するつもりは私にはない。彼はもしかしたら、突然、無敵になったのかもしれない。死んでいて——不死であって。もしかしたら恍惚。むしろ、苦しんでいる人類に対する共苦の感情、不死でも永遠でもないという幸福。このときから、彼は密やかな友愛によって、死に結ばれたのである。(ブランショ「私の死の瞬間」、デリダ『滞留』八頁)

これを、広く「私は死ぬことはできない」と受けとることで、西谷修はかつてこれを現代社会の問題として解釈しなおしたことがある(『不死のワンダーランド』)。そこからは多様な文脈をもった可能性が導き出されたが、もしそのような「一人」の死が不可能なのであれば、死への不安を現存在の実存の根拠にしたハイデッガーの考え方は、その普遍性の土台を失うのではないか、というのが、それを読んだとき、たとえば私などが、考えたことだった。

ハイデッガーから私は、あらゆる生き物の中で、自分はやがて死んでいくということを知りつつ生きているのは、人間だけだ、ということを学んでいた。猫は自分がやがて死ぬと思いながら生きているわけではない。だからだろう、たぶん「猫に未来はない」。この一点に人間の定義を打ち立てるなら、そこからも「現存在」という概念が生まれてくる。彼はただ「いる」のではない。彼は「そこに」、世界に投げ込まれ、世界に拘束され、つながって「生きている」のである。「現存在」とは、自分が死ぬことを知りつつ生きる存在のことだというのが、私が自分用に用意する、その定義だった。

しかし、このハイデッガーの人間理解に対して、人間は、もう、そのような存在としては「死ぬことができない」という新しい定義を、ブランショは対置した。ブランショだけではないだろう。ブランショの大学時代の友人、エマニュエル・レヴィナスも、そうだ。レヴィナスは、フッサール、そしてハイデッガーに学んだ。そしてそこから先に抜け出ていこうともがいた。やがてこう考える。「死ぬ」ことへの不安が一番の実存の足場なのではない。むしろ「ある」ことがしんどい、ということのほう、「ある」ことへの倦怠、怠惰、疲労のほうが、それよりも広い実存の足場になるのではないか。彼はそう考えるが、そこにはブランショと同じく、ハイデッガーの先へ出ていこうという姿勢が、はっきりと示されている。

彼は、死への不安ではないよ、生のけだるさだよ、といったのだ。

自我とその実存との関係が気懸りになり、実存が引き受けねばならぬ重荷のようにして現れるといった事態は、哲学的分析が通常は心理学に委ねてきたある種の状況のなかでことのほか切実なものとなる。私たちが取り組もうとしているのはそうした状況、つまり疲労や倦怠である。

私たちの考察が、その発端において少なからず(中略)マルチン・ハイデガーの哲学に触発されたものだというのが事実だとしても、この考察は、ハイデガー哲学の風土と訣別するという深い欲求に促されると同時に、しかしながらまた、この風土からハイデガー以前ともいうべき哲学の方には抜け出ることはできまいという確信に導かれている。(レヴィナス『実存から実存者へ』二一頁)

やがて「いなくなる」こと(つまり死ぬこと)への不安ではなくて、「いる」こと、存在することの重さからくる疲労と倦怠。それが生きることの意味の源泉だと、レヴィナスはいう。私は長い間、ひそかに彼の次の言葉を、ひとときも忘れることなく、生きてきた。

ウィリアム・ジェイムズが有名な例で示したように、怠惰は起き上がらねばならないという明らかな義務と、ベッド・マットに足を置くという行為との間に位置し

ている。（同前、三四頁）

朝起きると、眠い。なかなかベッドから離れられない。ぐずぐずして、ようやく私たちはベッドに身を起こし、かたわらのベッド・マット（私はもっていないが）に足を置く。そのぐずぐずした時間、かったるさをみたしているもの。怠惰、疲労、そこに私たちの生の意味の源泉はあると、彼はいうのだ。

怠惰、そして疲労。それは、私たちの意識が、生き物としての――ヒトとしての――私たちの生存に、ぐっと近づく場所である。私たちの中で意識よりも身体の比重が大きくなる。猫があくびをする。そのあくびが私に移る。ぐったりとしたとき、私は少しだけ猫に近づくわけだ。ハイデッガーの死への不安とは、だいぶ違う。

ハイデッガーは「ひと」が「固有の死」を引き受けるのを回避し、「公共的なお喋り」に逃避しているという。死への決意性を強調して、ナチスに接近する。これに対し、彼自身ドイツで抑留生活を送り、家族の多くをナチスに殺害されたユダヤ人のレヴィナスは、存在するということは何かを「もつ」ことであり（「ある〔"il y a"〕」という言葉にはたしかに「もつ〔avoir〕」という動詞が含まれている）、そしてその何かには「重さ」がある。それはもつものを非人称（il とか on）にする。怠惰と疲労がそこに滲み出てくる、というのである。

西谷は、先の『不死のワンダーランド』で、第二次世界大戦のドイツのユダヤ人絶滅収容所と日本の広島と長崎への原爆投下にふれ、このような「大量死」のなかで、ハイデッガーのいう「ヒト」が「固有の死」を引き受けるという土台が、根こそぎにされ、それこそいまや「私として死ぬこと」が「不可能」になっていることに、読者の注意を喚起している。

ここに示された「死の不可能性」の人間は、もはやマルクスの理解とも違っている。そのことにもひとこと、ふれておこう。

マルクスは、初期のノートにこう書いている。名高い言葉だ。

……人間の個人的生活と類としての生活は別個のものではない。人間はみずからを類として意識することにおいてみずからの現実の社会生活を確認し、みずからの現実的な存在を思考において反復するにすぎない。また逆に、類としての生活のほうも、類としての意識というかたちでみずからを確認し、その普遍性において、思考する存在としてみずからに向かいあう。

したがって人間はひとりの特殊な個人であり、ほかならぬ彼の特殊性が彼をひとりの個人たらしめ、現実の個体的な共同存在たらしめるが、他方では人間は全体、観念的な全体でもあり、つまりは、思考され感じとられた社会そのものの主観的なありかたでもある。じっさいまた人間は現実においても、社会的存在を見てとり現実に享受する者としてもあれば、人間的な生の表出のひとつの全体としてもある。そうだとすれば、思考と存在はたしかに別個のものだが、同時にまたたがいに一体をなしてもいる。

死は特定の個人にたいする類の冷酷な勝利のように見え、類と個人の統一に矛盾するように見える。しかし、特定の個人はたんにひとつの特定の類的存在にすぎず、彼が死すべきものであるのも、そうした存在としてである。（マルクス「経済学・哲学草稿」三五三〜三五四頁、翻訳原文のゴチック体は省略）

人は死ぬ。しかし彼は「ひとつの特定の類的存在」として死ぬのであり、そこではひとりの具体的な「私」としての個人と、意識存在としての人類のひとりとしての「私」の統一が「矛盾する」ことなく、「一体をなしてもいる」。そうマルクスはいう。でもこれと、ブランショの「私は死ぬことができない。それでもひとは死ぬ」は、同じではないだろう。ブランショはマルクスの「思考と存在」との一体性としての「私」(固有なもの)が、死んでいくと、その死の過程のなかで、「ひと」(固有でないもの)に取って代わられる、といっているのである。マルクスのいうような(類的存在としての)「死」も、実は(非人称化する)死の過程で、消えるのではないか、というのである。

しかし、ブランショがそういうことを書いたのは、一九五〇年代のことである。それから半世紀の世界は、何を加えたのだろうか。

いま、そのブランショの「ひと」(固有でないもの＝非人称性)を、「ヒト」(生物としての人間)に置き換えてみよう。

するとここには、人間は意識ある存在として生きていると同時に、一個の生命体である生き物(ヒト)としても生きる存在だという、二重性の存在としての人間が姿を見せる。「固有でないこと」はそのまま「生き物であること」ではない。だから、その意味は、むろん変わる。けれども、ブランショのいう意味は、変わって、今度は、ミシェル・フーコーの「生‐政治」の文脈が現れるのではないかと、私は思う。

フーコーは、西欧の政治形態そして権力は古代以来、いうことを聞かなければ「殺すぞ」という文法をもっていたが、一七世紀、古典主義の時代に入ると、今度は逆に、いうことを聞かなければ「そんなに簡単には死なせないぞ」、いつまでも「生かしたままにして、富を生む資源として用いるぞ」に変わったと述べている(フーコー『性の歴史I 知への意志』一七一〜一七八頁)。また、これを受けてフーコーの考えを引き取り、さらに展開するジョルジョ・アガンベンは、古代ギリシャでは人間が生きることが二つに分かれて受けとられていたと指摘し、ひとつは「生命／生存」としての生で、もうひとつは「意識存在としての生活」だったという(アガンベン『ホモ・サケル』七頁)。前者はゾーエー(zoē)と呼ばれ生き物(ヒト)としての、つまり動物でも人間でも同じ生存のあり方を示し、後者はビオス(bios)と呼ばれ、人間の個体や集団に特有の生きる形式を示していた。

むろんブランショのいっていることと、フーコーのいっていることは違う。けれども、ブランショのいう一九五〇年代の「死の不可能性」の指摘は、フーコーをへて、一九九〇年代のアガンベンにいたり、いまや人間の経験は、人間として死ぬことができないところまで自分を追いつめた、と転義されるところにまできたとはいえる。

アガンベンは、ユダヤ人絶滅収容所でのもっとも深部をなす経験は、そこで回教徒と呼ばれた最下層の囚人たちが、もはや「人間としての死」を奪いとられ、「死の不可能性」を生きたことだといっている。「証言しえないものにも名前がある。収容所で通用していた隠語で、der Muselmann、すなわち『回教徒』と呼ばれたものがそれである」と書いて彼はジャン・アメリの文を引いている。

> あらゆる希望を捨て、仲間から見捨てられ、善と悪、気高さと卑しさ、精神性と非精神性を区別することのできる意識の領域をもう有していない囚人が収容所(ラーガー)の言葉で呼ばれた名にしたがうなら、いわゆる回教徒(ムーゼルマン)である。かれはよろよろと歩く死体であり、身体的機能の束が最後の痙攣をしているにすぎなかった。(アガンベン『ア

（ウシュヴィッツの残りのもの』五一頁）

人はいまや「ビオス」（意識存在）として死ぬことができないだけではない。長く引き延ばされた「私の死の瞬間」を「ゾーエー」として、生き物として「死ぬまでのあいだ生きる」のである。意味のある固有な「死」は、彼から奪われて久しい。死が不可能であること、それは、いまでは動物と変わらない存在、「ゾーエー」として生きるということでもある。

そう述べて私は、最近出版した本（『人類が永遠に続くのではないとしたら』）に、フーコー、アガンベンとともに、吉本隆明の『アフリカ的段階について　史観の拡張』について書いた。この吉本の著作は、「ゾーエー」の場所から世界史を見直してみれば、どうだろう、という問いをもっている。これまでの「史観」をもっと、未来に開かれたものに拡張することもできるのではないか、という提言を含んでいる。

いまある世界史は、ヘーゲルの構想した「ビオス」（意識存在としての人間）中心の世界史で、そこでは「ゾーエー」（人間の生き物としての生存の側面）は未開で野蛮な部分として排除されているが、これを「ゾーエー」を母型に繰り込んだ形に再編成すれば、世界史は拡張されるのではないか、というのである。

考えを変えれば、それはひとつの始まりでもある。歴史観の拡張というだけでなく、人間観の拡張をも、もたらすだろう。

「ないこと」があること

昔、ラカンにふれて、「ないこと」があること、について考えたことがある。

恋人がそもそもいない若者は、一人で生きているが、彼には、「ないこと」がない。しかし、恋人がかつていて、ふられたり、死なれたりしている若者がいるなら、彼も同様、外から見ると、一人で生きている点、同じだが、この彼には、「ないこと」がある。そういう違いがある、ということを学生諸君に話した。

＊

「ないこと」があることと、「ないこと」がないこととは違うというのは、当時、「ないこと」をもたない若い人には、さぞかし、抑圧的に聞こえたことだろう。「ないこと」があることとは、ひとつの否定性の源泉と受けとられた。だから、「ないこと」がないことは、否定性がもはやどこにもない、ということにもつながっていたからだ。しかし、もうどこにも逃げ場がない、という意味では、その「ないこと」がないこと、つまりもう一つの意味で「死」が不可能であることが、新しい「ないこと」になろうとしていたのである。

＊

ラカンは難解、というか、当時、ラカンについて書く人はことごとく難解であった（いまもそうかもしれない）。私はなかでは、『負のラカン　精神分析と能記の存在論』という石田浩之の著作を、面白く読んだ。また、この本に教えられた。

＊

ラカンの考えでは、イメージには「ないこと」がない。

テーブルのうえから林檎がなくなった、というばあい、それを絵（イメージ）に描くと、「林檎がない」ではなく「テーブルがある」になってしまう。

「テ、ー、ブ、ル、の、上、に、林、檎、が、な、い」という絵は描け、な、い。

「林檎がない」ことを示そうとしたら、言葉が必要だ。

絵（イメージ）には「ないこと」がない。言葉が獲得されて、人にははじめて、「ないこと」がある、ようになる。

「ないこと」はそれ自体が、ひとつの獲得物、「あること」なのであった。

*

しかし、実際に自分が身近な人間をなくすという経験をしてみると、これは違うぞ、ということがわかるようになる。それは次のようなことである。

「ないこと」を黄色の色紙、「あること」を焦げ茶色の色紙としてみよう。

「ないこと」があると私たちが感じるばあい、私たちのなかで「ないこと」の黄色の色紙と「あること」の焦げ茶色の色紙とでは、焦げ茶色の色紙のほうが大きくなっている。「ないこと」があると私たちが感じるとき、というか、私たちがそう感じるのは、私たちが「あること」の世界にいるからなのだ。

焦げ茶色の色紙が地(グラウンド)をなして、そのうえに、図(フィギュア)として黄色の色紙が載っている。大きな「あること」のテーブルの上に、「ないこと」のリンゴが載っている。それで、私たちは、「ないこと」がある、と感じるのである。

けれども、実際に「なくなること」にどこまでも身をさらす経験は、そうではないよ、ということを教えてよこす。それは、「ないこと」の黄色の色紙のほうが「あること」の焦げ茶色の色紙よりも大きくなることだ。両者の関係が、逆転することなのである。

それで、最初のうちは、黄色が焦げ茶を覆ってしまい、世界にはただ黄色い一枚の色紙だけがあるようになる。「ないこと」が世界を覆う。しかし、やがて、時がたつと、その「ないこと」の中で目が覚める。生きているということは、「ないこと」のなかでも目が覚めるという経験であるらしいのだ。そこで、世界は、黄色い色紙が地(グラウンド)になり、それよりも小さな焦げ茶の色紙がそのうえに載るように構図が変わっている。気づくと、「あること」が図(フィギュア)になっていて、「ないこと」が場(グラウンド)になっている。

すると、世界に反転が起こり、「ないこと」があるのではなく、「あること」がある、になる。そのことが驚くに足ることとなり、私たちに「あること」があることが感じられるようになってくる。

はじめには「ないこと」がある。しかし、その「ないこと」が世界を覆うと、認識の反転が起こる。そして「あること」があるようになる。はじめは、生の世界に五センチ四方の矩形のトリチェリーの真空のようなものがあった。「死」の空間があった。しかし、それが生きている世界の中に広がると、今度はその「死」の世界のなかに、五センチ四方の矩形の地球のように、「緑なす生の世界」があることが、感じられてくる。

地と図の反転が起こるのである。

*

つまり、「ないこと」があるをたどっていく。生半可なたどり方だと、どこまでいっても「ないこと」があるままだ。しかし、どこまでもそこに身をさらすという経験が加わると、メヴィウスの輪のように、それは、「あること」があるに反転する。これを有限性と無限性の話に置き換えるなら、こうだろう。有限性（ないこと）があることを追求していくと、あるところまでは、どこまでいっても有限性がある、のままである。けれどもさらにこれを強くたどる、どこまでもいくと、メヴィウスの輪をどこまでも歩む蟻のように、反転して、「無限性（あること）」がある、に辿りつく。

*

「(無限性のなかに)有限性がある」が、「(有限性のなかに)無限性がある」に、反転している。

「(無限性のなかに)有限がある」と
「(有限性のなかに)無限がある」

二〇一一年の三月に日本で起こったことは、ひとつの自然現象とひとつの事故だった。
それを私たちはどのようにも受けとることができる。
深刻にも。また、ただの事故としても。

わたしは、これをもっとも深刻に受けとってみようと考えた。もっとも深刻に、大きく考えるとしたら、これはどのような変化の指標となりうるか と、考えようとした。

つまり、これが何かの終わりであり、何かのはじまりだとして、その何かを最も大きな変化として受けとろうとすれば、それは何になるかと考えたのである。

それは文学とは何の関係もないことだが、そう問うことは、文学の問いだといえなくもないだろう。

新しい文学とはどのようなものか、というようなことが新しい文学の問いだとは、誰も思うまいからだ。

そして、考えたあげく、私はそれを、「(無限性のなかに)有限性がある」から「(有限性のなかに)無限性がある」への地と図の反転として受けとることにした。

この地と図の反転が、何かが終わり、何かがはじまるとして、そこでもっとも大きな変化を示すうごきなのではないかと、考えたのである。

*

私たちはこれまで地球が永遠に続き、世界が永遠に続き、また、人類も永遠に続くと考えてきた。

だから、地球に限界があり、世界がこのままでは続かないと警告されれば、何とかしなければならないと思ってきたのだが、よく考えれば、自分たちは永遠に存在し続けると思ってきたので、そのことが心配だったのである。しかし、そうである限り、つまり、永遠を信じている限り、そもそも私たちが有限の条件のなかで無限を生きる存在なのだということには、気づかないのではないだろうか。私たちのなかにそのような「無限」があることに、気づくことはないのではないだろうか。

＊

二〇〇八年のことだが、見田宗介が、なぜ人類はBC五世紀前後に、世界宗教、哲学など、人間と世界に関するこれまでにない考え方をいっせいに、爆発的に、世界同時多発的に、更新することになったのか、という問いに対して、ひとつの新しい仮説を提起した(『軸の時代Ⅰ／軸の時代Ⅱ』)。

この問いは、さまざまな人から提起されてきたのだが、なかで一番鮮明なのがカール・ヤスパースが発表した『歴史の起原と目標』という著作である。

ヤスパースは、それを第二次世界大戦の敗戦が彼に考えさせたことのひとつとして、一九四九年に世に出した。世界史を紀元ゼロ年から考えるのは、西欧の考え方に立つ仕方だとして、世界史の構造を、人類単位のものとして作り直そうとした。そして、その新しい世界史の軸を「紀元前五〇〇年ころ、八〇〇年から二〇〇年の間に発生した精神的過程」に求められるとした。その頃、「今日までの文明の基本の思想の原型――ユダヤ教からキリスト教、古代ギリシャの様々な哲学思想、諸子百家から老荘や儒教、バラモン教の哲学から仏教にいたる巨大な思想、哲学、宗教」が世界のほうぼうで、同時多発的に形成されたからである。

しかしヤスパースは、なぜこのようなことが起こったのかはわからない、と記した。アルフレート・ウェーバーの文化社会学的なユーラシア騎馬民族形成説などを紹介し、検討し、事実の列挙は可能だが、「事実を明らかにするだけで、原因の説明にはならない」、これらの条件が共通性をもっているとしたらそれが何なのか。「そのいわれこそ問われるべき」で、この点に関しては、今後の「新たな認識」の登場に余地を残しておきたいと、答えを保留したのである。

この問いについてそれ以後さしたる展開がなかったことは、博捜な科学史家の伊東俊太郎が、この同じ「革命」を彼自身は「精神革命」と呼びながら、その同時性の理由をやはり、ウェーバー、石田英一郎らの騎馬民族説の紹介で語っていることからもわかるのだが、これに対し、見田は、その時期、人類は、都市間の交通、鋳造貨幣の出現、度量衡の確立などを通じてはじめて「無限性」にさらされた。そしてこの経験が、同時多発的な普遍的な人間観に立ったさまざまな精神的離陸を、もたらすことになったのではないか、という新説を、ヤスパースの「保留」に対し、提示したのである。

　これが、これまで提出された答えとまったく違うものであることは、この答えが、なぜ人が「世界」ということ、さらに「人間」ということを普遍的に、しかも世界同時多発的に考えるようになったかの、その「いわれ」にふれていることからわかる。見田は、その理由は、彼らが、それまでとは違うふうに世界にさらされることになったことにあると考えている。つまり、「無限性」という、ものを考えるうえでの「地」(グラウンド)を得たためだというのである。

　そしてそのうえで、現在が、その時期をちょうど反転させた対極の時期――「有限性」という、ものを考えるうえでの「地」(グラウンド)が現れた時期――にあたるとして、こう述べている。


　つまり、現代を第二の「軸の時代」にしようとすれば、その現代の思想の課題は、〔紀元前五世紀前後の〕第一の「軸の時代」の大きな思想家たちの課題が、世界が無限であるという真理に対して立ち向かい、その無限の世界を生きる生き方と社会構想を構築することにあったことのちょうど逆になるわけで、世界は有限であるという真理に正面から立ち向かい、その有限な生と世界を肯定する力を持つような思想が生み出されないと、次の時代を生きられないということになってきているのではな

いかと思います。（『軸の時代Ⅰ／軸の時代Ⅱ』五四〜五五頁）

鋳貨（鋳造貨幣）の歴史は意外に新しく、紀元前七〇〇年ころ、ギリシャのエーゲ海をはさんだ対岸の地方リュディアが最初だという。しかし一〇〇年後、紀元前六〇〇年くらいにはギリシャ世界はもう鋳貨なしには生きられないような状態になっていた。そこでは、鋳貨が都市化を引き起こし、他との交通、交易の必要と欲望と可能性を飛躍的に高める。世界がとほうもない速度で拡大し、この共同体の向こうがある・その向こうはさらに向こうまで続いている・われわれは「無限」のただなかにいる。そういう感覚が人びとに襲いかかってきた。このとき人は何を感じただろうか、と見田はいう。

この虚無感、畏怖と不安のなかから、当時の旧約聖書のなかのコヘーレスの言葉、「空なるかな空なるかな」は、現れてくるのではないだろうか。最初期ミレトス学派で唯一、一部文献として残るアナクシマンドロスの著作の題名『ト・アペイロン』も、やってくるのではないか。それは「無限なるものについて」と解しうる、訳しうる。そしてやがて、そこから人類、そしてその単位としての人間、という考え方が、導かれてくるのではないだろうか。

こうして、彼は、BC五〇〇年前後の「軸」の時代（ヤスパース）とAD二〇〇〇年前後を対偶の関係におく、ひとつの世界史の構図を、示すのである。

いま考えるなら、見田がその対照を、それ自体、つながらない二つの仕方で問題提起しようとしたことが、私たちには、興味深い。

見田はこの対偶図に合わせて、もう一つの図を用意している。それは、先の図が人間(ビオス)の構成する社会を原理とした世界の趨勢の図だとすると、こちらはヒト(生き物)の生態を原理とした図である。彼はいう。

*

たとえば一つの森があって、その森の環境条件によく適合した新しい種の動物が放たれますと、初めは少しずつ増殖していきます。そのあとで、「爆発的」な大増殖期、急激な増殖期を迎えます。(中略)やがてその森の環境容量、つまりその動物が生きるに必要な環境的キャパシティの限界に近づきますと、その動物は増殖を減速させ、そのうちに、それ以上は増殖しないという飽和状態に達し、森の環境との安定平衡期に入ります。このような変化に失敗して滅びる動物もいるわけですが、うまくいった場合はそういうふうに安定平衡期に入ります。(同前、三二頁)

こう述べて彼は、生物学にいうロジスティック曲線(S字曲線)を示す。そして「人間という種類の動物も、基本的・原則的にはこのロジスティック曲線を免れることはできない」であろうといい、事実、人間の歴史の全体は現代まで、このような動き、最初に助走期があり、少しずつ増えた後、近代に入り「爆発的」な「大増殖期」を迎えるという、同様のS字型のカーブを描いてきたと語る。そして、さらに、地球の環境とか資源について「限界に近づいている」といわれるようになった時期の世界人口の増加率を調査すると、驚くべきことに、「地球全体、世界全体の人口の増殖率というものも、一九七〇年をピーク、先端として、急激に減りつつある」ことがわかるというのである。彼によれば、「これが、先進国だけではなくて、アフリカとかアジア、ラテンアメリカ(中略)も含めた、世界全体の」動きとして、示されうる。生物のロジスティック曲線で、急激な変化を示す二つの変曲点——ほぼ横ばいから漸次上昇への変曲点と、爆発的上昇から増加の度合いが漸減し、その後横ばいに向かう変曲点と——が、こうして、世界人口のS字型曲線にも現れ、両者はぴったりと重なる。そして、世界人口の曲線の場合の二つの変曲点は、紀元前五〇〇年ころと、紀元二〇〇〇年前後とに現れ、ここもまた、先の社会の世界図がしめした動きと、重なるというのである。

このことは、何を語っているのだろうか。

単なる偶然だとは考えにくい。しかし、何らかの人間の意識上の対応であるとも考えにくい。

地球がこのまま産業化をすすめ、成長し続けると、やがては限界にくるのではないかといわれはじめたのは、一九六〇年前後からである。地球の有限性は、最初、環境についていわれた。一九六二年のことだ。

レイチェル・カーソンが『沈黙の春』を書き、第二次世界大戦後の合成化学薬品が戦争のための化学兵器の開発の成果として登場してきたこと、そのため、それ以前のものとは比較できないほど、高度な毒性をもつにいたったこと、その結果、先進諸国のここかしこに深甚な環境破壊が起こりはじめていることを示し、このまま進むと昆虫だけではなく、最後には人間もいなくなるだろう、と警鐘を鳴らした。

次に、一九七二年に、これに加え、資源と人口、食糧について地球の容量には限界があることが指摘された。ローマ・クラブがD・H・メドウズらによる『成長の限界』を発表し、このまま人口、工業化、汚染、食糧、資源枯渇の趨勢が変わらず進行すれば近い将来地球上の成長は限界に達する。その結果、遠くない将来、人口と工業力の「かなり突然の、制御不可能な減少」が起こるだろうと警告したのである。ほぼときを同じくして、イヴァン・イリイチの『コンヴィヴィアリティのための道具』(一九七三年)やE・F・シューマッハーの『スモール・イズ・ビューティフル　人間中心の経済学』(一九七三年)など、エコロジーの思想家たちの注目すべき仕事が世の中に現れた。

またこの時期、一九五〇年代後半から一九六〇年代末までの時期は、第二次世界大戦の軍事技術の発展と原子力エネルギーの解放を得て、先進国がひとしなみの好況のもと、大規模な科学技術の開発をめざし、人類が宇宙開発に異様な情熱を示した時期でもあった。一九五七年に人類初の人工衛星がソ連によって飛ばされ、一九六九年には人類がとうとう月に降り立った。一九六八年は世界のほうぼうで若者の反乱と社会的文化的な革命が同時多発的に起こった年として知られる。たぶん一九七〇年前後に、人類社会は成長のピークを迎えたと、いまの目には見えるのだが、その時期が、世界人口の増加率が急激な増加から急激な減少に転じた時期にぴったりと重なっているのである。

しかし、これが人間社会からの意識的な対応だったとは考えられない。人口の増加率の急減は、右のエコロジー思想などとは無縁の、たとえばアフリカやアジア、ラテンアメリカの発展途上国、また貧困国で起こっているからだ。先進国では、もっと早い時期から、人口の増加率ばかりか、人口それ自体の減少ということも国によっては起こっている。そしてこちらは見田の指摘する一九七〇年代の変化に関係していない。

一番合理的なこのことへの答えは、ここでも、人間を、意識存在であるビオスと生き物としての生存を生きるゾーエーの二重存在として考えてみることだろう。そのような二重の違和を包含したブラックボックス的存在(二層構造)と仮定してみるのである。

すると私たちは、こうした考え方が、先に述べたフーコーの「生-政治」、アガンベンの「回教徒」、また吉本の「アフリカ的段階」などに示された新しい政治観、歴史観、人間観に響きあうものであることに気づく。

そうしたことがらをぼんやりと意識しながら、私は、ここに起こっているものを、大きな認識上の布置の変化、――「(無限性のなかに)有限がある」から「(有限性のなかに)無限がある」への――「地と図の反転」ではないか、と考えてみたいのである。

それは、偶然なのか、意図的なのか、ということがわからない変化であるという点でも、私たちの注意を引く。

地と図の反転による認識(信憑)の転換は、意識の変化からは直接には起こらない。しかし、意識の変化なしにも、起こりえない。

信憑の転換が、意識の変化から直接に起こらないという意味は、こうである。信憑は意識のメタレベルに位置すると仮定しておく。そして、地球、世界、人類は、今後も無限に存在するであろう、とする意識(a)を、私たちがたとえば強くもっている段階から、少し弱めていく段階に移るばあいを、その意識を数値化できるものとフィクション化し、地球、世界、人類は有限だという意識(b)との対比で、75対25から55対45へと変化すると仮定してみる。この変化は意識の量の減少として直接的な意識の変化である。しかし、この場合の信憑の内容の対比を、A「無限性への信憑」と、B「有限性への覚醒」と名づけてみれば、Aはa＞bである限り成立している。この無限性への意識(a)の75から55への減少は、何らAとBの地と図の関係には変化をもたらさない。人はAを地とし、

Bを図として、総じてAの「無限性への信憑」という認識上の布置のもとにあるままである。しかし、そのaがさらに同じ方向に減少を続け、他方、bが増大していき、その数値の対比が逆転し、49対51まで変わるとどうなるか。直接の意識の変化が、a50対b50という特異点を通過すると、A「無限性への信憑」とB「有限性への覚醒」の間に地と図の反転が起こり、以後、認識上の布置は、B「有限性への信憑」を「地」(グラウンド)としたものに変わるはずである。それは意識の変化から直接に生じるのではない。意識の変化が認識上の布置の特異点を通過することで、意識の変化のメタレベルでの対比が逆転することを通じて、認識上の布置の変化がもたらされているのである。

＊

「有限性への信憑」が認識上の布置の「地」をなすようになると、どうなるか。先のラカンの「ないこと」がある、が「あること」がある、へと変わるように、「人間は無限を信じているが、地球は有限だ」が「地球は有限だが、人間は無限を生きる」に、変わるのではないだろうか。そしてそのとき、この「無限」を生きる「人間」の意味も、「人間」が生きる「無限」の意味も、変わらないではいないのではないだろうか。

しないことができること、することもしないこともできること

まず、有限性の意味と、無限性の意味が変わる。それはかつては成長が無限に続くことへのほとんど意識を超えた規模の信憑であったはずだ。そこで人を動かすメカニズムを欲望と力能の相関として示すことができる。車を買いたいが、お金がない。そこで経済力をつけて、車を買えるように努力する。よい作品を書きたいが、その力がない。そこで書く力をつけて、よい作品を書こうとする。欲望の形はさまざまにあるだろうが、欲望∨力能という関係式のもとで、欲望の無限性が力能の有限性を刺激する。そこからさまざまな「成長」が促される。技術革新の動因も、これで説明が可能だ。すべてが「したいこと」から「できること」への流れのうちにある。

しかし、有限性が人の認識の「地」をなすようになると、この欲望と力能の相関が、外れる。欲望に促されて力能を成長させるという一方向性の関係を、狭苦しいものと感じる感受性が育つ。そしてそれが、選択の対象となるようになる。「したいこと」が弱まる。「したくない」ことが駆動因となる。「してもしなくともいい」が自分の流儀にな

る。「できるけど、しない」ということも選択肢になる。さまざまなことが起こってくるが、「すること」と「しないこと」の間に、さまざまな風の通り道が生まれるというと、ここに現れる地平を、まずは少しいえたことになるだろう。

かつては「無限に成長する」ことは歓びだった。しかし、このことのうちにある「したいこと」と「できること」のつながり(相関)がしだいに息苦しいものと感じられてくる。「したいこと」に鼻面を取って引き回され、「無限に成長する」欲望に従うことが窮屈なこと、「無限性を奪われている」ことと感じられる。そういう感受性が、育ってくる。それは欲望の否定ではない。「したいこと」は大事だが、それとは、大事な友人のように、互いに、自立した関係でいたいという叡智が、これに代わっているのである。

無限が、力能の方向を今度は「しないことができる」ほうへも転じると、いわば一方向から三六〇度の展開へと、力能の方向が全開される。それに応じて歓びも、「することと」だけでなく「しないこと」、「できること」だけでなく「できないこと」を楽しむ方向に拡大される。

こうして「することもしないこともできる」が、「することができる」に取って代わり、新しい無限の力能の祖型となっていく。

＊

これは、先にあげた本に書いたことなので、それを読んでもらえばよいのだが、ジョルジョ・アガンベンが『バートルビー　偶然性について』という著作のなかに、ライプニッツを引いて(『自然法の諸要素』)、偶然性、必然性を、力能を媒介にすることで、可能性、不可能性と同じカテゴリーに移し入れている。そうすると、こうなる(五八頁)。

可能的なもの 不可能なもの 必然的なもの 偶然的なもの	とは存在 (ないし真として存在)	することができる することができない しないことができない しないことができる	何かである

そしてこれは、ライプニッツの記すラテン語だと、

potest	すること＋できる	可能性
non potest	すること＋できない	不可能性
non potest non	しないこと＋できない	必然性
potest non	しないこと＋できる	偶然性(偶有性)

となる。

こうしてみれば、「しないことができる」力とは偶然性（コンティンジェンシー）の力能的表現なのでもある。アガンベンは、この「しないことができる」力を、アリストテレスの「潜勢力（デュナミス）」（可能態）という考え方を援用して「非の潜勢力」と呼ぶ。「種子」は「することができる」潜勢力だが、そもそも、同時に「しないことができる」潜勢力でもあるのでなければ、すぐに現勢化してしまうであろう。「することができる力」はまず「しないことができる力」でなければならない、潜勢力には非の潜勢力が先行している、というのである。

> 建築家は建築することができるという潜勢力を、それを現勢力に移行させていないときにも保つ。キタラの演奏家がキタラの演奏家であるのは、キタラを演奏しないこともできるからである。同様に、思考は思考することができる**ともに**思考しないことができるという潜勢力として存在する。（同前、一五頁、傍点原文）

これは、なかなか面白いいい方だと思うが、私は、この偶然性の力を「することもできるし、しないこともできる」力であるというように受けとりたい。そしてそれを「することもできるし、しないこともできる」自由でもありうる概念に作り直したい。

布置の反転が起こると、そこに、新たに偶発的契機(コンティンジェント)であろうとする意思が生まれてくる。偶発的であろうとする意思？　以前なら、論理的矛盾じゃないか、と受けとられただろう。それは新しい、緩慢で、怠惰で、疲労をたたえた意思なのである。

＊

アガンベンの引くハーマン・メルヴィルの短編「バートルビー」は米国のウォール街の話である。バートルビーという変わった男が、保険事務所に勤めて、「できればしたくないのですが(I would prefer not to)」という後ろ向きの欲望、意向、希望の形をどこまでも保持して、最後は刑務所に送られ、そこで死ぬ。

メルヴィルは、この短編に、当初、「代書人バートルビー、あるいはウォール街の話(Bartleby, the Scrivener; A Story of the Wall-Street)」という題名をつけている。ウォール街のいわれは、住民がそこに「壁」を作り、敵の侵入を防いだことにある。

……ウォール街にはかつて「人によって作られた」壁があった。一七世紀にオランダの植民地ニューアムステルダムの植民者たちが土地の境界線として壁を作り、のちにニューアムステルダムを管轄するようになる西インド会社が先住民やイギリスの植民者たちからの攻撃を防ぐ要塞として壁を強固なものにした。ウォール街のウォールとは、土地の所有権を主張するための境界線であり、攻撃を防ぐためのものであった。壁は外部からの侵入を防ぎ、内部の安全を保つためのものであり、壁の内側の土地を敵に奪われないように守るために作られたのである。また、ウォール街の位置するマンハッタン島は、一六二六年に入植したオランダ人がネイティブアメリカンに約二四ドルを支払って購入したと言われている土地である。（高瀬祐子「ハーマン・メルヴィル「バートルビー」におけるサブタイトルの謎」一二六〜一二七頁）

この論考の書き手、高瀬祐子は、「バートルビー」がなぜ「ウォール街の物語」でなければならなかったのかと考え、その背景にメルヴィルのネイティブアメリカンへの共感があった可能性を示唆している。彼女によれば、この短編の二年前に発表された『白鯨』で、主人公の乗り組む船につけられた「ピークォド号」の名は、入植者に絶滅させられたネイティブアメリカンの部族名から取られている。また、『白鯨』の冒頭で、「ウォール街のあるマンハッタン島は『かつて北米原住民マンハットー族の持ち物だった島』だったと表現されている」。メルヴィルには若い頃、一八三七年に、先住族である「サック族の暮らしていた土地を友人との旅で訪れ」た伝記的事実もある、と彼女は述べている。

メルヴィルは一八一九年に生まれ、一八九一年に死んでいる。その生涯は南北戦争に重なるが、米国の初代大統領のワシントンと一六代大統領のリンカーンの共通点が、ともに仮借ないネイティブアメリカンの殺戮者であったことを考えあわせるなら、この彼の姿勢はかなり特異である。

米国の独立戦争は、当時「インディアン」と呼ばれた先住民ネイティブアメリカンとの間に和平策を採用した英国の方針に反し、植民地の米国が強硬策を志向したことを、英国の支配に対する反逆に次ぐ第二の理由として起こっている。ワシントンには「ニューイングランド一帯のインディアン部族」の「絶滅」を閣僚に命じたという事実が指摘されている。一九七〇年、インディアン権利団体である「アメリカインディアン運動(AIM)」がワシントン、リンカーンらの「顔」を彫りつけたラシュモア山頂上で長期占拠抗議を行ったが、このとき、指導者たちがワシントンの「顔」に小便をかけるというパフォーマンスを行ったのは、ワシントンのこのインディアン政策への抗議だった。

リンカーンも、奴隷解放令を発布した一方で、ネイティブアメリカンに対しては終始徹底排除の方針を採り続け、ときに大量虐殺を指揮、追認したことで知られる(Capps 1975)。一八六二年には、所定の条件を満たした西部の未開拓地を白人に開放するホームステッド法に署名し、一八六三年には、蜂起したスー族のメンバー三八名を絞首刑に処しているが、それは奴隷解放令に署名する二日前のことだったという。

こういうことを考えると、一八五三年に書かれたメルヴィルのバートルビーの「ウォール街」での抵抗は、多様な意味を帯びたものとして、私たちに浮かびあがってくる。バートルビーの「できればしたくないのだが」と表明される抵抗とは、何に対する、どのような抵抗というべきか。ネイティブアメリカンとは、ここでどのような存在なのだというべきか。

そこまで考えてきて、わたし達はもう一人のネイティブアメリカンへの関心の表明例に思いあたる。吉本隆明は先の『アフリカ的段階について　史観の拡張』で、ネイティブアメリカンを、日本の『古事記』の世界にも通じる自然まみれの世界観に生きる人びととして注目している。ゾーエーとしての人間を、自分の中に内包した人びと、といってみると、バートルビー、アフリカ的段階、そしてアガンベンのいう絶滅収容所の「回教徒」たちの姿がここで、ひとつのラインにつながる。

＊

エンリーケ・ビラ＝マタスが二〇〇〇年に書いた『バートルビーと仲間たち』は、こうしたメルヴィルのネイティブアメリカンへの関心、そしてもう一つ、ウォール街的なあり方への怠惰な抵抗――ある種これまで抵抗であるとされてきたものに対する抵抗をも含んだ抵抗――が、いま、文学においてどのような「力」と結びつくかを、私たちに考えさせる。
それは、書くことをやめた、あるいは書くことができなくなった、あるいは「何も書けないと書くこと、それもまた書くことであると知っていた」書き手たちについて書いた作品である。

わたしは女性に縁がなかった。背中が曲がっているが、つらくてもそれに耐えるしかない。身内の人間で近しいものはひとり残らず死んでしまい、哀れな独身男としてぞっとするような事務所で働いている。そうした点を別にすれば、幸せに暮らしている。とくに、一九九九年七月八日の今日は、この日記を書きはじめたせいでいつになく幸せな気分にひたっている。(中略)
二十五年前、まだ本当に若かった頃、不可能な愛をテーマにした短い小説を出版した。後ほど説明するが、その時のトラウマが原因で、作家になる夢を捨てて筆を折り、バートルビーのひとりになったのだが、以来バートルビー的な人間に興味を抱くようになった。
(中略)彼は屏風の向こうにある、ウォール街のレンガ塀に面した青白い窓の前に何時間も立ったまま外をじっと見つめている。(中略)事務所で暮らしているので、決して外出することはないし、日曜日も事務所で過ごしている。自分が誰で、どこからきたのかについて何ひとつしゃべらないし、この世界に親戚のものがいるかどうかさえも打ち明けようとしない。(ビラ＝マタス『バートルビーと仲間たち』三～四頁)

誰がいるのか。本の帯を読んでみよう。この本にはこういう人たちが出てくる、一行も文章を書かなかったソクラテス、一九歳ですべての著書を書き上げ、最後の日まで沈黙し続けたランボー、めくるめくような四冊の本を書き、その後三六年間私生活の片鱗も隠し続けたサリンジャー、ピンチョン、セルバンテス、ヴィトゲンシュタイン、ブローティガン、カフカ、メルヴィル、ホーソーン、ショーペンハウアー、ヴァレリー、ドゥルーズ、ゲーテ……

それは、「することができる」ことの彼方に「しないことができる」ことがあり、そのかたわらにまた、「することもしないこともできる」こともあることを教えてよこす。でも、そのさらにむこうには、「できないこと」があるのだと、私は思う。

できないこととは、「力」がないということである。

「力」がないことは、どのような異質な「力」が必要であることへの、開口部だろう。

引用文献

ジョルジョ・アガンベン『アウシュヴィッツの残りのもの　アルシーヴと証人』上村忠男・廣石正和訳、月曜社、二〇〇一年

同『ホモ・サケル　主権権力と剝き出しの生』高桑和巳訳、以文社、二〇〇三年

同『バートルビー　偶然性について』高桑和巳訳、月曜社、二〇〇五年

石田浩之『負のラカン　精神分析と能記の存在論』誠信書房、一九九二年

レイチェル・カーソン『沈黙の春』青樹簗一訳、新潮社、一九七四年

加藤典洋『人類が永遠に続くのではないとしたら』新潮社、二〇一四年

高瀬祐子「ハーマン・メルヴィル「バートルビー」におけるサブタイトルの謎：「バートルビー」はなぜ「ウォール街の物語」なのか」『静岡大学教育研究』一〇号、二〇一四年

西谷修『不死のワンダーランド』青土社、一九九〇年

ミシェル・フーコー『性の歴史Ⅰ　知への意志』渡辺守章訳、新潮社、一九八六年

エンリーケ・ビラ＝マタス『バートルビーと仲間たち』木村榮一訳、新潮社、二〇〇八年

モーリス・ブランショ『文学空間』粟津則雄・出口裕弘訳、現代思潮社、一九六二年

モーリス・ブランショ「私の死の瞬間」一九九四年、ジャック・デリダ『滞留』湯浅博雄監訳、未來社、二〇〇〇年

カール・マルクス「経済学・哲学草稿」村岡晋一訳、『マルクス・コレクションⅠ　デモクリ

トスの自然哲学とエピクロスの自然哲学の差異／ヘーゲル法哲学批判　序説／ユダヤ人問題によせて／経済学・哲学草稿』筑摩書房、二〇〇五年
見田宗介「軸の時代Ⅰ／軸の時代Ⅱ　森をめぐる思考の冒険」『軸の時代Ⅰ／軸の時代Ⅱ　いかに未来を構想しうるか？』東京大学大学院人文社会系研究科グローバルCOEプログラム「死生学の展開と組織化」二〇〇九年
D・H・メドウズほか『成長の限界　ローマ・クラブ「人類の危機」レポート』大来佐武郎監訳、ダイヤモンド社、一九七二年
カール・ヤスパース『歴史の起原と目標』『世界の大思想　ヤスパース』重田英世訳、河出書房、一九六八年
吉本隆明『アフリカ的段階について　史観の拡張』春秋社、一九九八年
エマニュエル・レヴィナス『実存から実存者へ』西谷修訳、朝日出版社、一九八七年
Capps, Benjamin, et al. 1975, *The Indians*, Time-Life Books.

「称名」と応答——素人の感想

ヤスパースから法然へ

以下は素人の感想である。

もう一〇年以上もまえに、法然がその基礎を作り、親鸞が深化・展開したといわれる日本の浄土門の「絶対他力」の信仰(「善人なおもて往生す、いわんや悪人をや」)が、ルター、カルヴァンの「予定説」と酷似した構造をもっていることを、マックス・ウェーバーの『プロテスタンティズムの倫理と資本主義の精神』と大澤真幸の『虚構の時代の果て』にふれて指摘したことがある(「予定説と絶対他力」二〇〇二年、『語りの背景』所収)。絶対他力は、自力作善は廃せ、といい、予定説は、悪あがきは無効(誰が救済されるかは決定済み)、という。方向こそ逆ながら、ともに「功徳を積む」、「護摩を焚く」といった信者側の(自力の)働きかけを「遮断」するところに「信」の更新の足場を見出している点、共通している。そしてその比較では、法然には言及していないのだが、私の気持ちとしては、法然とルター、親鸞とカルヴァンが、その立場の発見者、継承・徹底者として対応していた。

ところでそこに、私は、「ことによれば、このようなことは、とうの昔から指摘されていて、知らないのはわたしだけかもしれないのだが」と書いた。果たして、このたび、ヤスパースの『歴史の起原と目標』を読んでいたら、世界史上、酷似した精神的転回がまったく関係のない場所に生じる典型的な例として、この類似に関する指摘が、しっかりと引かれていた。ヤスパースは述べている。

一六世紀においてジェスイット派の宣教師たちは、日本において仏教の一宗派を見いだした(それは一三世紀以来存在していた)。この宗派はプロテスタントに驚くほど類似していると思われたが、事実そうであったのである。日本学者フローレンツの叙述によれば(シャントピー・ド・ラ・ソーセーの教科書において)、宗派の考えは次ぎのようなものであった。すなわち、人間の自力は何ら救済の功徳となるものではない。信ずるということが、すなわち阿弥陀の慈悲と救済を信ずることが重要なのである。善果をうる自力の修業(自力作善)なるものは存在しない。念仏は何ら修行ではなく、阿弥陀の誓願に保証される救済への感謝であるにすぎない。「善人なおもて往生をとぐ、いわんや悪人をや!」とは、宗派の開祖親鸞の言葉である。

いかなる自力修業、魔術的な儀式や行為、護符、霊場巡り、贖罪、断食精進やこういったたぐいの苦行をも否定するのが、伝統仏教に対抗して建てられた要請であった。在家の信者も、出家僧と同等の成仏の見込みがあった。(『歴史の起原と目標』原著一九四九年、『世界の大思想　ヤスパース』二五頁)

いうまでもなく、これを展開深化したのは親鸞だとしても、この転回をもたらしたのは、法然である。では、法然は、西洋でマルティン・ルターが果たしたのと同じような「信仰」の再賦活のための「宗教的転回」を、日本の文脈のなかで、どのように行ったのか。そこでのポイントは何だったのか。

そういう問いが、当然、ここからは生まれてくるように思う。

三つの転回

法然の転回がどのように起こっているかについて、仏教史学の塚本善隆は、こう述べている(「鎌倉新仏教の創始者とその批判者」『日本の名著　法然』一九七一年)。

まず、第一の転回はこうである。法然は、中国山系美作(みまさか)の地の豪族だった父を対立していた敵方の夜襲により九歳で失い、孤児となる。その後、叔父観学の弟子となり、一三歳で比叡山に登り、学僧に推輓される。その地で、抜きんでた能力と重厚な人柄で将来を嘱望されるが、各地からの俊英を集める教学のアカデミアはいまや、高位高官をめざし学問才知を誇示し、争う競争場と化している。昔日の求道と精進の場の面影はそこにない。この現実に幻滅し、一八歳の法然は、遁世を決意し、師の慰留を振り切り、アカデミアを離れる。

なぜ一八歳の法然に、これだけの洞察力と意力が備わっていたか。伝記は、その理由に九歳のとき横死した父の遺言をあげる。敵の夜討ちに遭った父は死の際にいう、「汝、仇を報ずることをやめよ。これひとえに余が先世の宿縁なり。わが傷痛み、苦しみはなはだし。されど今こそわが傷の痛み苦しみによって、他の傷の痛み苦しきことを知れり」。報復はまた報復を呼ぶ、そのことには限りがない。「汝よ、敵を憎むことを捨てて出家し、高き立場より敵をも抱きてともどもに救われる道を求めよ。尊き宗教家に大成してわが菩提をとむらえよ」。

その後、黒谷に遁世し求道につとめる聖叡空の門を敲き、入門の理由を尋ねられた際、この遺戒をあげ、「父の遺言わすれがたくして」と述べたと、伝記は記している。事実はどうかわからない。しかし、この父の「遺言」は、新約聖書の「『なんぢの隣を愛し、なんぢの仇を憎むべし』と云へることあるを汝等きけり。されど我は汝らに告ぐ、汝らの仇を愛し、汝らを責める者のために祈れ」を思わせる(マタイ伝五章43〜44)。ヤスパースが知れば、新約の理路に「驚くほど類似している」と評するだろう。きわめてダイナミックな逆転の論理が法然伝の基礎をなしているのである。

このあと、法然は、この黒谷で彼自身、僧位僧官も学階ももたない一介の聖となり、六年間、蟄居（ちっきょ）し、広く仏典を探り、各宗の教学書を読みふける。そして、二四歳のとき、ようやく「山を下り」、京の都に向かい、当時、庶民の渇仰の的となっていた仏像を祀る嵯峨の釈迦堂に参る。

そこで第二の転回が生じる。彼ははじめて、「庶民」（衆生・凡夫）の存在に開眼するのだ。釈迦仏のまえでは、男女、僧俗、貴賤、在家の女性、老若、貴人、商人、百姓、武士、富めるも貧しきも来て、同座し、「等しく合掌し数珠をもみ、そのみ顔をくい入るように拝み、その名を呼び、礼拝し、口々に何事かそれぞれの悩みを訴え、救いを願っている」。

「比叡山の僧の生活にこんな真剣な態度があったであろうか。仏の前に、師の前に、こんなに真剣にみずからの悩みを訴え救いを求めていた僧たちがいたであろうか」。「一切大衆の救いを忘れた教えが、真の仏教であろうか」。

彼は、仏教を「現代を生きるあらゆる人びと」の「生活のいとなみの中に見いだす」ことこそ、仏教者の使命だと思いいたる。そして、その新しい希望を胸に、おのれの諸宗教学の理解に誤りがないか否かを尋ねるべく各地の諸宗教学者、名僧学匠を訪ね歩く。

このあたりは、デルフォイの神託を聞かされたソクラテスを思わせる。しかし、学僧たちに理解の深さを賞賛され、面目をほどこすのとは裏腹に、法然は自分の学識に「行の伴わない」ことの偏頗（へんぱ）さ、おのれの至らなさを痛感したであろうと、塚本はいう。

　ときは浄土往生の信仰が急速に広まる時代にあたっている。そういうなか、法然も黒谷での修道では源信の『往生要集』(九八五年)を指南書として何度も読んだ。再び黒谷に戻った法然は、思う。日本随一の仏教大学園と誇る比叡山やその学僧たちの間にある仏教は、必ずしも真の仏教ではない。高位高官をめざす堕落もそうだが、そうである以上に、彼らは「社会衆生の救いを忘れている」。では、ほんとうの仏教とはどうあるべきか。新たな課題を手に、彼は再び黒谷で教学の理解に励む。しかしその理解が深まると同時に、いよいよ自分の非力を思い知る。「悲しきかな、悲しきかな。いかがせん、いかがせん。ここにわがごときは、すでに戒・定・慧の三学の器（うつわもの）にあらず」。彼は一大決心をもって経蔵に閉じこもる。「経典に面接して、直接釈尊から救いの道をきこうと志した」。このあたりまでの展開にも、人間は「善行」によってではなく「信仰」によって義にいたると考え、免罪符の発行を弾劾し、聖書に帰れと説くようになるドイツのマルティン・ルターに通じるものがある。この時期の法然の探求の徹底ぶりは「われ聖教を見ざる日なし。木曽の冠者（かじゃ）(義仲)、花落(京都)に乱入のとき(一一八三年)、ただ一日、聖教を見ざりき」という記述に、歴然としている(『四十八巻伝』)。

そして、源信『往生要集』、永観『往生拾因』を手引きに、「永く諸行を廃して、『但念仏』の一行を修せよ」という「但念仏」の教えに導かれる。ただ、念仏を称え往生をめざす行である。なぜ「但念仏」か。この問いを携え、彼はとうとう「みずからの心の琴線を震動さす」唐の善導の言葉にぶつかる。ここに生まれるのが、彼の最大にして第三の転回、第一八願との出会いである。そのときの発見を、法然は、こう語っている。

> 善導和尚の『観経疏』にいわく、一心に専ら弥陀の名号を念じ、行住坐臥に時節の久近(長短)を問わず、念々に捨てざるは、是れを正定(しょうじょう)の業(ごう)と名づく。彼の仏の願に順ずるが故に。(傍点塚本)

この文を見つけて、はじめて、自分(法然)は得心がいった。自分たちのような無知の輩は、この教えに従うにしくはない。なぜなら、「但念仏」を行うことは、善導和尚の教えによるだけではない、さらに阿弥陀自身の「誓願」に叶うことだからである。塚本は、そうこの個所を評している。じじつ、

> 「順彼仏願故」(=かの仏の願に順ずるが故に)の文、深く魂にそみ、心にとどめたるなり。

とこのくだりは続く（『和語燈録』）。「かの仏の願に順ずる」とは、ここに自分と阿弥陀仏の直接の一対一の回路が発見された、ということにほかならない。

つまり、こういうことだ。阿弥陀は如来となるに際し、すでに仏となっていた世自在王仏に、自身の浄土を建てて人びとを救済したい旨を告げ、四八の誓願を行っている。そしてその一つ、第一八番目の願として、こう誓っている。

たとい私が仏になることができたとしても、十方に遍在している人びとが心から信じ願って、私の国に生まれたいと望むならば、十遍も念仏すべきである。もしも生まれることができないならば、さとりを得て仏になることを私はしないであろう。

私が仏になったら、誰もが往生したいときに私の名号を称えれば往生がなるようであってほしい。それが叶わない限り、私は仏にならない。ずうっと昔に、阿弥陀は、こう自分のさとりと成仏を掛け金に「願」をかけられていた。そしてそのことは自分と無関係ではない。ここに私法然と彼阿弥陀のあいだのひとすじの回路がある。そのことを、いま、善導和尚に導かれて、私法然は、はじめて知った、というのである。

だから、阿弥陀の名号を称えることが、「かの仏の願に順ずる」ことになる。すでに、呼びかけられていた。だから、それを知り、それに「応答する」ことが、信仰の道になる。

ただ、念仏を称えること。それが阿弥陀の「呼びかけ」を受けとめ、受け入れ、これに「応える」ことだ。そこにこそ信の本質がある、というのである。

「第一八願」と可誤性

と、ここまでは、ヤスパースの記述に刺激されて法然をキリスト教的に、また一般的に、解釈してみると、どうなるか、という素人の思考実験である。身勝手な、浅薄な解釈を大目にみていただきたい。しかし、もう少し、続ける。

ここのところ、『和語燈録』(現代語訳)では、「このような願」を立てた仏は「過去・現在・未来にわたっておられる多くの仏」のなかでも、阿弥陀以外にはいない、といわれている(「三世ノ諸仏モ是ノ如クノ願ハ発シ給ハズ」『日本の名著　法然』二〇二頁)。では「このような願」(如是ノ願)とは何だろうか。どこが、他の願との違いなのか。

阿弥陀の誓願が「それが叶うことなしには自ら正覚を取らず(さとりをひらいて成仏することはしない)」という形になっていることでは、四八願が同じ文型をとっている。さらに、『和語燈録』では、阿弥陀だけが「専らわが名をとなえようとするものを迎えようと」誓い、自らの修行の結実を「迷える人びとにふりむけられた」と述べている。だから、違いはこの二点からなるだろう。私もこれまでは「称名」のみでの「衆生の救済」を自分の「成仏」と結びつけた点が、他と違う、と考えてきた。そのことにより、この第一八願が、いわば「自己の救済」(自己の成仏)を賭け金とした後代の人間への救済の「呼びかけ」となっている点が、違いだと、考えたのである。そこも、やはり、人びとの救済のために死んだとされるイエスの「呼びかけ」の論理と似ている。キリスト教で、イエスを信じますか、ということの内容は、イエスが「あなたのために死んだ」ということをあなたは信じますか、ということだからである。

たとえば、新約聖書には、こうある。現代語訳すると、「あなたがたが救われるのは、イエスの身代わりの死と復活を信頼したからです。それは、あなたがたが自分の努力で獲得したものではなく、神からのプレゼントです。人間の行いによって得るものではありません。〔そしてこのことは〕誇る人がないため〔との計らいによるもの〕です」(エペソ書第二章8〜9)。つまりキリスト教でも、イエスとの一対一の関係を信じることが、イエスを信じるということなのである。

しかし、ここまで書いてきて、私が立ち止まるのは、第一八願の特異性について、『和語燈録』では、続いて、こう書かれているからである。すなわち、——法蔵比丘(阿弥陀の修業時の位)は、自分の名を称える人はみな浄土に行ける、というのでなければ、自分はさとりを開いて仏にはならない、と願をかけた。そしたら、「この願いは叶えられ、汝は仏になるであろう」というお告げがあった。だから、この誓願のことは、「法蔵比丘がまだ成仏しておられないというようなことがあったとしても、このようなわけで、疑ってはならない」(「法蔵比丘イマダ成仏シ給ハズトモ此願疑フベカラズ」、同前、二〇二頁)。ましてや法蔵比丘がその後成仏され阿弥陀如来になってから、もう限りなく長い時間が経っているのだから、信じないわけにはいかないのである、と。

つまり、もはや限りなく遠い過去に法蔵比丘の「願」は聞き届けられ、法蔵比丘は成仏して阿弥陀如来になっている。それが事実として示されている。それなのに、なぜ、なお(万が一)「法蔵比丘がまだ成仏しておられないというようなことがあったとしても」(「法蔵比丘イマダ成仏シ給ハズトモ」)、という「仮定」の一文が入っているのか。続けて、ましてもう「成仏されて」いるのだから「信じないわけにいかない」とまでいわれるのか。これでは論理的にも流れが悪い。「仮定」の記述はない方がよい、と思われるのに、なぜあるのか。

その理由は、私が考えるのに、称名を称えたら誰もが往生できるという阿弥陀の「約束」には、終わりがないからである。阿弥陀の誓願は、二重の約束なのだ。一つは、世自在王仏に向けての「誓願」(=誓約)、しかしもう一つはわれわれ未来の衆生に向けた「約束」。

その一つが未来の衆生、われわれに向けた「約束」である以上、その側面での「実行」に終わりはない。それがいまなお未完了のまま続いているため、たとえ世自在王仏との関係では法蔵比丘の「誓願」は聞き届けられ、完結し、彼はいまや阿弥陀如来になっているとしても、その阿弥陀如来のなかで、そのもう一つの「約束」は、果たし終えられていない。

そのため、阿弥陀は、自らは、自己の成仏がまだなし終えられていないと考えているかもしれず、その意味で、法蔵比丘は「まだ成仏しておられない」かもしれないのである。しかし、たとえそうだ「というようなことがあったとしても」、「疑ってはならない」。ここでは、そういわれていると、考えられるのである。

だから、法蔵比丘の「願」は聞き届けられた。そして法蔵比丘は阿弥陀如来になられた、とはいっても、そこにはまだ「未完了」の部分が残っている。この「呼びかけ」はいまに続いている、救済の「呼びかけ(＝約束)」である以上、リスクを含んで、まだ「生きている」のである。

このことからわかるのは、第一八願が、法蔵比丘のコミットメントという性格をもっている、ということだ。自分は、誰もが、自分の名前を称名しただけで往生できるようにと願う。その願いが叶えられないなら、仏にならない、というのは、「神(＝世自在王仏)」への約束(誓願)としては、完結しているが、衆生(私たち)への実行としては、未完了である。その意味で、全体としては、いまもまだ終わらない、「生きた」コミットメントなのである。

ということは、私たちがこの「呼びかけ」に答えることのうちにも、未了性のリスクが「生きている」ということではないだろうか。阿弥陀と私たちのあいだで、「約束」はまだ果たされていない。ということは、阿弥陀は「世自在王仏」に成仏を許されているのにまだ、仏にならずにいるのかもしれない。しかし、私たちは、その阿弥陀の名を称えることで、はい、われわれ凡夫の衆生は、救われたいです、救ってください、とその阿弥陀の「呼びかけ」に応じていることになる。その結果、われわれは往生できるか。それは、法蔵比丘が成仏しているかどうか、それを思いとどまっているかもしれないことに応じて、わからない。しかし、「疑ってはならない」。つまり、ここに、可疑性がある。この「疑わしさ」、可疑性の上に立って私たちの応答がなされることのうちに、私たちの一抹の自由、コミットメントの足場があることが、示されているのではないだろうか。

以上、かなり無理に、乱暴に、一つの思考実験を続けてここまできた。しかし、右の個所をこのように受けとれば、念仏あるいは称名というもののうちに、一つのコミットメントの契機がひそんでいることがわかる。絶対他力にかけるということのうちには、リスクがある。それを私は別のところでは、「可誤性」と呼んでいる(『人類が永遠に続くのではないとしたら』)。

「イエスの血は決して私を見捨てたことはない」

ナンマイダブ、という。称名とは、何だろうか。

称名は、私にこんな挿話を思い出させる。

ギャビン・ブライアーズは、もとジャズのベース奏者である。いまは現代音楽の作曲家として知られている。彼は、一九七一年、ロンドンで友人と街のドキュメンタリー・フィルムを作ろうとする。そのフィルムには偶然、酔漢の歌うオペラとかバラードの断片などが録音されていた。そしてそのなかに、あるホームレスの老人の歌う「イエスの血は決して私を見捨てたことはない("Jesus' Blood Never Failed Me Yet")」という賛美歌の一節が、やはり偶然、背景音としてまじっていた。しかしそれを含むカットは、ドキュメンタリー・フィルムには収録されずに、捨てられた。

ブライアーズはいう。

でも、その後、家でピアノを弾いていたら、その歌の一節が頭に浮かんできた。ピアノに載せてみると、うまく演奏に合う。それでちょっとそれに伴奏を加えてみた。最初の一節が一三小節からなっている。これをループして使うと、ちょうどいい。そこで私はその伴奏を加えた録音テープを、当時芸術学科で教えていたレスター大学のレコーディング室にもっていった。これにオーケストラの伴奏をつけて無限のループにしてみたらどうだろうって思ったのだ。で、しばらくのあいだ、作業したあと、コーヒーを飲みに外に出た。ドアは開けたまま。レコーディング室のドアが広い美術アトリエの区画に向かって開いていたんだが、テープも停めわすれていたため、音は流れたままだった。

帰ってきたら、何だか様子が変だ。ふだんは気楽なざわざわした一画が重苦しい雰囲気というか、普通じゃない。みんなの動きがいつもより鈍い。何人かは座り込んでいた。そして啜り泣いている。

それからわかった。テープだ。あのホームレスの老人の歌声の一節が、簡単な伴奏を連れて何度も、何度も、室内に流れ出ていた。それが、しだいにそこにいるみんなの心を捉え、圧倒してしまっていたのだ。このできごとが私に音楽の力を改めて気づかせることになった。歌うホームレスの人間の気高さ、その単純な信仰の強さ。それをしだいに強まるオーケストラの伴奏を加え、それを反復するだけで、表現できる。すごいと思った。歌っていたホームレスの彼はその後死んだ。私の作った音楽を聴くことはなかった。でも、彼の精神と世界への楽観性。その雄弁で抑制された証言が作品として残った。(Gavin Bryars, Jesus' Blood Never Failed Me Yet, http://www.gavinbryars.com/Pages/jesus_blood_never_failed_m.html)

ブライアーズの曲「イエスの血は決して私を見捨てたことはない」は、その後、一九七五年にブライアン・イーノが立ち上げたオブスキュア・レーベルのシリーズの一つとして世に出る。最初は、LP片面に収まるぎりぎりの二五分くらいの長さで。次に、もう少し長いCD版が作られ、その後、さまざまなヴァージョンで演奏され、現在にいたっている。

私のもっているCD版は、一時間を優に超えるヴァージョンだ。ホームレスの老人のナンマイダブ(称名)、例の「イエスの血は決して私を見捨てたことはない」が反復され、最後にトム・ウェイツが出てくる。オーケストラとともに、老人の声に重なるように、同じ「称名」を歌い、反復し、やがて消える。

沈黙からはじまり、このホームレスの老人の「称名」が聞き取れる高さになり、オーケストラの通奏低音が続き、何度もあいだをおいて繰り返しがあり、その後、フェード・アウト。消える。シンプル極まりない。しかし、忘れられない。

はじめて聴いたのは、二〇一〇年、米国はカリフォルニアで。米国人の友人の家に招ばれ、食後に、別の一角に移って聴いた音楽の中にまじっていた。「なんなの、これは？」と尋ねて、右の由来を知った。

いま、私に浮かんでくるのは、先日、京都の六波羅蜜寺で見た空也上人の、あの口から仏が一列になって出ている木像の姿である。ロンドンのスラム街を「ナンマイダブ」と称えて空也上人のホームレスが歩いている。称名は「呼びかけ」への「応答」である。ふだんは誰も何も感じない。しかし人生には小さな石ころのようなものがあって、ときにそれに、躓く。誰かに「呼びかけ」ようと思い、それが「応答」なのだとわかる。そして、ずっと以前から「呼びかけ」られていたことに気づく。

V

明治一五〇年の先へ

上野の想像力

この原稿を書くために久しぶりに上野に行った。ふだんは身につけないネクタイをして行く気になったのは、どういう風の吹き回しだったか。東武東上線で池袋へ。そこでふだんとは逆の外回り線のプラットフォームへと上る。駒込、西日暮里、鶯谷。懐かしく現れては消える駅名を見ていると、なんだか自分が過去の世界に戻っているような気がしてくる。

私は東北は山形の生まれである。警官という父の職業の関係で山形県内を何度も引っ越したが、それまで県外には一、二度、隣県を訪れたくらいで、東京には中学三年生の修学旅行ではじめて来た。降り立った場所が東北線上野駅ホームで、その後、何度もお世話になる16番線だった。

がやがや。集団の中の一人としての自分。心細い一団のなかの一つの分子。ふるふると河の中で揺れる蛙の卵のつらなりのなか、そのうちの一個が自分だという不思議な感じ。漱石が留学でロンドンに着いた時に電車の架線が上空を這っている大都会のさまに驚いているが、中学生の一団のなかの私に宿った記憶の上野も、電車の架線が空をめぐる早朝の光景となっていまなお私を少しだけ緊張させる。

その16番線の前に立つ。いまは常磐線で行き先は水戸。隣が東北本線で、行き先は宇都宮である。

列車を降りた人は鞄を手に提げて、細長い16番線と17番線の間の細長い回廊になったプラットフォームを歩く。終着駅だから、みな一方向に向かって歩くのだ。そうする時、私はいつも同じ感情にとらわれていたような気がする。どんな感情だったか。それは、説明するのがなんだか、むずかしい。

私は16番線の向かい側の中央改札口から出て、銀座線に下りる階段脇の出口から上野の街に出てみた。そこから駅舎に沿って右に進み、ガードをくぐり、アメ横を左に見て上野公園への階段を上る。勾配はいまつくられているものに比べるならかなり急。頭をあげると階段のむこうに木の枝と青い空が見える。

登り切ったところにある美術館では「進撃の巨人」展をやっている。すごい行列。私は、これがどういうものなのかも知らない。列を横切らせてもらい、いまは一人で不忍池へと下りていく。

ああ。私は不忍池って、来たことがあっただろうか。立ち枯れて林立する蓮に埋まった池の魁偉な姿が雨上がりの午後の陽光のなかに一望されると、少しずつ、自分が誰なのかわからなくなってしまう。

弁天堂のまわりには徳川家康のメガネの碑からスッポンの碑、ふぐ供養の隣りに包丁供養の塔、ついには非業の死に遭った日米ジャーナリストの国際親善を称える石板までが、思わず笑ってしまう何でもありのキッチュさで林立している。めちゃくちゃ。そんな「寄せ集め」「ごった煮」ふうの素地と磁力があって、あの上野の彰義隊殲滅の地に、官軍の大将だった西郷隆盛の銅像が建っているのだ。

池をめぐって戻り、その像の前に立つ。いろんな事情から、浴衣着姿、薩摩犬を連れた兎狩りの像となったらしい。明治期日本の産物としては異様な、武張ったところのない像。ことによったら日本で一番私の好きな「銅像」かもしれない。

ロンドンで救国の英雄ウィンストン・チャーチルの銅像というものを見たことがあるが、杖をつき、だいぶ身体を傾げて、後ろからだと俯いているかのようにも見える。衰えつつ、何かに耐えている感じ。それを見て、国家としての成熟とはこういうものかと感じ入ったが、東洋の新興国がこういう、またとない、浴衣をはだけた「敗者」の銅像を生んだ、それは「敗者への想像力」の賜で、そう、考えてみれば上野は明治以来、「敗者への想像力」とともに「敗者の想像力」それ自体が、いまも息づく場所なのだった。

地下道の通路の天井の低さ。そこにかつて吹き寄せられた浮浪児たちの群れがそう。

バラック・闇市出自のアメ横が、そう。上野駅の温泉旅館よろしくの建て増しだらけの構造が、そう。岡倉天心の東京美術学校と日本美術院が、そう。そして上野公園の「なんでもあり」の姿が、そうだ。敗北は異質なものを呼び寄せ、かき集める。そしてだれもが予想しない形を作る。

西郷どんが死んでから、二一年後にこの銅像は建てられた。勝者が、自分たちの敵だったが、本当は自分たちの生みの親でもあった存在への畏敬と親愛の念を断ちがたく、そのために成った。当初の構想では、建造予定地は皇居内で、姿は大将服。それが政府筋からの大反対で、上野に立つ、こんな「くつろいだ」銅像になったのだという。

一人で久しぶりに歩き回った上野には、東アジアからの旅行客が多かった。そのせいもあってか私はかつて訪れた上海近くの公園、また、老若男女が太極拳などを舞う台北の公園を思い浮かべた。

映画の『ラスト・サムライ』では悪役を振りあてられた大村益次郎の銅像は靖国神社にあって、それが上野公園の西郷銅像と向かいあっているという説がある。これは本当ではないだろう。でも全く根拠がないでもない。大村は彰義隊の立てこもりの地、上野を睨み、その上野に西郷は迎えられた。上野は幕末以来の敗者の地で、起源をたどれば靖国より古いのだが、私もまた考えてみればそういう上野とずいぶん以前から、つながりがあった。

八月の二人の天皇

八月は、日本では死者との間の壁がふっと薄くなる月である。遠い昔からお盆の行事がある。それに加え、敗戦の記念日があり、二度の原爆の投下日がくる。お盆の時期には、お墓参りがつきもので、毎年、都市に住む人が多く、郷里に帰る。そのために、高速道路は場所によって例年、数十キロの渋滞になる。私もささやかに渋滞に巻き込まれながら、近場に、小さな墓参をすませてきた。

甲子園の高校野球の「熱戦」を報じるテレビからのアナウンサーの声。「戦争」。そしておびただしい蟬の声。これらも恒例の年間行事で、それに今年(二〇一六年)は、リオ・デ・ジャネイロでの五輪大会の報道が加わる。

そういう社会の動きを、私はさほどいやな気持ちももたずに素直に追う。参院選の自民党の圧勝とか、憲法改正のきな臭い動きとか。そんなものだって、深呼吸しながら、静かにやりすごす。

しかし、さすがに八月八日、事前に告知された通り、きっかり午後三時に実施された現天皇の「お気持ち」と呼ばれる生前退位の意向表明のテレビ放送を機に、このいつもながらの夏の平静な気持ちが、だいぶざわめいた。そして、それが、なかなか鎮まらない。

理由は思いあたらないでもない。

七一年前、同じ八月に似たようなことがあった。あらかじめ時間が予告され、時の天皇が国民に直接語りかけた。今回のできごとはそれに次ぐ八月の二人目の天皇の意向表明である。

それだけではない。私の尊敬するある友人は、筋金入りの護憲派である。ほんとうは怪しげな私などおつきあい願えないほどの人で、これまで現天皇を含めて皇室の関係者に厳しい目をむけてきた。平和的志向をもつ現天皇が戦没者の慰霊に力をつくしてきたことについても、それでも天皇という存在を認めるわけにはいかない、といってきた。そういう人が、今回の意向表明については、うって変わって、あれはいい、という。憲法に忠誠を誓い、その精神を遵守するという姿勢の延長での行動で、結果的に、安倍政治の憲法改正を阻止する動きに合流するものでもある、と。

新聞各紙の世論調査でも、多くの回答者が生前退位を認める方向で制度の見直しを行うことに賛成している。講読する新聞の社説も、天皇の意向を「前向きに受けとめたい」と言う(「毎日新聞」八月九日)。そして同じ新聞のコラムニストも、私の尊敬する友人と、ほぼ同意見。つまり、天皇・皇后が現憲法の「押し付け論」にくみしていないことはさまざまなことから「確か」だが、自分は「今回の『お気持ち』も、こうした流れの中でとらえている」と書いている(「熱血！　与良政談」八月一〇日)。

しかし、私の心はざわめく。私は、現天皇・皇后にはさしたる悪感情はもっていない。しかし、それとこれとは違う。これで、よいのだろうか。酷暑のなかで、自分が一人、違う世界にいると感じる。

柄谷行人という影響力ある書き手の近著も、現憲法の第一条と第九条の「つながり」を強調して「九条を守ることが一条を守ることになる」と述べている。そして九条擁護につなげ、天皇へのゆるやかな支持の気持ちを伝えている(『憲法の無意識』)。その伝でいえば、いま私たちの回りに現れようとしているのは、さしずめこれをひっくり返した、「一条を守ることが九条を守ることになる」ともいうべき、「九条」に代わり、「天皇」を防波堤とする新手の護憲論的な気分である。

「天皇の言説を根拠にもしくは権威にして安倍に対抗するという発想そのものが、天皇制じゃないですか」

このような動きに対しては、すぐにも、こういう発言が出てきうる。そしてそれが、ある程度、私の考えを代弁してくれている。主権者であるpeopleの矜持とは、こういうものだろう。でも、こう発言しているのは、昔、私の書いた本(『敗戦後論』)をめぐる論争で私の主要な批判者であった人物、高橋哲哉という言論人なのだ(辺見庸との対談『流砂のなかで』での発言)。当然、少しの違いがなくては困る。

私も、天皇制に依存しないで、現在の安倍政権の動きに対抗したい。しかし同時に、同じく天皇制に依存しないで、この年老いた天皇の一世一代のやむにやまれぬ「要望」に、主権者として耳を傾ける道とはどのようなものか、とも考えてみたい。

そこが違いかもしれないが、この頑固な批判者の言うとおり、「天皇の言説」を盾に、時の政権に反対しようというのは、やはりよくない。そこは同意する。それは「国民主権」の否定だからだ。

彼に批判された右の本で、私は、憲法九条に依存しないで、平和をめざすあり方を作りたい、「憲法九条に助けられる」のではなく、「憲法九条を助ける」ようでありたい、と書いた。それくらいでないと、憲法九条なんて、やがて空洞化してしまうゾ、というのが私の気持だったのである。当時、多くの人に批判されたが、その「憲法九条」が負けそうだからと、代わりに「象徴天皇」を置けば、私たちの「平和主義」は、現天皇の考えとは別に、さらに確実に、弱くなるだろう。

あれから二〇年、社会はカタカタと軋みの音をたてながら、もう一度、あたらしいカーブを曲がろうとしている。外に出ると暑い。蟬の声がかまびすしい。

(でも、その蟬も、七年間、土のなかにいた。)

道路のうえにいくつも蟬が転がり、蟻が群がっている。その姿が私を謙虚にさせ、私の心を鎮めてくれる。

(蟬のかまびすしさに、学びたい。)

ふと、そんなコトバが浮かんでくる。死んだ烏合の衆の声はウルサイだろうか、静かだろうか。

学ぶとしたら私はまず、何をするのがよいのだろう。

八月の空のした、二人の天皇の声が重なりながら降ってくる。

明治一五〇年と「教育勅語」

この間、近隣で友人のやっている映画会で話すため、久しぶりに鈴木清順監督の一九六七年の映画『殺しの烙印』を見る機会があった。そして前回見てからもう「五〇年」が経つことに心底、驚いた。かつて一八歳の自分がこの映画を見て、何を面白がったのかがわかり、自分がほとんど変わっていないと感じられただけに、そのことを話す段になって、容れ物である自分の「老い」が強く意識された。

その頃、ということは五〇年前、明治一〇〇年ということがよく政府によって喧伝されたものである。この年(一九六七年)の初めから、大江健三郎が読みにくい文体で「万延元年のフットボール」を連載しはじめ、それはタイトルに明らかなように、明治一〇〇年と戦後二〇年ないし二五年の対照を、骨格としていた。

万延元年とは一八六〇年、桜田門外の変のあった年で、安保闘争のあった一九六〇年の一〇〇年前にあたる。明治一〇〇年と戦後二〇年。両者を貫くのはこのとき、年老いたものと年若いものの対比だった。

しかし、それが一九七六年になると、対比は後退して、維新を成就した壮年の者たちの物語となり(江藤淳原作のNHK特集『明治の群像　海に火輪を』)、二〇〇九年には、少年から老年までの生涯がそのまま国づくりの物語に重なる、やはりNHKによる司馬遼太郎の『坂の上の雲』となる。そしてそれが足かけ三年で放映される最後の年、二〇一一年に、東日本大震災、福島第一の原子炉事故が起こった。

さて、来年の二〇一八年は、明治一五〇年。またぞろ政府がこの「節目」をさかんに喧伝しそうな雲行きである。早くも「教育勅語」を幼児に暗唱させる「森友学園」問題、その教材への採用を許容する閣議決定など、先ぶれ的な動きが目立ってきた。

しかし、なぜいま「教育勅語」なのか。

私の考えは、こうである。

この突然の古色蒼然たるものの甦りは、来年の明治一五〇年が、いまや何者とも対比できないものとなっていることと無縁ではないだろう。さすがに明治一五〇年に対するにいまさら「年老いた」戦後七三年でもあるまい、ということか。昭和九三年などという声も聞かれるが、しかしそれでも、まだ、役不足。結論をいうなら、戦後七〇年を過ぎて、はっきりしてきたことは、戦後民主主義だけでなく、明治以来の立憲君主政＝国家主義もまた、実は日本では、付け焼き刃にすぎなかった、ということではないのか。それが私のいつわらざる感想なのだ。

つまり、ズブズブ。

ここではキリがないので例は出さないが、明治以来の憲政史上、たぶん軍国主義下を含んで、現在の安倍内閣ほど、主権者国民、またその象徴たる天皇をバカにした傍若無人の内閣はないだろう、と思われる。とはいえ理解を絶するのは、そうした内閣を奉戴して、世論調査でその支持率がなお半数を超えている、というもう一つの事実、国民というものに関する憲政史上例の少ない事実である。

個人の自由、平等、人権といった戦後的な価値だけではない。国家主権、国の独立、「愛国心」、さらに「廉恥心」といったかつての国家主義、復古主義、保守主義に通底する感覚までが、この政府にあってはうっちゃられている。しかも、そのことへの国民の反応は鈍い。メディアが悪いというよりは、メディアも野党も内閣も、こぞってこの世論調査の主、国民動向にしたがって動いている。その結果が、これなのである。

約束が破られても怒らない。それは、自分で約束をしたのではないからだ。明日、四時に会う。あるいは借金を返す。そういう約束が断りもなく破られたら誰もが怒る。でも、そういう自ら「約束」をして決まり(ルール)を作るという経験を、私たち、日本人、日本の国民は、余りにしてこなさすぎた。

歴史の本を読むと、日本の政治的統治は何をもって正当化されうるか、ということが古代以来の日本の歴史を貫く一大問題だったことがわかる。なぜ、戦国時代を通じて、天皇は廃されなかったのか。自分で新たなルールを作り、「約束」(レジティマシー=政治的正当性)の根源を刷新(更新)するリスクを取ることを、誰もが怖がったからだ。その結果、日本では、その政治的正当性を誰に帰すかという「約束」ごとは、七世紀に律令制の導入のときに、これを「天皇」に帰すと決めて以来、ずうっとそれを転用することで済ましてきた。その事情は、藤原の摂関政治、源頼朝にはじまる武家政権、幕末期、すべて変わらない。

そしていまや、戦後の対米従属の果て、昭和天皇の責任放棄のツケが、次代のいまの皇室にまわって来ている。天皇に少なくとも政治的な正当性をめぐる抑止力を求めることに、現在、国民のコンセンサスはない。

つまりこの空白には七世紀以来の前史がある。とても一五〇年どころの話ではない。

では、何を善悪の基準にすればよいのだろう。

そう、もはや「教育勅語」すら、無効なのだとすれば。

この時代錯誤の産物がいま「復古主義者」たちの口をついて出るとしたら、それは、わたし達にいまやどんな善悪の基準もなくなっていることの指標であり、その悲鳴なのである。

ところで、ここでわたし達は、もう一度、いまや風前の灯の観ある、現憲法の存在に思いを馳せてもよいはず。前に蠟燭が立っている。風を前に灯がこれ以上ないほど頼りなげに揺れる。

善悪の基準とは何か。明治一五〇年を前に私はひそかにそう考えている。

Ⅵ

一八六八年と一九四五年

一八六八年と一九四五年――福沢諭吉の「四年間の沈黙」

はじめに――再来・反復・忘却

今回の企画の主題は、「破局から…」である。その趣旨説明にいわれる、「近代の進行から置き去りにされ、様々な〝破局〟となって現れていること」として、いま私の頭には、日本の近代の起点となった幕末・維新のなかの一つのできごとが浮かんでいる。

そのことにふれて、ここではいくつかのことを書いてみたい。

日本の近代史には、二つの激動の一五年間がある。一つは、一八五三年(ペリー来航)から六八年(大政奉還)にいたる幕末・維新の一五年間であり、もう一つは、一九三一年(満州事変)から四五年(敗戦)にいたるいわゆる「一五年戦争」の一五年間である。

さて、このいずれにも「近代の進行から置き去りにされ」、その後一つの「破局」となって現れたこと、ないし、現れようとしているものがある。前者における尊皇攘夷思想(と八〇年後、昭和前期の皇国思想の席巻)、そして後者における皇国思想(と八〇年後、現在の排外的傾向の拡大）である。

前者の幕末における尊皇攘夷思想は、維新・開国がなると、文明開化という近代の進行のなかで、そのもと担い手たちによって、古い、恥ずべきことと目され、なかったことにされ、「置き去りにされ」た。そしてそのことが、八〇年後、一九三〇年代の皇国思想の噴出と席巻、その軍国主義との合体という「破局」をもたらす。

ところで、この皇国思想は、敗戦を過ぎ、占領期を過ぎると、再び、今度はその被害者たちによって、等閑にふされる。つまり、当初こそ、占領下、鋭敏な分析が試みられるものの、その後は、もはや論じつくされ、さらに論じるに値しないものと受けとられ、やがて、政治思想の主流からはずれ、現代的な論題としては「置き去りにされ」る。それから八〇年後、いま私たちを見舞っている困難は、その「置き去り」に端を発する、再びやってこようとする、ありうべき「破局」の予兆というように、私には見えている。

私の考えでは、先の昭和前期の皇国思想は、幕末の尊皇攘夷思想が明治維新後、「置き去りにされ」たことによる、その「内容としては似て非なる」再来である。「置き去りにされ」たために「内容としては似て非なる」にもかかわらず、その違いが、指摘されず、同一物とみなされることで、「力」をえた。そして、二度目の「国難」が到来すると、社会を席巻し、当時の日本を「破局」に導いたのである。

大正期のデモクラシーと国際協調の輝かしい経験と蓄積をもちながら、なぜ日本社会はこのとき、ほとんどなす術もなく(というように見える)、情念的かつ閉鎖的で夜郎自大な皇国思想に席巻を許してしまったのか。大正期のはじめに現れ、その後の立憲主義とデモクラシーの時代を開いた美濃部達吉の天皇機関説が、二三年後、不敬であると糾弾され、罪に問われたとき、なぜこれを裁判所もメディアも学界も、これを一笑にふし、排除する、という自浄作用を示せなかったのか。

敗戦ののち、すぐに現れるべきだったのは、このような問いだった。そして事実、この問題意識に立って、そのことが問題とされた。しかも、その捉え方のうちには、幕末・明治の尊皇攘夷思想と昭和前期の皇国思想の両者を含むパースペクティブすら、備わっていた。——問題提起者は、丸山眞男。いうまでもなく前者は戦時下、一九四〇年代前半に書かれたこの著者の『日本政治思想史研究』(一九五二年)であり、後者はその後、同じ著者の手により書かれる『現代政治の思想と行動』(一九五六年、増補版一九六四年)第一部「現代日本政治の精神状況」に収録される、主として戦後、四〇年代後半に発表された「日本ファシズム」をめぐる諸論考である(「明治国家の思想」、「戦前における日本の右翼運動」を除く)。

前者「近世儒教の発展における徂徠学の特質並びに其の国学との関連」(『国家学会雑誌』一

九四〇年二～五月）
「近世日本政治思想における『自然』と『作為』――制度観の対立としての――」（同前、一九四一年七～九月、一二月、四二年八月）
「国民主義の『前期的』形成」（同前、一九四四年七月）
後者
「超国家主義の論理と心理」（『世界』一九四六年五月）
「明治国家の思想」（一九四六年一〇月、講演後、『日本社会の史的究明』に収録）
「日本ファシズムの思想と運動」（一九四七年六月、講演後、『東洋文化講座第二巻　尊攘思想と絶対主義』に収録）
「軍国支配者の精神形態」（『潮流』一九四九年五月）
「戦前における日本の右翼運動」（一九五八年、Ivan Morris, A Study of Post-War Trends への序文、日本語原文が一九六四年刊『増補版　現代政治の思想と行動』に収録）

右に見られるごとく、前者は江戸後期の朱子学、国学、幕末の尊皇攘夷思想を扱い、後者は、昭和前期の皇国思想を「日本ファシズム」の名前の下に論じ、この二つの仕事は一九四〇年代をつうじて四〇年から四九年まで地続きになされている。しかし、この一連の本質的な論題は、両者の嚙み合うかたちでは、社会に受けとめられなかったし、また、著者自身によっても十分には深められなかった。丸山は前者を「本店」の仕事(学者としての政治思想史の仕事)、後者を「夜店」の仕事(ジャーナリズムでの現代政治論の仕事)と区別した。この区別を廃し、前者の幕末の尊皇攘夷思想と後者の昭和前期の皇国思想を同格に扱い、同列に比較し、『文明論之概略』緒言に見られる福沢諭吉のように、「二生相比し、両生相較し」、議論を確かならしめる、という姿勢に踏みだすことは、最後までなかった。

皇国思想の「悪」の理由こそ、丸山の論考をはじめとして、その後の国内の研究、また、極東国際軍事裁判等によって、考究され、糾弾されつくした感がある一方、この二つを比較し、前者によって後者を制する(?)という姿勢は誰によっても示されなかったし、その結果、なぜ、この「悪」とわかりきったもの(皇国思想)が「善」とわかりきったもの(大正デモクラシー)を席巻することができたのか、社会もメディアも国民も、これを許したのか、ということは、十分に深められず、これに対する説得的な答えも取りだされず、空白のままに残されたのである。

いま、私たちは、戦後、占領期をへて名目上の独立をかちとったあと、もっとも厳しい「破局」的な困難のただなかにあり、その困難はさらに深まりを見せようとしている。その困難は一言で、ヘイトスピーチ、プチ右翼など、国をあげての夜郎自大化・排外的傾向の拡大と要約できる。こうした社会全体の保守化、左翼思想・革新思想・リベラル的な傾向への忌避と非難の声の高まりの総体を、先にこの戦前の皇国思想の席巻の理由が「戦後の進行のなかに置き去りにされ」、その病根をつきとめられないままに放置されたことによる二度目の「〝破局〟となっての再来」——ないし少なくともその予兆——、と見ることができる。むろん、昭和前期における幕末・尊皇攘夷思想の「似て非なる」再来、そのままではない。戦前期の皇国思想から見て、そこにはさらに意味深い構造の変化が見られる。

1　思考枠組と仮定の問い

そのような考えに立ち、私は最近、『もうすぐやってくる尊皇攘夷思想のために』(幻戯書房)なる本を上梓した。鬼面人を驚かす、なかなか人にたちどころには理解してもらえないような題名であり、書かれていることも一筋縄ではない。しかし、辛抱強く考えを展開し、説明できれば、人にもわかってもらえるはずだと思っている。

ここでは、なぜ私がこのようなことを考えるようになったのか。その一つの回路を、幕末から明治初期にかけての福沢諭吉の経験に焦点をあて、それを後、戦時下から戦後にかけての丸山の仕事と簡単に並べ置くことで、説明したい。

先に、このエッセイの思考枠組について述べておく。

私は、一七年前に刊行した『日本人の自画像』という著作で、幕末の志士たちの経験を、「内在」から「関係」への転轍、という概念で整理している。まず言葉の整理をしておくと、外の事情から隔てられたまま、自分の手持ちの材料だけで考えて、そこから「真」を割り出し、思想形成していくあり方が、「内在」(の思想ないし思想形成)である。外の事情にふれ、他との「関係」の意識にめざめ、そこから互いの共存を可能にする「善」を割り出し、思想形成していくあり方が、「関係」(の思想ないし思想形成)である。

あらかじめいっておけば、私はこのアイディアを、敗戦から戦後に至る吉本隆明の思想経験をヒントに、手にしている。その時期を吉本が個人としてくぐった思想的経験とほぼ同型のものが、幕末の激動における志士たちの尊皇攘夷の「盲動」のうちに、「前例」として埋め込まれていることに気づき、そこから着想した。吉本は、この思想経験をもとに一九五八年、「転向論」を書く。そのことも考慮すれば、ここにあるのは広義の「転向」の問題でもある。

「内在」から導かれる「正義(真)」は、人を動かす。しかし、その「正義(真)」は、むろん、それだけでは、さまざまな「正義(真)」がせめぎあうなか、その共存がめざされる近代の国際社会にあっては、生きていけない。西洋近代は、象徴的にいうなら、すでに一六四八年、ウェストファリア条約の締結をへて、そのような「真」のせめぎあいを、互いにカッコに入れ、「主権」として不干渉のものとして認め合う〝次善の策〟

——これは「善」の原理である——を手がかりに、「真」をカッコに入れたうえでの共存の原理を手にしている。それが、近代の原則である。そこから生まれた近代の国際社会においては、当然、人は、「内在」の〝真〟だけでは生きていけない。むろんそれよりさらに内閉的な〝誠〟では何ともならない。そこで、人は、「関係」の意識に覚醒することなしには、生き延びることができない。

このとき、この思考枠組において、幕末の尊皇攘夷思想の示す経験を、(1)自らの「正義(真)」を強引にテロリズムの形で実行し、ついで(2)現実の壁にぶつかることで「関係」の意識にめざめ、その後、(3)尊皇開国思想へと〝転向〟することで、(4)現実に革命を達成することができた思想的経験と位置づけてみることができる。私はその本では、「内在」にはじまり、それが現実にぶつかり、「関係」に転轍するという、このジグザグな行路(ねじれをもつコース)こそが、日本において革命が成立するための標準的な定式だったのではないか、という問題提起を行った。

このような幕末期における「内在」から「関係」への転轍を、八〇年後、戦時下において反復したケースとして、右に述べた第二次世界大戦下の吉本隆明の思想経験を、位置づけることができる。そこでの吉本は二〇歳前後の皇国少年ないし皇国青年である。彼は、自分に手持ちの材料で、考えられるだけのことは考え、欧米列強によるアジアの白人支配を打破し、植民地体制を転覆し、人種差別の現状を変革するには彼らを打ち負かすしかないという結論に達し、大東亜戦争を肯定する。そして、さらに考えつめ、天皇のためなら、死んでもよい、という心境に達する。

戦争に敗けたら、アジアの植民地は解放されないという天皇制ファシズムのスローガンを、わたしなりに信じていた。また、戦争犠牲者の死は、無意味になるとかんがえた。だから、戦後、人間の生命は、わたしがそのころ考えていたよりも遥かにたいせつなものらしいと実感したときと、日本軍や戦争権力が、アジアで「乱殺と麻薬攻勢」をやったことが、東京裁判で暴露されたときは、ほとんど青春前期をささえた戦争のモラルには、ひとつも取柄がないという衝撃をうけた。(『増補決定版 高村光太郎』)

そこから、彼は、手持ちの材料だけで、いまいる場所で、考えられるだけのことは考えつくす、というこの「内在」の思想だけでは誤る、という洞察に達する。*そこから、世界認識の方法を手にしなければならない、という自覚をへて、――その間の径庭に不明はあるものの――やがておよそ一〇年後、「関係」の思想に立つことの決定的な重要性を説く、彼の名高い「関係の絶対性」という命題が導出される。

関係を意識しない思想など幻にすぎないのである。（中略）秩序に対する反逆、それへの加担というものを、倫理に結びつけ得るのは、ただ関係の絶対性という視点を導入することによってのみ可能である。（「マチウ書試論」）

幕末の志士たちが、この「内在」の思想から尊皇論と攘夷論を編みだし、それを愚直に実行し、壁にぶつかり、このまま自分たちの「真」を呼号するだけでは戦いに敗れ、植民地になるほかないと骨身に徹して思い知り、「関係」の思想に立つ現実論に転じる。尊皇攘夷派から尊皇開国派に〝転向〟して国内の体制転覆に成功する。それと同じプロセスが、ここに思想的に反復され、一人の戦後の思想家を生みだしていることがわかる。

これは、一八五〇年代以降の一五年間に幕末の尊皇攘夷思想がぶつかった問題が、八〇年後、一九三〇年代以降の一五年間に、一人の思想家の誕生の劇として反復された珍しい例である。

しかし、そういうなら、福沢の幕末の思想経験が示すのは、ちょうどその逆の過程なのではないか。

そしてそれが、これまでさまざまに指摘されながら十分にその意味を取りだせなかった福沢の幕末維新期の思想転換を明るみにだす、好個の思想枠組ともなるのではないか。

私はそのような仕方で、このエッセイで、福沢の明治初期の思想経験の意義を明らかにしてみたいと思っている。

福沢は、まず幕末期、海外での経験を重ね、「関係」の意識にいち早く長じる。そこから見れば国内の攘夷鎖国の嵐は救いようのない「気狂い沙汰」としか映らない。しかし、現実は、彼のめざすように進まないだけではなく、むしろ彼の「明視」の合理的な推論を裏切る形でジグザグに進み、革命を成就したあと、その変革に於いて彼の想定を超える急進性すら示す。

「何が間違っていたのか」。「何が自分には見えていなかったのか」。明治初年の前後、彼は一つの難問にぶつかるが、それは、このような問いであり、戸惑いである。

そこで、彼は、「外からの目」では見えないものがあり、それは「内からの目」を育てることによってしか見えてこない、ということに気づく。それを、福沢における「関係」から「内在」への転轍(覚醒)と呼べば、そこに、明治の代表的な思想家としての福沢諭吉の誕生の秘密はある、ということになるはずである。

さらにいえば、私の問題意識には、この幕末の二つの逆向きの「転向」(思想転換)にいま、一つの可能性を見ることも加味されている。その背景にあるのは、現在の「イスラム国」など中東のイスラム原理主義者たちに、なんら「転向」の原理が組み込まれていないことである。もし幕末の尊皇攘夷思想に、そのような契機が含み込まれていなかったなら、それが——当初、福沢がそう考えたように——一介のテロリズムの思想と運動に終始したことは火を見るよりも明らかである。ではそうでなくて済んだ、その機微は、どこにあったか。

私の関心は、そういうわけで、以下のような最晩年の鶴見俊輔の「転向」をめぐる関心にも重なる。鶴見は言っている。

　実は現在私は江戸時代末期から明治への転向が日本思想史の最も重大な局面だと思って［いる］んです。今そう思って［いる］んです。だからその時の勘（五〇年代、転向研究に幕末・維新期も加えようとしたこと――引用者）は間違ってなかった。（中略）（そのときにふれられた例では――引用者）つまり勝海舟とか佐久間象山（中略）ですね。私は自分たちがある程度手掛けた明治以後の転向、あるいは大正とか昭和の転向よりももっと重大なものは幕末だと思うんです。そういう仕事やってない、今考えるところ。（横尾夏織「資料１・鶴見俊輔氏インタビュー」六～七頁、同二〇一三年度早稲田大学大学院博士論文『「思想の科学」の思想およびその方法』所収、二〇一〇年一月一一日収録、一部補足した）

この近代の起点に置かれた尊皇攘夷思想をめぐる「内在」と「関係」の重層性が、あるとき、「置き去りにされ」る。そして、そのことが、忘れ去られて久しくなる。――

幕末の尊皇攘夷思想の〝意義〟の度重なる忘却が、現在の「破局」の根源にある。以下はおよそ、このような仮定の問題意識に立ってなされる、幕末から明治にかけての福沢諭吉をめぐる思想的試論である。

2　幕末人、福沢諭吉

福沢諭吉は、幕末の一五年間を激動の日本列島にあってほぼ例外的に過ごす。

その例外性の前提として、彼と幕末の志士との同世代性があげられる。福沢というと、私たちは何となく明治人のように考えがちだが、彼の生まれ年は、天保五年、それも一二月の生まれなので、西暦でいうと一八三五年。これは、吉田松陰の五つ下、橋本左内と同年、坂本龍馬の一年上、中岡慎太郎の四歳上、高杉晋作の五年上、久坂玄瑞の六歳上。後に徳富蘇峰に「天保の老人たち」と嘲られるが、それも道理で、幕末の志士たちと同世代の幕末人なのである。

右にあげた志士のうち、肺結核で死んだ高杉を除く全員が暗殺、刑死、自死など不慮・不自然の死をとげている。そこからあの「恰も一身にして二生を経るが如く、一人にして両身あるが如し」という名高い『文明論之概略』緒言の言葉も出てくれば、後にふれる彼の思想の重層性ともいうべきものの萌芽も、生まれてくる。

福沢は、九州にある譜代大名中津藩奥平家に仕える下級武士階級の出身で、身分制度に矛盾と怒りを感じていた。気分としては、同じく土佐の下級武士(下士)出身の坂本龍馬、土佐で庄屋出身の中岡慎太郎らと、さして変わらない。ちなみに後に彼が「丁丑公論」(一八七七年)を書いて西南の役の直後に擁護する西郷隆盛は、七歳年上、一四年後、「瘠我慢の説」(一八九一年)を書いて激しい批判をひそかに記す勝海舟は、一二歳年上、一方、明治政府をデザインする伊藤博文は、六歳年下であり、彼自身が幕末の志士の群れに身を投じたとしても、何の不思議もなかった。いわば福沢は、同様に産業振興と個の自立に活路を見出していた一歳年下の坂本龍馬と幕末の激動期をすぐ横のレーンで伴走する、もう一人の幕末の志士ですらあったのである。

そう考えると、すぐに見えてくるのは、この世代における福沢の特異さである。すなわち、先の一五年間の幕末の激動期を、彼はほとんど他に類例を見ない稀少なかたちで通過する。一五年のうち、ほぼ延べで三年間、海外の地にあり、三回、それも激動のさなか、帰国と渡航を繰り返す。

一八五三年のペリー来航に震撼されて、彼が長崎、ついで大阪の塾(緒方洪庵の適塾)に学び、蘭学に秀でる学力を積むまでは、多くの向学心に富んだ若者と同様である。しかし、安政六(一八五九)年七月、五カ国条約によりはじめて国が開き、横浜が開港。そこに出かけていまや英語が欧米世界の共通語となっていることを知ると、すぐに一から今度は英語という未知の言語を独習する決心をする。そして、刻苦勉励の末、一部を習得すると、早くも翌万延元(一八六〇)年二月、最初の国による渡航の機会を捉え、軍艦奉行従僕の名義で咸臨丸に乗船し、米国の地を踏む。ついで帰国すると、簡略英和辞典(『増訂華英通語』)を刊行し、この国の洋学者の先駆者となる。

二年後、一八六二年にはさらに一年間、幕府による遣欧使節の一員としてヨーロッパの主要国などをめぐり、六七年には再度、幕府の軍艦受取委員の一人としてニューヨーク、ワシントンに渡航している。

一回目の海外渡航からの帰国は、万延元(一八六〇)年五月で、三月に起こった桜田門外の変の直後にあたっている。二回目の海外渡航からの帰国時には、文久二(一八六二)年一二月で、八月の生麦事件をへて社会が攘夷に沸騰していた。

このとき、彼に国内の尊皇攘夷派の運動と主張が「井の中の蛙、大海を知らず」を地で行く愚かな盲動と見えただろうことは、容易に想像がつく。事実、彼は一八六五年には匿名で攘夷の愚を説き開国を勧める『唐人往来』を書き、六六年には米英等の政治、社会、歴史について述べる『西洋事情』初編を刊行している。その先の六三年六月、適塾の師、緒方洪庵の通夜の席で、適塾で一緒だった村田蔵六(後の大村益次郎、当時、長州藩の軍事技術指導にあたっていた)に、前月の下関海峡での長州藩の外国商船への砲撃にふれ、「何をするのか気狂共が、呆返った話ぢやないか」というと、「気狂ひとは何だ、怪しからん事を云ふな。長州ではチャント国是が極まつてある」、「之を打攘ふのは当然だ」と返され、同窓の蘭学の徒の余りの「変態」ぶりに驚き、それが本心から出たものかどうかを疑っている(『福翁自伝』)。

福沢はこのとき、完全な佐幕的開国派で、かつ、その自分の明視に自信をもつだけの理由を手にしていた。彼はこの時期、欧米の現実にふれ、この日本の現況を外から鳥瞰できる視座を手にした、幕末人としてまったくの例外的存在、〝明視の人〟だったのである。

3　単線的と重層性

しかし、そこから次のような問いが出てくる。

一八六六年夏、幕府が長州再征を企てた際に福沢は「長州再征に関する建白書」を提出している。その内容を、歴史家の飛鳥井雅道は、こう要約している。

曰く、いま世間を騒がせている尊皇攘夷なる「妄説」は実際に天子を尊んでいるのではなく幕府攻撃の「姦計の口実」にすぎない。この際、「長賊(長州の賊徒)」を一気に征服し、その余勢で他の大名も圧伏し、幕府の威信を高めることが必要である。

ついては二カ条の提案を申し述べる、と福沢は書いているが、その第二条の表題は、

「内乱御鎮圧に付、外国の力を御用相成度事」である。つまり、「この内乱を鎮圧するには、外国の力を使用してほしい」、飛鳥井は、そう要約している(『文明開化』)。外国の軍事力をもためらうことなく使い、国内の反対派を圧伏したあと、幕府を含めた国内の改革を進め、強力なイニシアティブを発揮して開国し、貿易を振興して立国する。これがこのとき、福沢が〝明視の人〟として構想している、もっとも合理的な日本の困難打開の方策である。

この一八六六年の提言は、この時期の幕府へのフランス政府の肩入れ助力(一八六五～六七年)と並行していて、現実性をともなっている。当然、幕府が外国軍を引き入れれば、「国内の人心に影響し」、批判も起こる。しかし福沢は、「長賊」に負けるわけにいかない以上、ここは押し切るべきだと、そこに説いた。

しかし、この政治的リアリズムの提言と、一八七二年の『学問のすすめ』初編の「身も独立し家も独立し天下国家も独立すべきなり」、翌七三年第三編の「一身独立して一国独立す」の独立の命題とは、明らかに対立する。この議論はまた、「丁丑公論」、「瘠我慢の説」など後の福沢の重厚、重層的な「抵抗」の論とも完全に違背している。

ここで簡単に述べておけば、一八九一年、福沢は、ひそかに旧幕臣ながら維新をへて「曩きの敵国の士人と竝立て得々名利の地位に」就いた勝海舟、榎本武揚を厳しく糾弾する論説を書く。これが、晩年の福沢の異色の論説として知られる「瘠我慢の説」である。彼は、その内容の過激さを考慮し、それを筐底深く収め、未発表のままに置く。そしてそれは、一〇年後、福沢の死の直前、世に現れるが、その内容がそれまでの福沢からは予想もつかない「士魂」擁護の説だったことから、人びとを驚かせる。『日本人』の主幹三宅雪嶺が、世上の福沢諭吉像を激しく裏切るその内容に驚き、「よし福沢全集は焚く可きも、この一文は不朽なり」と評したことは、よく知られている。

そこで福沢は、冒頭、「立国は私なり、公に非ざるなり」と述べ、私情こそが立国、独立をささえる抵抗の精神の母胎であると述べる。徳富蘇峰が、この論説に対し、「国民が緩急に際し、利害得喪を度外視して、国家と存亡を倶にするの精神」がここにいう「瘠我慢」であるなら、自分の考えも同一であると論評するが(「瘠我慢の説を読む」)、福沢のいう「瘠我慢」の精神は、それとは違う。徳富の「国家と存亡を倶にするの精神」が滅私奉公的な自己犠牲の精神だとすれば、そうした公けなものの基盤がことごとく失われた後も残る「私情」こそ、最後の立国の精神をささえるものであり、またそれが立国後の国のあり方を批判する「国民抵抗の精神」の母胎ともなると、福沢はいう。徳富の「公」に対し、福沢の「瘠我慢」の精神は「私」を足場に必要なら国家をも相対化しようという、国民抵抗の精神なのである。

こうした観点から福沢は、勝の穏当な江戸無血開城に対し、最後まで負けるとわかっていても抵抗する「瘠我慢」の精神をないがしろにしたものと、その政策決定を非難する。そして後世の人間に自分の過ちを繰り返さないよう訴え、自らを国民に対する他山の石とすべく、すみやかに官を辞すべきだと説く。

「勝氏は予め必敗を期し、其未だ実際に敗れざるに先んじて自から自家の大権を投棄し、只管平和を買はんとて勉めたる者なれば、兵乱の為めに人を殺し財を散ずるの禍をば軽くしたりと雖も、立国の要素たる瘠我慢の士風を傷ふたるの責は免かる可らず」

「瘠我慢の説」については、これまで何度か書いており、ここではこれ以上立ち入らないが(「『瘠我慢の説』考――『民主主義とナショナリズム』の閉回路をめぐって」『可能性としての戦後以後』所収、ほか)、福沢の思想の重層性とは、合理主義、功利主義に立つ啓蒙思想家として知られる福沢が、同時に、このような考え方を胸中に蔵していたことから窺われる、その思想の矛盾を抱えたあり方のことをさす。

先の一八六六年の建白書での主張は、同時期、つまり維新前・幕末期の福沢の他の著作――『唐人往来』や『西洋事情』――とともに、明治前期の啓蒙的な功利主義、合理主義の論とは、一線でかろうじてつながるものの、これだけなら、明解な体制内洋学派の論といわざるをえず、後の福沢の重層的な思想との間に断絶がある。福沢が福沢である所以は、その合理主義が、たとえばこの「瘠我慢の説」に見られる、古習ともいうべき「士風(士魂)」にも通じる「独立」の精神、「国民抵抗の精神」と重合していることである。

この重層性について、たとえば丸山眞男は、「福沢における『瘠我慢』の精神と『文明』の精神と、『士魂』と『功利主義』との矛盾あるいは二元性」といい『忠誠と反逆』、丸山の福沢観を批判してやまない西部邁もまた、ここに「士魂」と呼ばれる福沢の「瘠我慢の説」の精神にふれ、「私の関心は、以前も現在も『瘠我慢の説』の秘密を解くことにある」と述べて同様の見方を示している(『思想史の相貌』)。

では、この単線的な認識から、彼は、いつ、どのように、ここに見るような重層的な思想家へと自らを変えるのか。

また、ここに一つの試練を想定することができて、それが彼を変えているのだとすれば、そこで福沢は、どういう問題にぶつかっているのか。

ここには福沢一人、というより、幕末の思想、ひいては近代の思想全体を考えるうえで、最大のカギの一つともいうべきものが顔を覗かせているのではないか、というのが私の考えなのである。

4　「四年間の沈黙」

この問いに関し、歴史家の飛鳥井雅道は、福沢の言動のうちに「四年間の沈黙」の時期のあることに注意を促し、こう述べている。

一八六三年、村田蔵六（大村益次郎）の攘夷派への変貌に驚き、長州の攘夷派を「気狂いども」と罵倒したとき、

彼（福沢——引用者）としての「文明開化」は、既存の幕府権力を合理化し、強化し、欧米諸国に追いついてゆく、いわば一直線のコースとして構想されていた。権力を打倒することは不必要な混乱を生じるだけであろう。

しかし、明治維新のすべての過程は、こうした福沢諭吉的な合理主義が一敗地にまみれなければ、文明開化を押しすすめる力が、どこからもでてこなかったことを教えているのである。諭吉の四年間の沈黙は、王政復古という、彼の予想もしなかった歴史のゆりもどしを、いかに内面でとらえなおすかに注がれざるをえなかった。（『文明開化』、傍点引用者）

福沢の「明視」が見通し、設定したゴールに到達したのは、福沢の側ではなく、彼が暗愚の徒、「気狂いども」と呼んでいた尊皇攘夷派たちのほうだった。しかも彼らがそのゴール到達までにたどったコースも、福沢の予見を激しく裏切るものだった。そのことは、福沢の見通しが誤っていたことを彼にありありと思い知らせる。すなわちそれは、一直線ではなく、激しいジグザグのコースをたどった。

まず、彼らは、攘夷という「気狂い沙汰」のテロリズムへと走り、一八六三年、六四年の薩英戦争、下関戦争で列強にこてんぱんに負けると、一転、妥協し、「関係」の意識にめざめ、現実派に転じる。相手とうまくやっていくほかに植民地化を免れる方法はないことを思い知り、尊皇開国派へと転向する。さらに、そのまま開国の近代化路線に進むと思いきや、今度は天皇をかつぎあげ、「王政復古」を呼号し、京都から東京へと遷都を行い、古代の奈良期の官制を採用する。一八六九年、イギリスのエジンバラ公が天皇に「謁見」するため江戸城に入城する際、「潔身の祓(みそぎ)」を行ったと聞き、福沢は「笑ひ所でない泣きたく思」う(『福翁自伝』)。やっぱりこの暗愚の徒等に国の近代化は無理だとほぼ見切りをつけるが、すると次には何とその彼らが、前近代的な装いに染まったまま、福沢の構想を追い抜く形で、一八七一年、一挙に廃藩置県を施行し、江戸期の封建体制を一新してしまう(この間、新政府当事者はさらに「転向」を重ね、王政復古の中身を空洞化し、平田篤胤系国学者たちを裏切る。岩倉具視の国学の師ともいうべき玉松操は七二年、「憤死」している)。攘夷派は尊皇思想を手がかりに再びジグザグの軌道を描き、福沢の先へと出るのである。どこに自分の見込み違いはあったのか。何が自分の〝明視〟の「盲点」だったのか。ここまできて福沢は、はっきりと「一敗地にまみれ」る。一九六七年から七一年末まで、つまり廃藩置県を受けての『学問のすゝめ』執筆までの彼の「四年間の沈黙」は、そのノックダウンから生まれたと、飛鳥井はいうのである。

ところで、このような――明治初年に福沢が深刻な思想的問題にぶつかっていたのではないか、という――観測は、歴史学者の間にかなり通有のもののようである。私のような門外漢は、せいぜいが『福翁自伝』などを読むだけなので、そこにこのような屈折の劇がはさみこまれているとはわからないできたが、いわれてみれば、この問いは、もっともなものである。私たちは咸臨丸の福沢を知っているし、幕末期の福沢の建白書の主張も知っている。そこでの福沢は、「佐幕・開国・改進派」であり、たとえば一八六五年の『唐人往来』の論旨は、「貿易をおこなうことは自然の理であり、欧米各国に侵略的意図は全く存在」しないことを説き、「日本は条約を結んだ」以上、「それを破棄するのは信義にもと」る、「貿易こそが日本を豊かにする」という単線的なものである(宮地正人『幕末維新変革史』下)。実際的で開明的だが、特に独立の気概、身分制度打破の意欲は感じさせない。この幕末期の洋学者・情報通の福沢から、「天は人の上に人を造らず人の下に人を造らずと云へり」、「一身独立して一国独立す」という重厚な啓蒙思想家・福沢への脱皮はいつ、どのように、またなぜ、行われているのか。

考えてみれば、ここには誰の目にも明らかな「問い」が取り残されている。

政治思想史家の飯田泰三は、この時期の福沢の書簡にふれ、「大君之モナルキ」(将軍中心の絶対主義)の持論も実現が難しくなり、「『上から』の『文明開化』路線を断念せざるを得なくなった境遇の中で」、福沢は「『一身独立』論から出発した『下から』の『文明』形成の道を新たに模索していくことになる」と述べているが(『福沢諭吉書簡集第一巻』解題)、この「断念」から「模索」への展開は、どのようにして起こるのか。この当然の問いが、判然とは答えられないまま、「置き去りにされ」ているのである。

「四年間の沈黙」が一八七一年の末の『学問のすすめ』執筆によって終わることについては、歴史家の宮地正人が、とりわけこの新政府が明治四年(一八七一年)に断行した想定外の「廃藩の挙」(廃藩置県のこと)が、福沢を驚かせ、彼に再び自分の「政治的見通し能力」の欠如を「痛感」させたと記し、飛鳥井と同じ問題に目を向けている(『幕末維新変革史』下)。

この廃藩を断行した新政府の担当者は、その「八、九割が自分が嫌悪してきた尊皇攘夷主義者であった」。それなのに、その彼らが、「自分が予想もできなかった廃藩置県をなぜ断行しえた」のか。廃藩置県は、こうして福沢に「日本現代史をいかに総体的に把握するかという課題」を「つきつけたのである」と、宮地は述べている。

なぜ、あの尊皇攘夷派に、日本の抜本的な革命が遂行できたのか。なぜそこでも、福沢の開明的な幕末期における同時代での判断は、間違わなければならなかったのか。

私は、そのことの福沢の答えが、この後書かれる福沢の西郷隆盛擁護の文、「丁丑公論」(一八七七年)、また先に見た「瘠我慢の説」に示されていると考えるが、ここでは、これらの内容の検討は行わない。それに代わり、見ておきたいのは、このとき、福沢が先の「四年間の沈黙」をつうじてどのような思想的領界をくぐったのか、ここでの福沢の思想的経験が、日本の精神史のなかでどういう境位を示しているか、という問題である。

答えはこうなるだろう。

その起点をなすのは、福沢自身の「一身の独立」である。

宮地は、一八六八年、福沢が、徳川慶喜に随伴する形で「静岡移住もせず」、かといって「新政府にも出仕せず」、「幕臣という身分を捨てただけではな」く、「さらに中津藩士というレヴェルでの士籍も捨て、身分的には『町人』身分とな」ったことをさして、「これは極めて異例中の異例であったことに注意されたい」と述べている。それまで福沢は、まず中津藩の下級武士の子であり、長じて中津藩士の下級武士となり、ついで、幕臣・旗本に取り立てられる。つねに体制のもとに居場所をもつ体制内の存在だった。それが幕府倒壊により三三歳にしてはじめて、一介の平民身分に投げ出される。どんな身分の保障、生命の保障もなくなる。

四月一一日の江戸無血開城の前日の書簡には「僕は学校之先生ニあらず、生徒ハ僕之門人ニあらず。之を総称して一社中と名け、僕ハ社頭之職掌相勤……」と書かれるが（山口良蔵宛）、彼は自らの塾を、「いわば共同体型でも、官僚制組織型でもない、自発的結社型ともいうべき新しい組織原理にもとづいて」「スタートさせようとしてい」る（前記、飯田泰三）。

ところで、宮地によれば、この時期、福沢はある劇的な形で、一つの決断を迫られている。

福沢は、幕末維新期を通じ、尊皇攘夷の徒からなる官軍と新政府の勢力が「洋学者を敵視している」と考えていた。そのため、生命の危機を察し、身辺の警戒を怠らなかった。その懸念が根拠のないものでなかったことは、維新の年があけてすぐに（明治二年）京都の洋学者横井小楠が尊皇攘夷派に暗殺されていることからもわかる。それに先立つ維新の年、福沢のもとに親友の旧幕臣洋学者でいまは米国公使館通訳を勤める尺振八から身辺保護に関する好意的申し出が寄せられる。福沢と塾生を含め、「生命の保護を保障するため米国から証書を交付してもらうことが出来るが、どうか」というのである。彼は「判断に苦しんで塾生に相談」する。

宮地は書いている。

そこでは、元治元（一八六四）年、兄篤次郎とともに福沢塾に入学していた小幡仁三郎（小幡家は中津藩上級武士の家）の「官軍と旧幕府との問題は日本国内のこと、どのような事態に陥ろうとも外国人の保護を受ける必要なし」との悲愴な発言のも

と、一座寂として声なく、ここに諭吉も腹を決め、尺の提案を謝絶した。(『幕末維新変革史』下)

福沢は、一身上の切実な問題に遭遇し、「判断に苦しんで」社中の「塾生に相談」し、その塾生の言葉と塾生たちの対応から、先の自分の判断とは異なる結論へと移動する。いわば自分の作り出した「仲間」とともに考え、自分の考えをそこから作り出すのだが、宮地は、この挿話を紹介しながら、このとき、福沢が、「安政元(一八五四)年以降中津藩の内情にはほとんど通じてはおらず、藩士たちの気持ちもつかむことが困難だった」一方、片や、中津に「在国しつづけた小幡兄弟は、文久二(一八六二)年末将軍家茂の奉勅攘夷の請書提出以降、攘夷期日や横浜鎖港等々、いざとなったら外国と闘わなければならない譜代藩の藩士として考えぬかざるを得なかった青年であった」と述べ、そうした小幡兄弟の体現する経験こそ、幕末期、〝明視の人〟、福沢のあずかり知らない思想的領界をなしていたことに、読者の注意を喚起している。

このやりとりは、「我慶應義塾中の一美談」として晩年の『福沢全集緒言』(一八九七年)に出てくる。一介の逸話が詳細に「全集緒言」に出てくるのは異例だが、それにはたぶん、発言の主がその後、米国で若くして客死する塾中の俊才だったことも関係している。小幡仁三郎は終生、右腕として福沢を助けた小幡篤次郎の実弟で、彼自身、中津から福沢によって伴われて江戸に来た最初期の弟子として、塾の学問環境の整備に大きな寄与を行った。当時、二二歳。その後、新しく塾生となった若き藩主(奥平昌邁)の米国遊学に随行して急病を得て客死。行年、二七歳。しかしそこでの福沢の書きぶりは、理由がこの非凡な弟子への哀惜にとどまるものでないことを示唆している。

それによると、このできごとは、「維新の当年」、一八六八年の初春の頃に起こっている。おりしも、徳川慶喜が海路で東帰し、それを追う形で官軍が東征を開始し、その軍勢が江戸に迫ろうとしていて、物情は騒然としていた。そのときに前記の尺振八の申し出が舞い込む。福沢はすぐには答えず、「兎に角に一応塾中に話し、又余が説も出して諾否を決せんとて」、尺を伴い、塾舎に行き、「衆学生の意見」を聞く。すると、

> 小幡仁三郎(小幡篤次郎氏の実弟、十余年前米国遊学中に病死)真先きに発言して云く、米公使の深切は実に感謝に堪へずと雖も、抑も今回の戦乱は我日本国の内事にして外人の知る所に非ず、吾々は紛れもなき日本国民にして禍福共に国の時運に一任するこそ本意なれ、東下の官軍或は乱暴ならんなれども、唯是れ日本国人の乱暴のみ、吾々は仮令ひ誤て白刃の下に斃るゝことあるも、苟も外国人の庇護を被りて内乱の災を免かれんとする者に非ず、(中略)学問は学問なり、立国は立国なり、(中略)仁三郎は同窓の朋友と共に御断り申すと、其語気悲壮痛快、座中又一言を発

する者なくして其まゝ止みたることあり。(『福沢全集緒言』)

ところで、私がこの時期に立ちどまるのは、この一八六八年初頭の「美談」における小幡仁三郎の発言と、あの七二年の「一身独立して一国独立す」という言葉、考え方の間に、ある呼応を感じるからである。

また、もう少し言えば、一九四五年四月、最後の特攻出撃に向かう戦艦大和のガンルーム(士官室)で、なぜ自分たちはこのような無意味な作戦のために死ななくてはならないのか、という声があがり、それを機に、殴りあわんばかりに激した少壮士官たちの争論を、一人の若い士官の発言が鎮静させる、というできごとが起こっているのだが、そこで、その若い士官、二一歳の臼淵磐大尉が、こういっている。「進歩ノナイ者ハ決シテ勝タナイ　負ケテ目覚メルコトガ最上ノ道ダ」。つまり、自分たちは愚かな作戦のために死ぬが、この自分たちの愚かさと失敗こそが戦後の復興の魁になるのではないか――。右の福沢の逸話紹介の、その書きぶり、筆致に、この挿話を伝える、吉田満著『戦艦大和ノ最期』におけるそれにも似た、時代転換の息吹きを、受けとるからである。

ここで福沢が、自分と塾生の運命を定めるのに、「塾中に話し、又余が説も出して諾否を決」めようとしていることに注意しよう。福沢は決しかねている。そして、自ら作った「社中」の仲間に、自分たちの運命をめぐる諾否を、自分も同じ資格でそこに参加して、問おうとしている。このようなやり方を取ることで、彼は、ここで自分より若い者、つまり自分よりものが見えていないはずの者に、自ら、意欲して、追い抜かれる余地を作りだしているのである。いま手元にある岳真也の手になる最新の福沢の評伝に、残念ながら、この話は出てこない(『福沢諭吉　2朱夏篇』、『同　3白秋篇』)。しかし、岳は、後に『学問のすすめ』に現れる「一身独立一国独立」の命題が、明治二(一八六九)年二月、はじめて福沢の口から語られるとして、その「諭吉が生涯たもちつづけた『一身独立一国独立』の理念を他人に明かした、最初の文章」なるものを引いている。日付は、小幡仁三郎の発言からほぼ一年後。そこにこうある。

其一身を売奴の如く処しながら、何として其国を独立せしむべきや、何として天下の独立を謀る可きや。小生敢て云ふ、一身独立して一家独立、一家独立一国独立天下独立と。其の一身を独立せしむるは、他なし、先づ智識を開くなり。(松山棟庵宛書簡、明治二年二月二日付、実は二月二〇日付)

小幡の「今回の戦乱は我日本国の内事にして外人の知る所に非ず」、「吾々は紛れもなき日本国民にして禍福共に国の時運に一任することこそ本意なれ」という発言、それに「座中又一言を発する者な」かったとは、福沢も含まれる形で、誰もがこれを自分たち「社中」のモットーにしようとしたということである。福沢はこの年の三月四日、幕府からのお使番としての召し出しに「病気と称して出仕」しない。六月七日には適塾同窓の山口良蔵宛書簡に「最早武家奉公も沢山ニ御座候。此後ハ双刀を投棄し読書渡世の一小民と相成候積」と記し、実際、この頃、幕府に「御暇願」を差し出している(『木村摂津守喜毅日記』六月八日条)。また右の明治二年の松山宛書簡には「昨十一月」と「当正月」に旧敵方から新政府出仕の命を受けたがこれを断ったと書いている。いまや、一介の「小民」。「独立」とは何か。明治元年、同じ年の堀源治宛七月六日書簡に出てくる「軍サは軍サ、書生ハ書生」の語は、私に『福沢全集緒言』での同年初春の小幡の——福沢によって〝複元〟された——「学問は学問なり、立国は立国なり」の言いぶりを思い出させる。「独立」の説明として、明治六年の『学問のすすめ』三編には「自分にて自分の身を支配し他に依りすがる心なきを云ふ」とあり、この説明が明治八年の『文明論之概略』第二章になると、「身躬から其身を支配して他の恩威に依頼せず」となる。

前出の飯田泰三は、これを念頭に、福沢が、「『修身・斉家・治国・平天下』という儒教的秩序形成原理を踏まえつつ、それを転倒する発想のもとに、『独立』をキー概念として」、「市民社会的秩序形成原理」を打ち出そうとしていると述べている。さすがに「市民社会的」は言い過ぎだろうが、右の松山宛書簡にはじめて現れる「一身独立して一家独立、一家独立一国独立天下独立」の語が、儒教の「修身・斉家・治国・平天下」

の言い換え、「独立」をテコにしたその別原理による転倒となっていることは、その通りである。社中の原理を導入することで、福沢は小幡に超えられる。むしろ、自分を超えさせる。そのような形で、「一敗地にまみれ」、彼は「一身独立」の生きた意味を学んでいる。

「四年間の沈黙」をもたらす福沢の熟考は、この一八六八年初頭のいわば「内からの目」への覚醒にはじまり、一八七一年暮れの『学問のすすめ』の執筆で終わる。沈黙の終わりをもたらすのは、先に述べた、一八七一年夏に断行された新政府による「廃藩の挙」、廃藩置県である。

5　反省の意味

しかし、そこにいくまえにもう少しだけ、立ちどまりたい。

先に外国軍を用いるべしと主張した建白が福沢の「幕臣」という境遇と結びついていたとすれば、一身独立の命題は、一介の「小民」となった彼の新しい境遇と結ばれている。すなわち、幕末期、尊皇攘夷派の志士たちが、自らの狂気じみたテロリズムの暴走の果て、列強諸国からの手痛いしっぺ返しに遭い、薩英戦争、下関戦争を通じ、「関係」の意識への覚醒を余儀なくされてきたとすれば、福沢は、それとは数年のタイムラグをもって、維新初期、一人、体制から外に投げ出され、自ら新しく作った人間交際（社中）のなかで同じ激動を、いわばはじめて、「内」から体験し、「内」にあって観察する場面に遭遇しているのである。

この時期の福沢が、佐幕派の開明的論者から、自由独立を「旨」とする「私立」の重厚な啓蒙思想家へと生まれ変わっていることについては、多くの歴史家の観察が一致している。たとえば、飯田泰三は、先に見たごとく、それを討幕の動きの進展のもと、福沢における「断念」が「模索」へと展開したものと見、政治嫌いから政治関与へという推移に「維新における福沢の選択」を取りだす藤田省三の指摘を援引して、これを離陸、飛躍、選択と、いわば順接のかたちで説明している。

しかし、これに対し、私が指摘したいのは、ここにあるのは、「選択」というよりは「反省」であって、しかもその「反省」は、飛鳥井のいう「一敗地にまみれ」る経験、福沢に逆接をもたらす思想経験としてあっただろう、ということである。その「敗北(逆接)」を、小幡仁三郎という若い社中「同志」の発言から生まれた福沢の「回心」は、象徴している。そしてこれを、幕末期の尊皇攘夷派の——「内在」から「関係」への——〝集団転向〟に比較して、「関係」から「内在」への覚醒と名づければ、この福沢の思想経験のもつ意味は、より適切に、幕末の全体的パースペクティブのうちに、取りだせるだろう。私は、そう考えるのである。

そして、こう見てくると、この福沢のあり方は、遠く、吉本隆明の戦時下から戦後にかけての――「内在」から「関係」への――思想転換とも響き合うものであることがわかる。それは私に、吉本の戦時期の体験と重ね、もう一度、戦後に行われた彼のある発言を思い出させる。

かつて、吉本隆明は、福沢にも似て「一五年戦争」の期間、ハーバード大学への入学を含めて三年半にわたる滞米経験をもった、戦時下、戦後を通じての例外的な〝明視の人〟である鶴見俊輔に対し、自分は「世界の現実を鶴見ほど知らぬのかも知れぬ、という疑念が萌さないではないが」、外部に虚像をもたないことを代償に、内部にあるままに世界認識の像を獲得することをめざしてきた、と述べ、

　井の中の蛙は、井の外に虚像をもつかぎりは、井の中にあるが、井の外に虚像をもたなければ、井の中にあること自体が、井の外につながっている、という方法を択びたい

と記した(「日本のナショナリズム」一九六四年)。吉本の敗戦を契機とした「内在」から「関係」へという思想転換が、ここに戦後的な揚言となって現れているわけだが、この戦後の言明に重ねれば、井の内部から「井の中」は、それを外部から見ていたときとは

また違ったふうに見えること、そこに自分の知らないことのあるらしいことに、このとき、小幡仁三郎の発言の前で「一言を発する」こともないまま、福沢は気づいている。これまでは一貫して「外からの目」——「関係」の意識——をもち、この「井の中」を鳥瞰してきた。しかしいま、はじめて「内からの目」——「内在」の意識——への覚醒を促されている。このとき、福沢は、改めて、彼から遠くに存在していた「攘夷」(尊皇攘夷思想)のうちにひそむ苦衷、絶望、覚悟の奥深さと陰翳を、自分の間近に観取したのだといってよい。

このときから、僅かに八年後、福沢は『文明論之概略』で攘夷派の位置を正しく受けとめ情理を尽くした維新論を展開している。そして、それは、これを論じる丸山眞男をしてマルクスの『ルイ・ボナパルトのブリュメール一八日』に「匹敵し、ある意味ではそれより大きい」同時代の論と言わしめる深さを示すのだが、この「反省」は、いつ、どのように起こっているか。そう考えて、私は、右の場面が晩年、福沢の記憶にとどまり、『福沢全集緒言』にあざやかに慶應義塾社中の「美談」として復元されていることの意味に思いあたるのである。

福沢は、書いている。

而して始て事の端を開たる者は攘夷論なり。抑も此議論の発する源を尋るに、決して人の私情に非ず、自他の別を明にして自から此国を守らんとするの赤心に出ざるはなし。（中略）（この攘夷派を先鋒に革命は成り、凱旋が行われたが――引用者）凱旋の後に至ては漸く其結構の粗にして久を持すること能はざるを知り、次第に腕力を棄てゝ智力の党に入り、以て今日の勢を成せり。（中略）故に云く、王政復古は王室の威力に拠るに非ず、王室は恰も国内の智力に名を貸したる者なり。廃藩置県は執政の英断に非ず、執政は恰も国内の智力に役せられて其働を実に施したる者なり。（『文明論之概略』第五章）

どこかの時点で攘夷派は、「現実の壁」にぶつかり、このやり方では「久を持すること」つまり新体制を永続させることは不可能であることを知り、「腕力」から「智力」に転向した、と福沢は見ている。そうでなければ、自分の見通しが彼らに追い越されることはなかったはずだ、とそう考えている。そしてそれを促したものを、彼はここで、「国内の智力」と呼んでいるのである。

ここにあげられる廃藩置県は、先に述べたように、三年半後、明治四年七月、新政府により断行されている。そしてこのできごとは、もう一度、福沢の「見通し」が間違っていたことを彼に思い知らせている。その目測の誤りの自覚をくぐってはじめて、あの『学問のすすめ』の「天は人の上に人を造らず人の下に人を造らずと云へり」という命題は、より重厚な陰翳をともなって、その年の末、書き出される。
「門閥制度は親の仇」と考えた福沢にも、幕末期、幕藩体制の抜本的な変革、つまり身分制度の完全な廃止——廃藩置県——が可能とまでは、思えなかった。彼が他に訴えただけでなく、彼自身、考えていたのは、幕府を中心とし、「開国」をカギとする、国内「改進」、体制変革だった。その認識が現実の動きのなかで追い抜かれる。そもそも「万民平等」といった外来の命題は、それを語る者にそれだけの理由がなければ、薄っぺらな啓蒙のことばとなるほかない。福沢の言葉が軽さを免れているのには、その理由があるのである。

考えてみると、長い間、この『学問のすすめ』の初編冒頭のことばは、私にとって、何の感慨も催さない教科書中の文言にすぎなかった。しかし、それが飛鳥井のいう「四年間の沈黙」、宮地のいう、同時代の社会の構造を「いかに総体的に把握するかという課題」との直面をくぐり抜けて得られた境地の表白だとわかると、また違って読めてくる。

宮地によれば、『学問のすすめ』は明治四(一八七一)年七月の「廃藩の挙」を受けて、その衝撃のうちに書かれるが、そもそも「決して一般的な啓蒙主義的教育を説くために執筆された」ものではなかったという。福沢は自分の「政治的見通能力のなさ」を「再度痛感」しながら、しかし、この廃藩の意味、「事の本質」についてはこれを「誰よりも鋭く見抜」いた。

廃藩までの教育の目的は、仕える主君に対するサムライの忠義・忠節心を育成することだった。そのため、なによりもまず廉恥廉直の倫理を生徒たちに確立させることが各藩の儒者たちによって心懸けられてきた。それが一瞬にして藩主が存在しなくなり、サムライたちは忠義・忠節の対象を剝奪されたのである。（中略）今後どのような青年を社会に送り出すのか。いかなる理念と方法が旧来のものにとってかわらなければならないのか。（『幕末維新変革史』）

福沢のもとに、旧中津藩から「廃藩直後旧中津藩士族の教育を目標に設立された中津学校」のための教育提言書執筆の依頼が舞い込む。「茫然自失している旧来の士族教育担当者」に、またその背中越しに見えてくる、新しい時代の有為の「生徒たち」、青少年たちに、新たな「教育目的の方向性」が示されなければならない。このような要請から書かれた初編のパンフレットが、広く世に広められるべきとの周囲からの勧めもあり、慶應義塾の最初の刊行物として頒布される。それが『学問のすすめ』刊行のそもそものきっかけだったと宮地はいう。

このような背景を知ると、「天は人の上に人を造らず人の下に人を造らずと云へり」

という命題が、単なる西洋の天賦人権論の紹介といったものではなく、先の「一身独立して一国独立す」と同様、福沢の「内からの目」の開眼、一つの「回心」の所産でもあるものとして、目に映じてくる。この『学問のすすめ』初編の冒頭の一文についた「と云へり」に、アメリカの独立宣言を前にしたときの驚きと、それを改めていま、自分も「生徒たち」の間に身を置いてもう一度、考える、とでもいうような謙虚な書きぶりを感じるのである。宮地は、これらを念頭に、福沢は、「日本人にとって生まれつき身についた位などというものはなく、学ぶことによって身を自由独立させ、一家を独立させ、国を独立させることができる」と述べているのだと、要約するが、このような考えを、福沢もまた、維新後の「四年間の沈黙」をへて、改めて得ている。この「と云へり」のうちに、明治初年期の「内からの目」への覚醒が、姿を見せているのである。

6 「開鎖など云ふ主義の沙汰」

飛鳥井のいう福沢の維新にはじまる「四年間の沈黙」は、幕藩体制の倒壊を前にした彼の「見通し」の崩れと体制からの離脱に端を発し、新政府の廃藩置県断行を目にしての再度の「見通し」の誤りの自覚によって終わりを告げている。同じ「見通し」がはずれたことが、先には、沈黙を呼び、後には、その終わりを画するのは、その間、彼が自分の思考を深め、現実に対処する力を手にしているからである。この「四年」が福沢の三三歳から三六歳を覆うことを知れば、六六歳で死去する彼の「恰も一身にして二生を経るが如く、一人にして両身あるが如し」の言葉が、この思想変換の事実の上に立った感懐であることが一段と深く了解される。

しかし、この切断の契機は、「福沢全集緒言」(一八九七年)の二年後、口述に手を入れた『福翁自伝』(一八九九年)を読む限り、見えてこない。とはいえ、そこから福沢のものになり、育つこととなった、このとき筐底深く秘されていた八年前執筆の「瘠我慢の説」(一八九一年)に展開された感懐は、そこに、福沢らしく、ごく平俗なかたちで短く出てくる。

そこに、こうある。

幕末、勤王佐幕の二派がぶつかった。私は門閥制度が嫌い、鎖国攘夷が嫌いばかりで、もとより幕府に感心するものではないが、勤王派はその攘夷の風がさらに激しいからそれ以上に心を寄せるはずがない。これを傍観していた。幕府の旗色が悪くなってきたら、幕内では議論百出、「三百年の君恩は臣子の身として忘る可らず、薩長何者ぞ」と勇ましい議論もあり、やがては「諫争の極、声を放って号泣するなんぞは、如何にもエライ有様」となったが、やがて、維新がなり、世が治まってくると、維新直後は激しく新政府を嫌った旧幕臣がまたぞろ辛抱がきかず、旧言を改めて新政府に仕官するようになった。これらを何も咎め立てする気はないが、「私には少し説がある」。

> 抑も王政維新の争が、政治主義の異同から起つて、例へば勤王家は鎖国攘夷を主張し、佐幕家は開国改進を唱へて、遂に幕府の敗北と為り、其後に至りて勤王家も大に悟りて開国主義に変じ、恰も佐幕家の宿論に投ずるが故に、之と共に爾後の方針を与にすると云へば至極尤もに聞ゆれども、当時の争に開鎖など云ふ主義の沙汰は少しもない。佐幕家の進退は一切万事君臣の名分から割出して、徳川三百年の天下云々と争ひながら、其天下が無くなつたら争の点も無くなつて平気の平左衛門とは可笑しい。（中略）勝負は時の運に由る、負けても恥かしいことはない、議論が中らなかつても構はないが、（中略）洒蛙洒蛙と高い役人になつて嬉しがつて居るのが私の気に喰はぬ。扨々忠臣義士も当てにならぬ、君臣主従の名分論も浮気なものだ、コンナ薄つぺらな人間と伍を為すよりも独りで居る方が心持が宜いと説を極めて、初一念を守り、政治の事は一切人に任せて、自分は自分だけの事を勉めるやうに身構へをしました。（『福翁自伝』、傍点引用者）

先に少しだけ見た「瘠我慢の説」は、それより早く、西南の役が西郷の負けで終わった年に書かれた「丁丑公論」（一八七七年）と並び、右のように考えた福沢が、やむにやまれず行った「政治の事」への思想的なコミットメントだったことがわかる。そこには、自伝に書かれていない福沢の政治思想的な感懐が、より深い姿で現れている。それは、一言でいえば、先に述べた、彼における、「内在」の意識への覚醒、ということである。その覚醒、つまり幕末の政治思想の変動への再評価の意識に立って、幕末期、「開鎖など云ふ主義の沙汰」が「少しもな」かった、と福沢は語っている。「開鎖など云ふ主義の沙汰」とは何だろうか。開国改進か、鎖国攘夷か、そのいずれを、どのように選び、遂行していくことが国の独立と変革につながるか、の一点をめぐる、国をあげての公議輿論にほかならない。それが新しい天下となったら「争の点も無くなつて平気の平左衛門」になってしまった、それは「可笑しい」。幕末を動かす「勤王佐幕の二派」の対立の表現として、「開鎖など云ふ主義の沙汰」こそがあるべきだったと、福沢は指摘している。もう少し引き取っていうなら、もしその「沙汰」(公議輿論)が維新後、なかったとすれば、再論されなければならない、——そう福沢は考えていると、受けとることができる。

7　丸山眞男における幕末と明治

さて、このエッセイもそろそろコースを折り返し、収斂に向かいたいが、なぜ、福沢の「内在」への開眼と、そこからもたらされた洞察が、ここに言う「破局から…」のテーマにつながるか、といえば、冒頭に述べたごとく、その起点に位置する尊王攘夷論の重層的な意味が明治期、メディアの地平から姿を消し、「近代の進行から置き去りにされ」た結果、そしてその重層性の陰翳に「四年間の沈黙」をくぐって気づいた福沢の思想経験の意味がそれもまた、見失われ、埋没した結果、いまその「忘却」のつけが、私たちに「様々な〝破局〟となって現れ」ようとしている、と思われるからである。

そして、ここにいう「破局」として私の念頭にあるのは、ヘイトスピーチ、ヘイトデモ、嫌韓嫌中国言論の隆盛等々に代表される現在の日本の排外的な風潮であり、またそのような現れをもつ明らかな政治的な構造上の変化である。

もう一度、問うてみよう。なぜこのようになるのか。

すぐに連想が湧くのは、これが一九三〇年代の皇国思想の噴出時ときわめて似ていることであり、そこからやってくるのは、なぜ、大正期以降のデモクラシーの土壌が、この皇国思想の勃興、席巻に、なすすべもなかったのか、という問いである。そしてこれに答えようとすれば、このなすすべもなさ、無力の根は深い。さらに、同じことが、いままた、もう一度起ころうとしており、その遠因もまた、これにつながる。これらの感想が、これに続く。

すなわち、一九三〇年代の皇国思想の席巻の理由については、私たちがあまりにも無防備で、戦後、無意識のうちにこれにまつわる問いを「抑圧」してきたからではないか、とこの仮説的な歴史展望は、私たちに告げるのである。

この答えを受けて、ここでは、後段、一つのことを指摘しておきたい。

これは別のところに書いたことだが(『もうすぐやってくる尊皇攘夷思想のために』)、私は、明治期の政治思想が――幕末からの動きを受けて――「国権」対「民権」を基軸に動いていくという、戦後すぐに出され、その後もいまにいたるまで踏襲されている丸山眞男の考えに、懐疑的である(「明治国家の思想」一九四六年)。

丸山はそこで、なぜ昭和初期になって、私たちが皇国思想の擡頭に対抗できなかったのか、ということを、別の問いのもとに考え、それに答えを出そうとしている。明治時代には、「人民の権利を固守すべし」という考え方が民権派は当然として、藩閥政府、右翼団体にいたるまで、広く一定程度、共有されていた。右翼団体の巨頭としての玄洋社すら、創立時には、右の言葉を「僅か三箇条の憲則の中の一つに掲げて」いた。この「虐げられた者を代表するという健全なオポジションの精神」が、「大正末期以後」、消える。そして社会の風潮が「何でもかでも社会主義的なものを憎悪」するというふうに変わっていく。それまでは、この日本にも今後、「封建主義への復帰(=反動)」が来るのではないか、という質問に、これは全くあり得ない、と日本をよく知るチェンバレンすらいっていた(*Things Japanese*)。しかし以後、その信頼が崩れ、「こうした楽観がいかに誤謬であった」かが、示される――それがここに言う皇国思想の席巻である――。

その理由を、丸山は、「如何にそれが途中で本来の方向を歪曲したとしても」なお「明治国家が持っていた」、「健全な進歩的精神というもの」が失われるため、と語っている。国内的には日清戦争の勝利(一八九五年)によって、国際的には帝国主義の勃興(一九〇〇年代以降)によって、明治国家の政治思想の基軸としての「国権」と「民権」の「バランス」が崩れる。それがこの敗戦直後の講演で、丸山のあげている原因である。日清戦争の勝利は国家独立に関し、一種の慢心を産み、福沢からすら維新以来の緊張を失わせる。また帝国主義の擡頭は、徳富蘇峰をはじめ、山路愛山など多くの言論人、知識人を民主主義者から帝国主義者へと転向させる。

しかし、この理解でよいのか。

そもそも、この「国権」対「民権」の対立軸とは、どのようなものか。

丸山は、この一九四六年の講演に、こう説いている。幕末期、維新にいたる激動を導いたのは、政治的集中と政治的な底辺拡大という二つの動きだった。一八五三年にペリーが来航した際、江戸幕府の筆頭老中阿部正弘は、問題の重大さに鑑み、問題の出来を朝廷に奏聞すると同時に、世の諸大名以下を集め、忌憚なく意見をいってほしいと「公議輿論」を起こす形で対策の如何に関し、諮詢した。そこにその後の、幕末期の二つの政治思想の軸、政治的集中と政治的な底辺拡大の動きの端緒が見られる。この幕末の基軸を受け、明治期の政治思想は、国権（政治的集中）と民権（政治的な底辺拡大）を基本的な対立軸に動いていくからである。

つまり尊攘論の発展としての国権論と、それから公議輿論の発展としての民権論、この二つが恰もソナタのテーマのように絡み合いながら発展して行くというのが、大体思想的に見た明治国家の発展態様であるというふうにいえるのであります。
（「明治国家の思想」）

こう述べ、丸山は、日本の「今度の戦争」の誤りがこの「政治的集中と政治的拡大との二つの原理」の「バランス」を欠いたことから生じていること、今後は、このバランスを回復すべく後者の「民権」と民主主義の要素を強化することが必要となることを、聴衆に訴える。

しかし、この見方は、なぜ明治維新が起こったのか、またなぜその後、右の「バランス」の失調が生じたのかの具体的な理由には、ふれていない。それが丸山によって語られるのは、その後の「日本ファシズム」に関する一連の論考によってだが、その結論を最も端的に述べる、一九五八年の「戦前における日本の右翼運動」で、丸山は一九三〇年代の皇国思想の「席巻」の理由を、こう記している。

彼等(日本の「右翼」勢力――引用者)が「国体」という錦の御旗を掲げるとき、一にぎりの宗教家・アナーキスト・コンミュニストを除くほとんどあらゆる党派や集団はそれに真正面から反対し対抗する思想的根拠を自分の側に持ちえなかつた。「右翼」の攻撃に対して、クリスチャンも「自由主義者」も「民主主義者」もまずなによりも、自分たちの思想と行動が決して「国体」と矛盾しないといつて弁明することから出発しなければならなかつたから、論争はどうしても受け身になりがちであつた。こうした事情を考慮に入れることなくしては、たとえば一九三五年に疾風のように日本をふきまくつた「天皇機関説」事件などは、到底理解しがたい問題であろう。(傍点、引用者)

その結果、次のようなことが起こったという。

その憲法についての学説が何十年の間、東京帝国大学で講義され、その著書が高等文官試験の受験者にとつて必読の文献とされて来た美濃部達吉が、一たび右翼勢力の集中的な攻撃にさらされるや、忽ち著書は発禁となり、美濃部をはじめ、彼と同じ学派とみられた枢密院議長一木喜徳郎や法制局長官金森徳次郎などは「学匪」

とか「国賊」とかの汚名を浴びて一切の公職から引退しなければならぬ羽目に陥つた。この時アカデミックサークルや自由主義を信条とするジャーナリズムはほとんどすべて沈黙を守つただけでない。被害者たちは政界・官界・財界の上層部と浅からぬつながりをもち、友人後輩も少なくなかつたにもかかわらず、彼等を擁護し支持するための公然たる動きは一つも現われなかつた。しかも衆議院の第一党たる政友会の総裁はこの立憲主義を基礎づけた学説を弾劾する決議案上程の先頭に立つたのである。（同前）

なぜここで「国体」という「錦の御旗」が掲げられると、誰もが「まずなにより、自分たちの思想と行動が決して『国体』と矛盾しないといつて弁明することから出発しなければな」らなくなり、「どうしても受け身になりがち」とならなければならなかったのか。問いはここにある。

そしてこれが問いであることがわかれば、それに対抗するには、この「右翼勢力」への反対者自身が、「右翼勢力」の「錦の御旗」の以前にまで遡り、そこに足場を置く必要のあったことが、見えてくるはずである。「国体」がその後生まれた一個のフィクションにすぎず、「錦の御旗」すら、明治維新成就のための苦肉の策として考えられたことを教えるのは、その淵源にある、彼ら討幕勢力の初原の尊皇攘夷思想にほかならないからである。そこまで、遡って、そこから反対意見を積み上げる準備がなければ、この「国体」という「錦の御旗」、このとき起こった「国体明徴運動」に代表される皇国思想の席巻に対抗できないことは、明らかではないだろうか。

その変化を、立花隆は簡潔に、次のように述べている。

> (京大・滝川事件の導火線となった特異な右翼言動者蓑田胸喜の主宰する雑誌――引用者)『原理日本』が猛威をふるったほんの十年にみたない間(中心的には昭和八年の滝川事件から昭和十五年の津田左右吉事件あたりまで)に、日本の社会は決定的な不可逆変化を起した。
>
> 具体的にいうと、その間に、「国体」という言葉が多義性をもって語られる時代から、一義的な絶対性をもって語られる時代に変った。「国体明徴」というスローガンが文化的規範、社会的規範として、すべてに優先される時代になった。天皇制が単に一つの政治的社会制度として機能していた時代から、神がかり的にすべての国民のすべての生活を(外面的かつ内面的に)支配する超国家的神聖宗教制度として機能するように変っていったのである。(『天皇と東大』下巻)

何が問題だったのか。明治を動かしたのが、国権対民権の対立軸だとはいえても、丸山が推論するように、明治維新をもたらしたものまでを、そうみなすことは正しくない。それは、事実のすり替えであり、明治人の見ようとしなかったことを、そのまま是認する、明治期の「抑圧」の踏襲をこそ意味するはずである。

というのも、事実をいえば、明治維新は、丸山のいうように「国権」対「民権」の対立という形で起こっているのではない。その時代を生きた福沢が、現にその自伝に述べているように、幕末期、幕府と反幕府の両陣営の対立の基軸をなしたのは、開国と攘夷の対立、また佐幕と勤王(尊皇)の対立だったのである。このうち、開国・佐幕派が攘夷・尊皇派に破れ、大政奉還し、攘夷・尊皇派が王政復古の大号令を発し、さらに一八六八年、開国に転じる――江戸幕府の締結した不平等条約を引き受けると言明する――ことで、明治新政府は国際社会の承認するところとなる。また、先に見たように、一八七一年、「廃藩の挙」が断行されることで、その国内的な革命的変革は、ノー・リターンの地点、後戻り不可能な「ルビコン川」を渡っている。

なぜ丸山の見方と福沢の言い方のあいだに、違いが生じているのだろうか。

すぐにわかるのは、丸山の見方が、戦時下における彼の荻生徂徠論(「近世儒教の発展における徂徠学の特質並びにその国学との関連」、「近世日本政治思想における『自然』と『作為』――制度観の対立としての――」)と同様、近代の価値に立った幕末維新期の「事後」的評価という弱点を色濃くもっていることである。徂徠論では、朱子学に含まれる近代の萌芽たる「合理的な側面」が、徂徠学のもとに見出される。そしてそれがどのように朱子学のなかから生まれてきたかが考察され、その後、山県大弐などの所説に受け継がれ、体制変革の思想へと形成されていくプロセスが跡づけられる。しかし、現実に起こった革命は、そこに跡づけられたような合理的なコースをとらなかった。明治維新は、徂徠的な朱子学の「合理的な側面」が強く作用して、起こったのではなかった。逆に、頑迷な山崎闇斎学派に淵源をもつ水戸学の尊王論と草奔の攘夷思想が合体する形で、一直線にではなく、ジグザグな行路をたどり、ゴールに至っている。したがって、そこまでを少なくとも考慮に入れないと、丸山の指摘は正確に近世後期の「日本政治思想史研究」としては、位置づけられない。

それと同じく、この戦後の「明治国家の思想」でも、明治以降の国権対民権の構図の萌芽、もっといえば「民権」の淵源が、遠く一八五三年の老中阿部正弘の「公議輿論」的対応に見出されるといわれている。そしてこの幕府内の「公議輿論」の動きが、政治の底辺的拡大と変革の主要な要素につながるかに語られているが、その指摘は誤りでないにせよ、現実に起こったことはむろん、そういうことではない。「公議輿論」の要素が、政治的集中に対し、幕末の政治的な底辺拡大の母胎をなしたのではないからだ。政治的な底辺拡大といえば、むしろ幕末の志士たちの動きに代表される脱藩と横議、横断、横行の動きが、本体であり、しかも、その主体たる志士たちが唱えたのは、公議輿論でも、開国和親でもなく、尊皇攘夷だったのである。

8 福沢と丸山――一つの岐路

尊皇攘夷思想は、そういう意味では、一方で、尊皇論というかたちで政治的集中の動きに加担しながら、他方で、尊皇攘夷思想というかたちで「公議輿論」と結びつきつつ政治的な底辺拡大の動きの母胎をなすという二重性を示している。民権にとどまらず、また、国権にとどまらない重層性をもっていた。

明治初年の福沢は、この尊皇攘夷思想、尊皇攘夷派の重層的な側面に、めざめているのである。

したがって、この丸山の戦後の幕末・明治論には、先の、幕末期、「当時の争に開鎖など云ふ主義の沙汰は少しもな」かった――が、ほんとうはあるべきだった――という福沢の洞察が、抜け落ちている。なぜ「気狂い沙汰」の尊皇攘夷派が革命を成就し、ついで自分の予想を超えた国内変革を達成できたか、という自問にはじまる「内在」への覚醒、ここにいう明治初期の福沢の尊皇攘夷派へのまなざしもまた、脱落し、「置き去りにされ」ている、といわなければならない。

丸山は、黒船到来に対する危機意識を前に、幕藩体制が来たるべき「国家と国民の内面的結合」を阻害している以上、「その克服者としての国民主義理念は当然に、この様な集中化と拡大化といふ両契機を内包しつつ、そのいはば弁証法的な統一過程に於て自己を具体化する」というが、事実をいえば、ここでの〝止揚〟は、先に述べたように、「内在」から「関係」への転轍――志士たちの尊皇攘夷思想から尊皇開国思想への集団転向――という形でしか、起こりえなかったのである。

一つの小さな岐路が、ここに、記されている。

なぜ、そういうかというと、丸山は、一九四四年、戦時下にあってこの「明治国家の思想」とほぼ同じ枠組みのもとに執筆された論考、「国民主義の『前期的』形成」においては、じつは、右に私が述べたと同じ認識を示しているからである。尊皇攘夷思想に対する重層的な把握がそこには見られる。それが戦後の論から、消えているのである。二つの論の違いは、尊攘論(尊王攘夷論)への評価に関わっている。戦後の講演では、国権論(政治的集中)と民権論(政治的底辺の拡大)の対立の淵源は、尊攘論と公議輿論の対位に置かれている(「尊攘論の発展としての国権論と、それから公議輿論の発展としての民権論」)。しかし、戦時下の論考では、幕末における政治的集中(「政治力の国家的凝集」)と政治的底辺の拡大(「その国民的浸透」)の対立が、富国強兵論へと発展する「絶対主義的体制」と、尊皇攘夷論の「『草莽屈起』の民」に求められている。むろん、より錯綜した形でではあるけれども、前者の政治的集中が「最後的に帰属すべき主体を求めて尊皇論、を政治面に登場せしめ」る一方、後者の「底辺的拡大」は、「幕末思想界に於けるいはゆる『公議輿論』思想の擡頭と同じ歴史的動向の表現」として、「尊王攘夷論がその社会的な担ひ手を封建的支配者から次第に『草莽屈起』の民へと移してい」く過程を随伴させる、といわれているのである(「国民主義の『前期的』形成」、傍点は引用者)。

そこでは尊王攘夷論がいわば尊皇論と尊王攘夷論に分岐している。そして、対立軸の両側に分布している。国権論の政治的凝集が来たるべき明治の「絶対主義的体制」に前倒しされ、そこに尊皇論の「政治面」での「登場」を含むとすれば、民権論すなわち政治力の底辺的拡大は、明治の「公議輿論」的思潮の先駆形態と語られつつ、その実体を幕末の「尊皇攘夷論」における政治力の「草莽屈起」の民への拡大に、見出しているのである。したがって、老中阿部正弘の一八五三年の行動は、幕末の大対立(開国か攘夷か)の大海に浮かぶ小島(中間勢力)での小対立として、次のように語られているにすぎない。

かのペリー来航の際、老中阿部正弘が前述の如く、その処置に困惑して一方、事を朝廷に奏聞すると共に他方、諸大名以下に対して、(忌憚なく意見を言ってほしいと「公議輿論」を起こす形で――引用者)(中略)対策を諮詢したといふことは、中間勢力の解体の二つの方向――即ちその最高主体への凝集と他方国民層への拡大

——を暗示的に示して居り、その限りに於て、当事者の意図を超えて国民主義の力学(ディナミーク)のいわば歴史的象徴であつたといふ事が出来る。(「国民主義の『前期的』形成」、傍点は引用者)

つまり、一九四六年の戦後の論で、政治的集中(国権)と政治的拡大(民権)の大対立の起点として例示されるペリー来航の際の老中阿部正弘の朝廷への奏聞と諸大名以下への対策諮詢は、この戦時下の論では、単に幕府という「中間勢力」の「解体の二つの方向」を暗示する局所的兆候と限定的に位置づけられている。その重要度は比較的に低い。そのうえで、その暗示するより大きな二極勢力の二つの方向が、政治的集中(明治新政府と尊皇論)と底辺的拡大(「公議輿論」思潮と尊皇攘夷論)の二つだといわれているのである。

このような尊皇攘夷思想への積極的評価が戦時下の丸山にあったことは、この「国民主義の『前期的』形成」論文に先立つ彼の主要論文「近世日本政治思想における『自然』と『作為』」(一九四一〜四二年)でも、丸山の口から同じ主張が繰り返されていることから明らかである。丸山は、吉田松陰の考え方に、「国民」の「主体的自覚なくして」「強靱な外敵防衛は期しえない」という観点の生まれてくることを指摘し、「かうした自覚の成長は、必然的に尊皇攘夷論をして、ヒエラルヒッシュな形態から一君万民的なそれへと転化せしめずにはやまない」と述べている（『日本政治思想史研究』三〇七頁）。これが言論の自由を奪われた戦時下の記述であることを考慮すれば、この「一君万民的なそれ」がその後の「民権」につながる要素をさすことは明白だからである。

これと、戦後の国権対民権の論との違いは、戦時下の「『前期的』形成」論文では、尊皇攘夷論が尊皇攘夷論と尊皇論に分かれたうえ政治力凝集（政治的集中）と政治力の浸透（底辺的拡大）の双方に配分され、民権につながる重層的把握を見せているのに対し、戦後の講演では、尊皇攘夷論と尊皇論の分岐が解消され、一括して尊攘論（尊皇攘夷論）として「国権」の淵源とされる結果、すっきりした二分論が得られる反面、尊皇攘夷論と民権のつながりが切断されていることである。

私の考えをいえば、ここで丸山は、福沢における幕末・維新期の「関係」から「内在」への転轍という重要な思想経験の精華を、指の間から取りこぼしている。なぜ、皇国思想の席巻のもとに書かれた論では、なお保持されていた尊皇攘夷思想と民権のつながりが、戦後の論で、むざむざと放棄されてしまうかといえば、丸山に、福沢における明治初年の「関係」から「内在」への思想転換の意味が受けとられていないため、というほかない。その証拠に、先の「近世日本政治思想における『自然』と『作為』」論文には、こうある。曰く、「普天率土の民、皆天下を以て己が任と為し、死を尽して以て天子に仕へ、貴賤尊卑を以て之れが隔限を為さず、是れ即ち神州の道なり」（丙辰幽室文

稿)、この吉田松陰の立場から、

「外国に対して我国を守らんには、自由独立の気風を全国に充満せしめ、国中の人々貴賤上下の別なく其国を自分の身の上に引受け、智者も愚者も目くらも目あきも各其国人たるの分を尽さざるべからず」(学問のすゝめ三編)といふ福沢諭吉の独立自尊の要請にはもはや一歩である。(「近世日本政治思想における『自然』と『作為』」)

一八五六年の吉田松陰の一君万民・草莽蹶起・尊皇攘夷の主張から、一八七三年の福沢諭吉の「独立自尊の要請」までは、「もはや一歩」だと丸山はいう。論としてだけ見るなら、たしかにそう見える。しかし、これを、思想の表白と受けとめれば、深淵が横たわっている。一八六六年には福沢は長州再征に際し、「長賊」の「攘夷」の盲動を圧伏するため、外国軍の使用も辞すべきではないと建白書に訴えていた。独立自尊はそこで、政治的なリアリズムに座を譲っている。その福沢がなぜ吉田の「神州(一君万民)の道」に通じる——誰もが「各其国人たるの分」を尽す——「独立自尊」の考えに変わるのか。その変化のためには、福沢の〝明視〟が「一敗地にまみれる」必要があった。また、福沢がエリートの位置からいったん「小民」の境遇に投げ出される必要があった。そのことの「必要」が丸山に、この時、見えておらず、敗戦をくぐってなお、見えていないのである。

この丸山における戦前と戦後の小さな距離の移動――尊皇攘夷思想への重層的な対応の消滅――は、丸山が当時、この自らの論考中の重点移動にあまり意味を見ていなかったことを語っている。意味を見ていたら、彼は当然、今度はこの戦後の時代の流れに逆らい、この一点に――明治初頭の福沢のように――立ちどまっただろうこと、間違いがない。では、丸山は、福沢における尊皇攘夷論に対する認識の深まりを、見ていなかったのだろうか。むろん、そのようなことはない。丸山は、一九五二年、こう書いている。「有名な福沢は不合理なものに宿る「偏頗心」に「国民的独立の推進力」を求めた。『瘠我慢の精神』の論理もまた之に通じている」。「彼は非合理的なものをどこまでも非合理的なものとしながら、その内に潜む生命力がある条件の下においては却て客観的に合理的な結果を産み出して行く逆説的な事実に注目したのである」と(『福沢諭吉選集第四巻』解題)。これはいい換えれば、福沢は、尊皇攘夷論をあくまで非合理なものとしながら、しかし、「ある条件の下においては」この不合理なもののほうがその「生命力」で「合理的な結果」を産み出してしまうという「逆説」に気づいていた、そしてそれに「注目し」ていた、という指摘である。丸山によれば、福沢は維新をそのような逆説の起こった場として理解し、その逆説に注目した、というのである。しかし、丸山は、福沢がその「逆説」に気づくのに、どのような代償を支払っているかを、見ていない。そこにどのような思想変換がなければならないか、ということへの感度が、欠けている。その見落としの代償を、丸山は、後年、自分で支払うことになる。丸山が、その後、最晩年に、尊皇論の淵源の一つ、朱子学の山崎闇斎学派の検討に長い時間を費やしているのを知れば、そのことに関する丸山の主観的理解がどうあれ、当然、私たちには、そういう感想が浮かぶ。

ここで丸山と福沢は、このように、分岐しているのである。

9 普遍と「公」――福沢、中岡、吉野

丸山における一九四五年とは、福沢における一八六八年である。そこで福沢にやってきた洞察とは、尊皇攘夷思想が思っていたように単純なものではなかった、そこには「外からの目」だけでは見えない実質があるらしい、という一つの覚醒である。尊皇攘夷思想に対する再認識、再吟味の必要の自覚に基づく、「内在」する思想一般への畏怖の念といったものが、その後、福沢のもとに宿る。福沢は、一八六八年、そういうことを、象徴的に言えば、中津藩以来の塾生小幡仁三郎の「どのような事態に陥ろうとも外国人の保護を受ける必要なし」という発言から、学んでいるのである。

このとき、福沢が感知したのは、次のような、その二年前に書かれていた幕末の志士、

中岡慎太郎の論に見られる、意想外な明るい普遍性の広がりをもつ「攘夷」の感触だったのだと、いってよい。

当時、福沢の読者でもあった中岡は書いている。

夫れ攘夷と云ふは、皇国の私言に非ず、其の止むを得ざるに至つては、宇内各国、皆之を行ふもの也。米利堅嘗て英国の属国也。（中略）華盛頓（ワシントン）なる者、民の疾苦を訴へ税利を減ぜん等の数カ条を乞ふ。英王不レ許。爰に於て華盛頓米地十三邦の民を師（ひき）ひ、英人を拒絶し、鎖国攘夷を行ふ。（「愚論窃かに知己の人に示す」、原文は片仮名）。

ここでの中岡の、攘夷、「皇国の私言に非ず」は、福沢の『文明論之概略』における、攘夷、「人の私情に非ず」を思わせるが、ここに述べられた「米利堅」の逸話、つまり米国の独立戦争と華盛頓の話は、一八六六年、すでに幕末の志士たちを鼓舞するものとして彼らのあいだに知られていた。薩摩の島津斉彬が華盛頓を評して、ナポレオンは日本でいうと秀吉に比定できるが、「華盛頓に比する人物日本にはなしと思へり」と述べた話が、その言行録に伝えられている（『島津斉彬言行録』）。ここに、「攘夷」が「皇国の私言に非ず」とあるのは、日本個別にとどまるいわば単なるナショナリズムの論ではない、ということである。また、「其の止むを得ざるに至つては、宇内各国、皆之を行ふもの也」とあるのは、これが普遍性をもつ、インターナショナルなもの、文明開化に通じる主張だということである。

このわれわれの述べる攘夷は、単にこの列島のなかでだけ通用する偏狭排外の論ではない。それをささえているのは、強国に虐げられた弱小国の誰もがこのように動かずにはいられないという「やむをえなさ」、動かしがたさのもつ普遍性ある広大包摂の論である。中岡は、その論を、こう続けている。われわれの攘夷は、弱者の正義の普遍性のうえに立っている、イギリスに対し、独立戦争を起こした植民地のアメリカも、同じことをした。我々の主張はそれと同じなのだ、と。ここには、あの「井の中」にあり続けるものだけが知る地下水の広がり、地下方向に延びる普遍性がある。これが、福沢が知れば、あの塾生小幡仁三郎の発言にあるものと同じと感得しただろう、彼にとっての未知の「攘夷」の感触だったのである。

私は、丸山ならずとも、この福沢の明治初頭の「回心」の意味を、誰かが受けとめて、戦後に語り継ぐべきだったろうと考える。もしそのことが十分になされていないなら、これからでも遅くない、誰かがそれを受けとめ、行うべきなのである。

福沢を躓かせた明治維新へのジグザグの行路は、当事者たちにどのように意識され、受けとめられたか。

ここではその問題は取りあげないが、彼らが自分たちの――鎖国攘夷から開国和親への――〝集団転向〟を後ろめたく思っていたことについては、さまざまな証言がある。当時、多くの言論が、この新政府の「背信」をとりあげて、非難の声をあげたことについても、幾多の文献があるが、一九二七年、大正期の代表的知識人である吉野作造が、この事例をとらえ、新政府要路にある者たちの後ろめたさからする釈明と、臣民の側からの問責、非難のやりとりが、明治期国民の政治意識浸透の一つの手がかりになったという面白い論を、それらの文献に言及しつつ、展開している(「我国近代史に於ける政治意識の発生」)。

そこで吉野がいうのは、当時、新政府の当事者に採用され、臣民の側を納得させる共通のマジックワードとなったのが、「公道」「公法」「天地の公道」、さらに「万国公法」など「公」の概念だったということである。この言葉に含まれる「公」が、江戸期の朱子学の「公」と重なり、何かありがたいもののように思われ、その内実を離れて、人びとを説得する概念となった。なぜこれまで鎖国攘夷を唱えていた明治の新政府が、今度は旧幕府が唱えていた開国和親に転じるのか。この問責の声に対し、新政府は「其一つの解決策として『公道』の観念」を「引援」してこう述べた。曰く、「我々は外人を夷狄禽獣と思つてゐた、だから之等の者と交るのを快しとしなかつたのだ、然るによく聞いてみると、彼等にも宇内の公義の理解があると云ふ、而して我々に対つては天地の公道を以て交らうと云うて居るさうだ、然らば我々も亦彼等を待つにその所謂公法を以てすべきではないか、猥りに之を排斥するは古来の仁義の道に背くのみならず、又恐らくは彼等の侮を受くることにもならう」。吉野は、こう政府主張を要約しつつ、「宇内の公義」、「天地の公道」、「公法」に傍点をふる。これらの語が、新政府から示され、国民に受け入れられ、その後、日本の「近代史に於ける政治意識の発生」の母胎になった、というのが彼の趣旨である。

　斯くして我々の父祖は、「公道」とか「公法」とか「天地の大道」とかの名を以て迫り来るものに向かつては、絶対的に服従すべきを教へられた。否、封建時代の教育に於て鍛えられた「道」に対する敬虔の態度を、其儘舶来の「公法」にも捧ぐべきを教へられた。教へられたと云ふよりも、自然に生れたと謂つた方が当つて居るかも知れない。而してこの態度は、更に年と共に「公道」の内容が明となるに従て、一層熱烈なものとなつた。何となれば、所謂万機公論の議会主義と天賦人権の自由平等論とは、封建の闇から出たばかりの新生活に於て最も人気に投ずるものであつたからである。（「我国近代史に於ける政治意識の発生」）

　しかし、この吉野の明治論は、このエッセイの文脈からいえば、大正デモクラシーの代表的知識人たる吉野作造にも、福沢の明治初心の「回心」の意味は、受けとられなかった可能性の大なることを語っている。明治期には、さまざまな形で「公」というものが言われた。「万国公法」はその代表例である。しかし、こうした風潮に対し、福沢は、彼も当初は、この用法に倣うものの、途中からその逆を説くことの必要をさとり、後には、逆説を弄し、「立国は私なり、公に非ず」と述べるようになる。幕末から明治へのジグザグのささくれを、言い繕い、目立たなくする潤滑剤がこの明治の「公」なのだが、幕末の志士たちの思想的経験の核心にあるものがこのような「公」ではつくせるものでないこと、あの中岡の「攘夷」にこそ「其の止むを得ざるに至つては、宇内各国、皆之を行ふもの」と語られた普遍性が含まれることを、彼は――時季外れの幕末人として――、「丁丑公論」、「瘠我慢の説」を通じ、二度まで強調するのである。

その主張とは、簡単にいえば、もしこのように「公」が語られるのであれば、その「公」よりも「私」が広い、普遍的だ、ということである。

一八七七年、西南の役が西郷隆盛の敗死に終わったとき、日本のメディアは西郷非難の声に満たされた。世の論者はこう述べた。〝一国人民の道徳品行は国の大本である。しかるにもし「苟も大義名分を破て政府に抗」する反逆を許せば、「人民の品行地に堕ちて又廉恥節義の源を塞ぐに至」ってしまう、したがって、西郷を逆賊として厳しく弾劾しなければならない〟。しかし福沢はこれに真っ向から反対する論を書く。そのうえで、それが同時代の国民に受けいれられないのを見越し、後代の読者に向け、この明治十年の「国民抵抗の精神」のありかを示すため、いまは発表せず、筐底にとどめるという。彼は述べる。世の論者の説は、「廉恥節義」と「大義名分」の順序が逆である。「公」の「大義名分」が破られて「私」の「廉恥節義」がすたれるのではない、「私」の「廉恥節義」が破られて後、「公」の「大義名分」がすたれるのだ。「大義名分は公なり表向きなり、廉恥節義は私に在り一身にあり。一身の品行相集て一国の品行と為り、其成跡社会の事実に顕はれて盛大なるものを目して、道徳品行の国と称するなり」。そして言う、そもそも幕末期、「諸藩士の脱藩したるは君臣の名分を破りたる者に非ずや」(幕末の志士たちの脱藩は君臣の名分を破るものではなかったか)。それは、武士の「其食を食で其事に死するの大義に背くものにあらずや」(それは「主君の禄を食んで主君に事あれば主君のために死ぬ」という武士の大義にもとるものではなかったか)。即ち、維新は時の「公」の価値たる大義名分を攘夷の「私情」が破ることで、成就しているのではないか。しかもそれが立国の礎となったのは、その「私情」にやむを得ざる一つの普遍性(もう一つの「公」)が宿っていたからではないか。だからいまの世の大義名分(明治政府への忠誠)と江戸期の大義名分(藩主への忠誠)は同じではない。その意味で大義名分の「公」を「公」たらしめるものを、「公」のうちに求めることはできない。「公」は不変ではない。不変の「公」など、当てにならない。ここには、ジグザグ(ねじれ)がある。そのことを認めよう。福沢は、ここでも二年前の『文明論之概略』と同様、書き方こそ異なれ、「公」に対し「私」を立て、幕末の維新成就の過程のなかにあるジグザグ(ねじれ)のささくれをむしろ荒立てることで、これを意義づけ、顕揚しようとするのである。

こうした明治期の福沢のメッセージが大正期の吉野に総体としてどれだけ受けとめられていたか、その程度について、そこまで吉野を読み込んでいない私には、何ともいえない。しかし、右の論文に吉野の述べる「公」には「私」からの抗いがない。その書きぶりはあまりにのっぺりとしている。明治、大正、戦後の知識人を福沢、吉野、丸山に代表させれば、あの丸山の福沢評価をもってしてなお、福沢以降、大正、戦後の進行のうちに「置き去りにされた」ものがあるという印象は、拭いがたい。

終わりに——置き去りにされたもの

いま、福沢の明治維新初頭における「回心」の意味を考えることは、戦後、なぜ、戦前の昭和前期において皇国思想の噴出とその席巻を、明治の自由民権思想の嫡子であるだろう大正デモクラシーが食い止められなかったのか、という問いを取りあげ、これに答えることとほぼ同じである。というのも、先に述べたように、一九三〇年代の皇国思想の噴出は、この時期の「国難」——経済的な不況と軍事的攻勢による難局の打開、それにともなう国内の軍国主義化と国際的孤立——に際会して、社会の不安に乗じ、一八五〇年代の尊皇攘夷思想が、「国体」の名のもと、その似て非なる姿に身を変じて再来したものだったからである。

これが似て非なるものだとは、その偏頗な「国体」に同調した昭和初期の皇国思想には何ら、先の中岡の論説に見られるような、一国の事情を超えた、弱者の立場に置かれた人民一人一人の「正義」の普遍性が書き込まれていなかったことをさしている。幕末の尊皇攘夷思想は、福沢のいう蒙昧な広がりと狂気じみた席巻ぶりを示したことはその通りだが、それが「転向」しうる実質をもっていたことにその特質がある。その一点で、それは、現在の中東のIS(「イスラム国」)の思想とも違えば、昭和初期の皇国思想とも違っている。その理由は、——ここに述べたことの限りで答えるなら——それが、何より、自らの体制の圧迫を跳ね返す革命性をもっていたことである。「IS」でいえば、「IS」の体制自体、昭和前期の軍国日本であれば、その軍国日本の体制自体に、抵抗し、対抗する原理を備えていたことである。それは、第一に、実質的な属国化、植民地化を視野に入れた欧米列強の開国要求に対する弱者の抵抗の主張であり、第二に、欧米流の天賦人権論の理屈を知らず、またこれが説得力をもたない社会でほぼ唯一可能な、自国内の身分制度打破、権威打破をささえる革命思想だったのである。

福沢は、一八六七年、「王政復古の大号令」が新政府から出され、一八六九年、彼らが英国皇太子に禊ぎを強いたときには、この「気狂いどもめが」と嘆いたはずだが、その攘夷派にしてみれば、自分たちを含む武家の支配を終わらせるために、いったん鎌倉以前、「大化の改新」の世まで戻ることの「指標」、〝時代錯誤の大号令〟こそが必要とされた。福沢は、その歴史の陰翳と悲惨とに気づかなかった。前記の飛鳥井によれば、王政復古の主張の嚆矢は、幕末志士中の開明派というべき坂本龍馬の船中八策にある、「古来の律令を折衷し、新たに無窮の大典を選定すべき事」という一条だという。それは平田国学の徒から出てきたものではない。その事実の示す逆説ぶりとジグザグの行路(ねじれ)の語る奥深さに、福沢は当初、気づかなかったのである。

政治学者の鹿野政直は、幕末にあって尊王論を準備した水戸学の意味を、名分論の追求によって現状批判の論となったこと、〝天朝〟の観念を強烈に打ち出すことで幕府の権威を相対化したこと、受容者たちを〝感奮〟させる危機意識の受け皿を用意したことの三点に求め、次に、そこから討幕運動、尊皇攘夷の運動をへて幕末の志士たちのものとなる国家構想の新しさを、「幕府にかわってのあたらしい権力(具体的には〝天朝〟)の創出、地方割拠性を否定したうえでの国民的統一の達成、および武士階級の政権独占を廃しての民衆の政治参加の実現」の三つの項目に、整理している。鹿野によれば、このうち、最後のもの、「民衆の政治参加の実現」だけが、明治維新へと突き進む幕末の西南雄藩中心の討幕運動のなかで、十分に花開かなかった。(「維新への序曲」、鹿野政直編

『幕末思想集』所収)

これらのことは、朱子学、国学、仏教、神道の思想伝統のもとでは、名目上の権威、「天皇」のもとでの「一視同仁」という以外に、厳としてある封建的な身分制度を打破する革命の思想は手に入らなかったし、その「天皇」への信奉を口実とする以外、徳川将軍家の権威、君臣の恩義なるものを無効化できる手立てはなかったことを示している。幕末において尊皇論は、天皇の権威で幕府を倒すために必要とされたが、その討幕による統一国家の構想は、身分制度の打破、また十分に開花しなかったとはいえ、民衆の政治参加の実現までを視野に入れていた。それは、維新(restauration)の装いをもち、不十分性を抱えていたが、事実上、下部構造の変容、統治主体の変更をともなう、れっきとした革命(revolution)だったのである。

それを前にすれば、昭和前期の皇国思想など、天皇を手がかりに現体制を自分のめざす方向に転覆しようというクーデタの思想にすぎない。体制転覆というよりは体制内転覆の思想であり、その違いは、マルクス主義的にいうなら、下部構造の関与の有無、統治主体の同一性のうちに明瞭に示される。その背景にさまざまな農本主義的な、あるいは浪漫主義的な夢を控えていたにしても、そのクーデタの思想に、幕末の尊皇攘夷思想をささえた経済構造の変貌との関連、また、人民一人一人の自由に根ざす普遍性は備わっていない。つまるところ、それは、幕末の尊皇攘夷思想が革命思想であるとすれば、似非革命思想だったのである。

日本の近代の歩みは、なぜ外から考えるばあいに浮かびあがる一直線のコースをとらずに、ジグザグの軌跡を描くことでしかゴールに到達できないのか。

私の考えでは、ここに、まだ解き明かされない日本の近代の謎がある。それはいまに続く近現代の謎である。幕末期の志士たちの「内在」から「関係」への転轍、それを受けた福沢諭吉の「関係」から「内在」への思想変換、また、それと対極をなす吉本隆明の「内在」から「関係」への思想変換は、ともにその謎を解き明かすための貴重な手がかりである。

日本の近代の起点をなす重層性の意味が「置き去りにされ」、忘れられて久しい。幕末の尊皇攘夷思想の意義の度重なる忘却が、現在の「破局」の遠因なのではないか。

そう考えて、私は以上を書いた。

＊注

一九九〇年代なかばのある座談会での私の質問にも、吉本隆明氏は、「内面性を拡大していく」だけの「文学的発想」、つまりここに言う「内在」の思想では「だめだ」とわかったことが自分の「戦争体験からの教訓」だったと述べている(「半世紀後の憲法」『思想の科学』一九九五年七月号、加藤典洋『対談』而立書房、二〇一七年、所収)

引用文献

石田雄編『福沢諭吉集』(『近代日本思想大系2』筑摩書房、一九七五年)
慶應義塾編『福沢諭吉書簡集』第一巻、岩波書店、二〇〇一年
岳真也『福沢諭吉』1〜3、作品社、二〇〇四〜二〇〇五年
西部邁『福沢諭吉　その報国心と武士道』中公文庫、二〇一三年
同『戦後史の相貌』徳間文庫、一九九七年
吉野作造『吉野作造選集11』岩波書店、一九九五年
丸山眞男『日本政治思想史研究』東京大学出版会、一九五二年
同『増補版　現代政治の思想と行動』未来社、一九六四年
同『戦中と戦後の間　1936―1957』みすず書房、一九七六年
同『「文明論之概略」を読む』上中下、岩波新書、一九八六年
同『忠誠と反逆　転形期日本の精神史的位相』筑摩書房、一九九二年
同『丸山眞男集第五巻　一九五〇―一九五三』岩波書店、一九九五年
吉本隆明『増補決定版　高村光太郎』春秋社、一九七〇年
同『芸術的抵抗と挫折』未来社、一九六三年
同『自立の思想的拠点』徳間書店、一九六六年
横尾夏織『「思想の科学」の思想およびその方法』早稲田大学審査学位論文、大学院社会科学研究科地球社会論専攻日本文化論研究・博士論文、二〇一三年

飛鳥井雅道『文明開化』岩波新書、一九八五年
宮地正人『幕末維新変革史』上下、岩波書店、二〇一二年
鹿野政直編『幕末思想集』(『日本の思想20』筑摩書房、一九六九年)
宮地佐一郎編『中岡慎太郎全集』勁草書房、一九九一年
吉田満『戦艦大和ノ最期』講談社文芸文庫、一九九四年
立花隆『天皇と東大』上下、文藝春秋、二〇〇五年
加藤典洋『可能性としての戦後以後』岩波書店、一九九九年
同『増補　日本人の自画像』岩波現代文庫、二〇一七年
同『もうすぐやってくる尊皇攘夷思想のために』幻戯書房、二〇一七年
同『対談』而立書房、二〇一七年

あとがき――少し長めの

主に二〇一五年以後、いくつかの雑誌に寄稿し、いくつかの場所で話したことを中心に一冊にまとめたのが、この本である。

寄稿の文章のほかに講演の草稿に手を加えたものが加わっているが、後にいうように、取捨はほぼ幻戯書房編集部の名嘉真春紀さんに委ねた。

なかで、冒頭に掲げられた二篇、「二一世紀日本の歴史感覚」をうたう「幕末尊皇攘夷思想との向きあい」を提言する論考が、現在の私の最新の関心のありかをよく示していると思うので、少し説明を加えたい。

詳しくは、中身を読んでもらうのが一番だが、なぜ徳川の身分制度を内側から崩壊させ、体制を転換する思想が、徳川幕府の時代の末期、いわゆる「幕末」期にこの国に生まれるのか。そして人々を広く動かす「革命思想」として機能するのか。そのことの解明が明治以後、いっさいなされることがなかった。そのことから、八〇年後、再び国家が危機にさらされたときその偽造版である「皇国思想」が再帰してきて跋扈（ばっこ）するということが起こった。そしてつぎに戦後、この「皇国思想」の根を断ち、その克服を目指すことが――山本七平、丸山眞男など少数の試みを除き――、やはりほとんど誰によっても行われなかったことから、いま、国が「後退」と「停滞」と「劣化」にさらされるや、同じことがより劣悪なコピー版として、起ころうとしている。それが現在私たちの目にしている狭隘な排外思想とすらいえないヘイトクライム、また「うつろな」保守的国家主義思想の跳梁だろう。およそこのような見取り図が、私を動かしている直観である。一九八〇年代の幕末期、一九三〇年代の昭和前期、二〇一〇年代の現在の「後退期」が、それぞれ八〇年を隔てて見えない糸で繋がっている。そんな惑星直列の図が、私のうちでこの見取り図の骨格をなしている。

こう書くと、『敗戦後論』の加藤が今度は尊皇攘夷思想を顕彰するようになったか、と思われるかもしれないが、ある意味では、その通りである。ある意味では、というのは、一般の尊皇思想、攘夷思想が顕彰に値いするというのではない。特に幕末の尊皇攘夷思想がそうだというのだからだ。幕末期に尊皇思想と攘夷思想が合体することでかたちをもった「尊皇＋攘夷」思想というものの「二層構造」(東浩紀)性に、いま私の関心は向かうからである。

私は、日本がもったただ一つの体制打破の思想すなわち革命思想が、尊皇＋攘夷という幕末の思想の形をもったことの意味を、明治期の福沢諭吉、中江兆民、大正期の中里介山などの後、これまでほとんど戦後の誰も考えなかったのではないか、と現在、疑っている。そしてそのことにほとんど信じられない思いを味わっている。これを考えなかったために、私たちの近代は、一八六八年という時点で二つに分断されたままなのではないか、という疑念が、これに伴う。

この幕末の革命思想はどこからどのような経緯をたどって、日の目を見ているのか。また、現実に「実行」をへて別のものに「変容(変態)」を遂げるという能力を我が物にしているのか。

というのも、そのことがなかったら、この尊皇攘夷思想は単なるテロリズムの温床としての原理主義にとどまったことだろう。実際に体制転換をもたらす革命思想にはならなかっただろう。では、どこにその原理主義からの脱皮と自己変革が可能になる秘密はあったのか。いまのＩＳの思想、あるいはさまざまな原理主義的な思想とそれは、どこが違ったのか。それが、自体に――シン・ゴジラのごとく――「変態」の身体機能を備えていたとしたら、その思想的な原理とはどのようなものか。そこまで考えれば、この問いは広い視野に「外出」される、――連れ出される。そして私たちの現在の切実な関心とつながる。切実な関心とは、この激動の時代、何を手がかりに未来を構想すればよいか、現在のさまざまな動きへの判断の礎石をどこに求めればよいか、という自問である。この「外出」により、私たちの戦後の思想が幕末の尊皇攘夷思想のうちに基礎づけられる。いわばリベラルな思想と幕末の革命思想が接ぎ木される。それによって、より強靭な思想の系譜と歴史感覚とが私たちのものとなるだろう。論考の一つの表題に「三〇〇年のものさし」というのは、そうした見通しを念頭に置いての名づけのつもりである。

最初の文章(「もうすぐやってくる尊皇攘夷思想のために」)はあるリトルマガジンに発表し、次のものは小さな講演の機会に発表した。初出の発表誌は、本書収録のほかのいくつかの講演と同じく「ハシからハシへ」という百部内外の知友に限定して刊行する極私的ウエブ誌なので、ここへの掲載が、多くの読者にとっては初見の機会となる。

その後に、このような考えとともに現在私のなかに行き交ういくつかの思いを記した文章が集められている。鶴見俊輔との出会いについてふれたもの(「ヒト、人に会う」)、文章を書くことがどのように考えること、生きることと結び合うかについて若い人に向かって語ったもの(「書くことと生きること」)、水俣病の公認六〇周年記念の講演の機会を与えられて述べたこと(「『微力』について」)、など。

また、ホッブズ、ルソーからチェルヌイシェフスキーをへてドストエフスキーが離陸するまでの二〇〇年の流れのうちに「哲学」から「文学」へといたる「文学の力」を見てとろうという話(「矛盾と明るさ」)、ヤスパース協会の年次集会で述べたヤスパースと日本の平和思想のズレから見えてくる問題(「戦争体験と『破れ目』」)、現代の現代性のゆくえについて記した断片的な文章(「ゾーエーと抵抗」)、そして法然の思想のやはり「破れ目」について立ちどまって浮かぶ素人の感想を記したもの(「『称名』と応答」)。これらはいわば思弁的な側面で、この私の尊皇攘夷思想論と関わっている。

小冊子「うえの」に二〇一五年、一六年、一七年と一年ごとに寄稿した最後の三つの文章は、ともにもうすぐやってくる明治一五〇年を見すえて書かれていることから、ここに置かれている。

本書の構成、文章の選択は、冒頭にふれたように編集者の名嘉真さんの手によってなされた。七、八年ほど前、ある賞の選考委員会で何度かご一緒していた創立者、辺見じゅんさんが声をかけてくださったからだろう、幻戯書房の編集者の方から本の刊行の打診を受けた。けれどもそのときは、お断りした。自分の側に理由なく「うかうかと本を出す」ことへの自重の念がはたらいたためだが、その後、辺見さんが急逝された。そしてせっかくのご厚意を無にしたことへの後悔の念が時を経るにつれ深まった。そのことがあったので、このたび、若い編集者の名嘉真春紀さんから新たにお話があったときには、喜んで本を出していただくことにした。

しかし、それがこのような本になろうとは。

ここに収載されているもののうちいくつかが、この話が来てから、新しく書かれている。そういえば、その理由もわかってもらえるだろう。新しい一冊の本を、という思いが、何を書くか、と私の背中を押し、ここに書かれたもの、特に冒頭の二篇を呼び寄せているのである。

まだ、新しい思索の行程ははじまったばかり。「お楽しみはこれから」だが、起点のういういしい明るみが、これらの論のどこかに宿っているのであればうれしい。

なかで梅光学院大学で元学長でもあられた佐藤泰正さんの追悼記念の連続講演の一環として話した「矛盾と明るさ――文学、このわけのわからないもの」の単独収録を、強引なお願いにもかかわらず許可して下さった佐藤泰正追悼記念論集の編者中野新一さんにお礼を申し上げたい。また、特に冒頭の二篇については私的な勉強会をつうじて友人橋爪大三郎、野口良平の二人の最近の仕事に多くを負っている。そのことを記し、二人をはじめとするこの会の友人たちに感謝したい。同時に、これらの文章、講演でお世話になった関係者の方々、すばらしい装丁を用意して下さった間村俊一さんにも深くお礼を申し述べる。

そして最後に。この本をともに作った名嘉真春紀さんには、さまざまな刺激と示唆をもらいました。その結果がこの本になったと思います。ありがとう。

二〇一七年八月

加藤典洋

解説　それでも犀のように歩むために

野口良平

1

一九四八年生まれの加藤典洋は、戦後七〇年を過ぎた日本社会が「これまでにない性格」をもつ窮境に陥っているという判断をもち、その困難への向き合い方を探るという課題を自らに課していた。この本には、二〇一五年から一八年(加藤がなくなる前年)にかけて公表された文章群が収められているが、ここには、未知の困難を感知し、これに向き合うなかで、加藤が自身の考え方の原理を反芻し、深化させていく過程が書きとめられている。

加藤のその思考法は、そもそもどのようにして見いだされ、育てられてきたのか。この本に収められている「どんなことが起こってもこれだけは本当だ、ということ。」は、彼自身による方法叙説としての色合いを帯びる一篇である。

宮崎駿は、一〇歳くらいの子どもたちにいま、何が語れるのだろうかと自問した。最後には正義が勝つなどという物語を語る気にはなれない。ではどうするか。語ってみたいと思ったのは、「とにかくどんなことが起こっても、これだけはぼくは本当だと思う、ということ」だった。そして映画『千と千尋の神隠し』がつくられる。

この宮崎の言葉から加藤は、激動する世界と日本で起こっていることへの向き合い方には二つがあり、それが拮抗し合っているのではないかという示唆を受けとる。一つは、「それをよく見える人として問い、それに答えるというあり方」。もう一つは、「それをよく見えない人として問い、それに答えるというあり方」。

世の大半の人間は、明察や明視からへだてられた場所に置かれ、生きていく。そのなかで、「どう考えても、これは違う、本当ではない、おかしい」と感じられたなら、その感じから思考を始めることには権利があるのではないか。この方法がつねに正しいとは限らないし、正しいとしても、それで問題が解決するとは限らない。確かにそれは「壁」にぶつかるかもしれない(リスクがある)。だが、その場所から再度考え直してみることで、初めて開かれてくる視界というものがある。

世界には不正がある。しかしいつどんな場合でもそれを覆し、是正できるとは限らない。とはいえ、だからといって何もできないわけではないし、何をしても無駄だということでもない(……)。できないことがある。しかし、その限られた条件のな

かでも、人は成長できる。また、「正しい」ことを、つくり出すことができる。（本書一一八頁）

もし思考がここまでのプロセスをたどりうるものだとすれば、最初の起点には、それが「誤りうるもの」であっても――というよりも「誤りうるもの」だからこそ、ある種の普遍性が備わっていると言えるのではないか。この考え方を加藤は、『敗戦後論』（一九九七年）では「可誤性」と呼び、その原論を目した『日本人の自画像』（二〇〇〇年／増補二〇一七年）では、「内在」から「関係」への「転轍」と呼んでいた。「犬も歩けば棒にあたる」といういろはカルタも、この思考法を指さすものとして再定義されることになる。

この考え方の淵源は、学生時代に彼固有の場所から関与していた全共闘運動が、一つの「壁」にぶつかった経験にある。一九七二年の連合赤軍事件を前にして加藤は、「多くの同世代人と同様」、「一歩違っていたら、自分もそこにいただろう」と思わざるをえなかった。加藤のなかでは、相反する二つの側面が共存し、「背中合わせに」貼りついていた。野放図で「いい加減な」ヒッピーの気分と、「自己否定」を伴う正義と否定性の動かしがたい感情と。この相反が同年代にも広く抱えられていたものだとすれば、どこに間違いがあり、問題は何だったのか。

「壁」の出現は、自分の非力、微力、無力を告げ知らせると同時に、その自分から差分されるもう一人の自分を呼び出さずにはいない。そんなときに加藤は、自己内に生じる亀裂の存在を覚知し、その意味を反芻するところから何度でも再出発を企てていく。亀裂を場に生成する二つの自分のあいだのキャッチボール(別の場所で加藤自身が使っている言葉)が、外からは見えにくい深部において、加藤の思考の核心を育てあげていくのである。

キャッチボールの持続と深まりは、現在の日本社会の窮境の淵源にさかのぼり、その克服への方途を探るという、困難で孤独な作業に挑む際の強いグリップをも作りだしている。

2

自身の内部の精神史だけでなく、自らが関与する日本列島の精神史をも、問いと答えの往還のプロセスとしてとらえるのが、ある時期から——おそらくは鶴見俊輔との邂逅以後に——加藤が手にすることになった思考法である。現在の窮境にも、その見方をもって加藤は対する。

誰かに向けて全力でボールを投げても、誰も受けとらないということが繰り返されれば、そのうち投げること自体がなされなくなる。最初の自発的起点だった「ヤバい」ものが「なかったこと」として隠蔽、抑圧、忘却されると、社会的、経済的条件の悪化を契機に、うつろな排他的言動の形で回帰し、合理的議論をなぎ倒していく。その積み重ねこそが現況を招いているのではないか。窮境を抜け出る鍵を探るには、「戦後も明治も」あてにならない。一七世紀の山崎闇斎(学派)による尊皇論の成型を視野に収め、「三〇〇年のものさし」の獲得を期したⅠの尊皇攘夷思想論二篇、およびⅥ「一八六八年と一九四五年──福沢諭吉の『四年間の沈黙』」は、この問題関心の産物である。

この新たな探求の出発点は、『日本人の自画像』での幕末論にさかのぼる。鎖国という条件は、江戸初期以降、列島の思想形成のあり方を二分するよう作用しただろう。「内在」とは、外部からの情報が閉ざされているなか、今いる自分の場所から自分の考え、価値観を作りだし、それに照らして物事を考えていく、「よく見えない人」としての思想形成のあり方。一方「関係」とは、外部の情報にふれたり、現実との関係を作りだしたりするなかで、自分の考えはさておき他との関係から価値を割り出していく、「よく見える人」としての思想形成のあり方である。幕末期の列島に出現したのは、欧米列強による圧力を理不尽と感じる「内在」思想としての「尊皇攘夷」が、植民地化の危機という現実の壁にぶつかるに及び、「関係」思想としての「尊皇開国」へと「転轍」をとげるという経験だった。この考え方を加藤は、戦争経験への反省として自身の「文学的発想」を否定しながら「関係の意識」への覚醒に向かった、吉本隆明とのやりとりへの応答として編み上げていた。

Aからはじめたから、現実にぶつかり、AではダメだとわかりBに抜け出ることができた。だとすれば、Bに抜け出た後、Aはダメだ、というべきではない。間違いを気づくところまで自分を連れて行ってくれた親の思考を、そこから別方向に抜け出た子の思考は、否定すべきではない。それでは自分を否定することになるではないか。(「どんなことが起こってもこれだけは本当だ、ということ。」本書一二三頁)

この観点に新たな刺激が加わる。伊東祐吏は、丸山眞男が戦後に陥っていた困難の存在を鋭く指摘し、それが戦後民主主義自体の困難として考察されるべきことを加藤に示唆する(『丸山眞男の敗北』二〇一六年)。加藤は、晩年の丸山が「一八六八年の分断線」を越えようとする意欲を示しながらも、その仕事が不徹底に終始したことの意味を問うた。橋爪大三郎は、丸山および山本七平による闇斎(学派)論の比較検証を通して、闇斎(学派)を一源流とする尊皇論に、封建制を打倒して近代国家を創成する原動力をみる観点を加藤に示唆する(『丸山眞男の憂鬱』二〇一七年)。加藤は、闇斎(学派)の尊皇論だけでは「転轍」は成就できなかった点をとらえ、それが明治維新の一源流となりながらも、一九三〇年代の皇国主義にも帰結せざるを得なかった事実の意味を注視した。

加藤が参照することになった私の著作(『幕末的思考』二〇一七年)についても触れる。私は、自分が暮らす日本社会と自分とに、長くつながらなさの感覚を抱え続けてきた。それこそ「戦後も明治も」どこかでピンとこなかったのである。だが幕末は違った。それゆえに、『日本人の自画像』が出てすぐにこれを読んだ際には、膝を打つ思いを味わった。と同時に、加藤のいう「転轍」には困難が伴うはずで、その困難に対してどういう取り組み方がありうるのかという疑問が生じた。私と加藤とのキャッチボールは、そこから始まった。

私はこう考えた。強大な中央文明のヘリに位置するこの列島では、正しい、普遍的なものがつねに上(外)からもたらされ、「上(外)からの」正しさへの服従と、その服従への反発という自己分裂を余儀なくされていただろう。これに対し、この自己分裂の解除と克服をめざす「下(内)からの」普遍性を対置しようとしたことが、幕末期の画期性の核心なのではないか。

その重要な根拠の一つとして挙げたのが、「夫(そ)れ攘夷と云ふは、皇国の私言に非ず。其の止むを得ざるに至つては、宇内(うだい)各国、皆之を行ふもの也」という、土佐脱藩浪士中岡慎太郎の言明である。「攘夷」をいわば「排外的なもの」から「開明的なもの」へと再定義するこの言葉は、「壁」にぶつかり「攘夷」と「開国」とに引き裂かれた列島にあって、その亀裂を埋める解を求め、挫折をくりかえしながら二つの世界の往還を重ねた人間だったからこそ、発することができたのではないか。

中岡によるこの言明を加藤は、一人一人の人民の生きる場に根ざす「地べたの普遍性」の系譜に置き、高く評価した。そのうえで、よりリゴリスティックな尊皇論と、よりいい加減な攘夷論との生きた相反と拮抗(二層構造性)のうちに、幕末の尊皇攘夷思想が備えていた——だがその後失われてもいく——「変態力」(自己変容力)の生成の秘密を探り、これを失った昭和期の皇国主義との根本的差異の指摘にまで進み出ていくのである。

3

「三〇〇年のものさし」を探る過程で加藤が手に入れた重要な発見の一つが、幕末の尊皇攘夷思想に「内在」から「関係」への転轍を可能にさせた「変態力」だったとすれば、もう一つは、その逆方向の、「関係」から「内在」への転轍の試みが存在し、幕末から明治にかけてその試みを担ったのが、ほかならぬ福沢諭吉だったことである。

幕末にあって例外的な「よく見える人」だった福沢にとって、国内の尊攘派の運動と主張が愚かであることは自明の理だった。幕末の福沢は、独立自尊の気概とは遠い佐幕開国派だったのだ。だが攘夷派の一部が開国への「転轍」を果たし、挙げ句の果てに自分が「親の敵」と憎む封建制度を実際に打破してしまうプロセスに際会することで、福沢は「一敗地にまみれ」、「四年間の沈黙」に陥る(飛鳥井雅道)。その福沢がとげた思想転換(回心)のありようを劇的な仕方で象徴する出来事に、加藤は最大限の注意を向ける。一八六八年、攘夷派に狙われる福沢の身を護ろうという申し出を米国公使館より受けた福沢は、前年に創設した慶應義塾の塾生みなの意見を聞くことにする。すると真っ先に一人の塾生(小幡仁三郎)が発言した。

米公使の深切は実に感謝に堪へずと雖も、抑も今回の戦乱は我日本国の内事にして外人の知る所に非ず、吾々は紛れもなき日本国民にして禍福共に国の時運に一任するこそ本意なれ、東下の官軍或は乱暴ならんなれども、唯是れ日本国人の乱暴のみ、吾々は仮令ひ誤て白刃の下に斃るゝことあるも、苟も外国人の庇護を被りて内乱の災を免かれんとする者に非ず、(中略)学問は学問なり、立国は立国なり、(中略)仁三郎は同窓の朋友と共に御断り申す(本書四五三頁)

この塾生の声に耳を傾けた福沢が、攘夷派のうちにひそむ「苦衷、絶望、覚悟の奥深さと陰翳」を観取し、「内からの目」への覚醒を促されたことで、「独立自尊」の思想家が誕生したのではないか。この力のこめられた指摘にはおそらく、加藤自身の「覚醒」もが二重写しにされている。この指摘とともに確かめられているものこそが、「『関係』から『内在』への転轍」だったからである。

この発見は加藤に、両方向からの転轍を「対話」(本書五一頁)として定位する視点を確保させることになる。この視点からは、「瘠我慢の説」で福沢が「私情の公的性格」を強調する原点も、「内からの目」への覚醒に見てとれるようになるし(ここを丸山の福沢論は見落としたのだ!)、「当時の争に開鎖など云ふ主義の沙汰は少しもない」という『福翁自伝』での回顧も、本来あるべきだった「対話」の不成立への重要な言及として受けとめられるようになる。あるいは、「関係の絶対性」という視点を導入する吉本隆明の「マチウ書試論」に、あえて「関係」に立つ勝海舟と、あえて「内在」に立ち勝を糾弾する「瘠我慢の説」の福沢を、ともに否定しない形で受けとめる構えを見ることを可能にするのである。

「内在」と「関係」、「よく見えない人」と「よく見える人」の拮抗=対話。この視点の獲得は、冒頭二つの文章で指摘されていた、「劣化」を測るものさし自体をも加藤に獲得させている。「劣化」とは、この対話とその意味とが見失われていくプロセスなのである。加藤は、自分の探求を照らす光源を見いだしていたのではないだろうか。

4

だがもちろん、この先の（本書では答えられていない）問いがある。一つは、そのプロセスに関するもの。加藤自身の言葉でいえば、「なぜ、どのように、明治以後においてこの『変態力』は見失われていくのか。そのことと、あの『動かしがたさ』の普遍性、死者への後ろめたさ、転向の痛覚の後退、その事実の抑圧とは、どのような関係をもつのか」（本書一三四頁）。

さしあたって、今の私はこう考えている。一つの重要な転回点は、かつて久野収が「日本の超国家主義」で解析した、明治の国家指導者による「密教」（エリート同士の「申し合わせ」）と「顕教」（国民全体に行きわたらせる「建前」）という二重の教育体系の確立である。高等教育では天皇機関説を教えるが、それ以外の場所では天皇信仰を教える。これは、人びとに無理を強いる急激な近代化への緩衝材として構想されたものだったが、国家をつくる個同士の対話の領域を、社会から切除するリスクを伴っていた。指導層が苦心惨憺して進めた日露講和条約に、戦争の多大な犠牲の代償を求めた国民が反対した「日比谷焼き討ち事件」は、教育制度上の国民の分断が引き起こした当然の帰結であり、三〇年後の皇国主義の席巻の「前哨戦」だったのではないか。（原著に付せられた「あとがき」で言及されている福沢、中江兆民、中里介山の三人は、このリスク――「幕末忘れ」の意味をそれぞれの場所で考え抜こうとした人なのだと思う。)

もう一つ、「一五〇年」、またおそらくは「三〇〇年」でもまだ足りない、さらに長大な歴史感覚の獲得が求められてくる事柄について、加藤は書きとめている。

約束が破られても怒らない。それは、自分で約束をしたのではないからだ。明日、四時に会う。あるいは借金を返す。そういう約束が断りもなく破られたら誰もが怒る。でも、そういう自ら「約束」をして決まり(ルール)を作るという経験を、私たち、日本人、日本の国民は、余りにしてこなさすぎた。

歴史の本を読むと、日本の政治的統治は何をもって正当化されうるか、ということが古代以来の日本の歴史を貫く一大問題だったことがわかる。なぜ、戦国時代を通じて、天皇は廃されなかったのか。自分で新たなルールを作り、「約束」(レジティマシー=政治的正当性)の根源を刷新(更新)するリスクを取ることを、誰もが怖がったからだ。その結果、日本では、その政治的正当性を誰に帰すかという「約束」ごとは、七世紀に律令制の導入のときに、これを「天皇」に帰すと決めて以来、ずうっとそれを転用することで済ましてきた。その事情は、藤原の摂関政治、源頼朝にはじまる武家政権、幕末期、すべて変わらない。(中略)

つまりこの空白には七世紀以来の前史がある。とても一五〇年どころの話ではない。(「明治一五〇年と『教育勅語』」本書四二一―四二二頁)

この指摘を私たちはどう受けとめうるのか。「破れ目」(論理的不整合)というコトバは、加藤自身が差し出しているその手がかりでもある。

「いわゆる正義の戦争よりも不正義の平和がいい」という、井伏鱒二『黒い雨』の中の言葉に注目し、そこに抱えられた論理的不整合にこそ信を置く平和観(「戦争体験と『破れ目』」ほか)。人間を「ビオス」(意識ある存在)と「ゾーエー」(生き物として生きる存在)の二重存在として考え、そういう二重の違和を包含した(それぞれが「破れ目」を抱えた)ブラックボックス的存在(二重構造)と仮定する政治観、歴史観、人間観(「ゾーエーと抵抗」)。こうした新しく拡張された観点を支えにしつつ、「七世紀以来の前史」をもつ空白にどう相対するか。こう加藤は私たちに問うているのではないか。

私に一つ思い浮かぶのは、一九三〇年代の窮境において、皇国主義の「破れ目」から再出発をめざした折口信夫の試みである。二・二六事件の二年後に折口は、「日本文学における一つの象徴」のなかで、「外来神」(マレビト)か「内在神」(精霊)かの二項対立で考えるのではなく、「神(強者)と精霊(弱者)」の対位自体を主題化する、二重構造性の構えを前に進めた。そこでは、服従の証として発語を強いる神の圧力への抵抗としての沈黙が、芸能および文学誕生の母胎であるとされる。この考えを起点に折口は、「翁」(神)、「べしみ」(神の圧力に渋面を作る抵抗者)、「ひょっとこ」(自分を笑わせる抵抗者=表現者)の三つのお面、また「太夫」(ツッコミ)と「才蔵」(ボケ)の一対からなる対話芸の関係性の構造を考察することで、強者に対する弱者の抵抗の形を模索した。この画期的な試論は、多田道太郎による注目(『遊びと日本人』)を経て、鶴見俊輔(『太夫才蔵伝』ほか)、さらにほかならぬ加藤(『日本の無思想』ほか)へと至る、太夫才蔵論の系譜の出発点となる(野口「太夫才蔵論の系譜」『みすず』二〇二一年一一月)。

「劣化」の淵源をたどると、案外そこには、それを克服する可能性の淵源とがクロスする場所がある。この本を、そうした場所を探索する、新しい列島精神史の試みへの第一歩として私は受けとってみたい。

5

この本に収められている一五篇(うちⅡとⅥの二篇は著者の生前の意思により増補に際して加えられたもの)は、〝極公的〟なものから極私的なものまでの振り幅をもち、そこここから「広大な中間地帯」が切り開かれてくる。「ヒト、人に会う――鶴見俊輔と私」、「『称名』と応答――素人の感想」、「書くことと生きること」、「矛盾と明るさ――

文学、このわけのわからないもの」などの味わいと刺激に富む諸篇は、私たちが生きていくなかでそれぞれの「壁」にぶつかったとき、人を得てその誰かと、そしてもう一人の自分とのあいだでキャッチボールを試み続けることの意味を考えさせる。

「一八六八年と一九四五年」を書き上げたのち、加藤は憲法九条についての本格的な論考の執筆に心血を注ぐ（これが『9条入門』（二〇一九年）および『9条の戦後史』（二〇二一年）になる）。千枚超の第一稿を脱稿後、発病を知り、入院。二〇一九年三月、転院先の病室で書かれたと思われる文章から引く。

> 自分のなかに、もう一人の自分を飼うこと。ふつう生活している場所のほかに、もう一つ、違う感情で過ごす場所をもつこと。それがどんづまりのなかでも、自分のなかの感情の対流、対話の場を生み、考えるということを可能にする。（「もう一人の自分をもつこと」『大きな字で書くこと』二〇一九年）

「犀の（角の）ごとくただ独り歩め」という釈迦のものと伝えられる言葉は、自分自身が歩く道を自分で照らすようであれ、という意味なのだという話を読んだことがある。この本は、そうありたいと願う読者にとっての無上の励ましである。

（のぐち・りょうへい　精神史）

初出一覧

「複雑さを厭わずに考える」こと——序に代えて（『学燈』二〇一六冬号）

Ⅰ　二一世紀日本の歴史感覚
もうすぐやってくる尊皇攘夷思想のために——丸山眞男と戦後の終わり（『ｍｙｂ』第三号、二〇一七）
三〇〇年のものさし——二一世紀の日本に必要な「歴史感覚」とは何か（河合塾、文化講演会、二〇一七年七月九日）＊

Ⅱ　どんなことが起こってもこれだけは本当だ、ということ。
どんなことが起こってもこれだけは本当だ、ということ。——幕末・戦後・現在（『どんなことが起こってもこれだけは本当だ、ということ。——幕末・戦後・現在』岩波ブックレット、二〇一八）

Ⅲ　スロー・ラーナーの呼吸法
ヒト、人に会う——鶴見俊輔と私（桐光学園、二〇一六年四月一六日、「人、人に会う」を改題

／『高校生と考える人生のすてきな大問題』左右社、二〇一七）
書くことと生きること（足利女子高等学校、キャリア支援講演、二〇一六年一〇月二六日、「文章の研ぎ方――おいしいご飯のような文章を書くには」を改題）＊
「微力」について――水俣病と私（水俣病公式確認六〇年記念講演会、二〇一六年五月五日）＊

Ⅳ　「破れ目」のなかで

矛盾と明るさ――文学、このわけのわからないもの（梅光学院大学、佐藤泰正先生追悼特別講座「文学の力とは何か」第六回、二〇一六年一〇月二二日／『佐藤泰正先生追悼論集　語り紡ぐべきもの――〈文学の力〉とは何か』笠間書院、二〇一八）
戦争体験と「破れ目」――ヤスパースと日本の平和思想のあいだ（日本ヤスパース協会第三二回大会報告、二〇一五年一二月五日／『コムニカチオン』第二三号、二〇一六）
ゾーエーと抵抗――何が終わり、何が終わらず／何が始まらないか（『岩波講座「現代」第一巻　現代の現代性――何が終わり、何が始まったか』岩波書店、二〇一五）
「称名」と応答――素人の感想（『法然思想』第三号、二〇一六）

Ⅴ　明治一五〇年の先へ

上野の想像力（『うえの』二〇一五年一月号）
八月の二人の天皇（『うえの』二〇一六年九月号、「今年の夏に思うこと」を改題）
明治一五〇年と「教育勅語」（『うえの』二〇一七年五月号）

Ⅵ　一八六八年と一九四五年

一八六八年と一九四五年——福沢諭吉の「四年間の沈黙」(『三田文學』二〇一八年冬季号)

＊は、講演後、講演原稿が加藤の個人ウェブ配信雑誌「ハシからハシへ」に発表された。

本書は二〇一七年七月に幻戯書房より刊行された『もうすぐやってくる尊皇攘夷思想のために』に、著者の生前の意思に基づき「II　どんなことが起こってもこれだけは本当だ、ということ。――幕末・戦後・現在」(岩波ブックレット、二〇一八)および「VI　一八六八年と一九四五年――福沢諭吉の『四年間の沈黙』」(『三田文學』二〇一八年冬季号)を新たに加え、増補とした。

増補 もうすぐやってくる尊皇攘夷思想のために

2023年2月15日　第1刷発行

著　者　加藤典洋（かとうのりひろ）

発行者　坂本政謙

発行所　株式会社 岩波書店
〒101-8002 東京都千代田区一ツ橋 2-5-5
案内 03-5210-4000　営業部 03-5210-4111
https://www.iwanami.co.jp/

印刷・精興社　製本・中永製本

ISBN 978-4-00-602349-2　　Printed in Japan

岩波現代文庫創刊二〇年に際して

二一世紀が始まってからすでに二〇年が経とうとしています。この間のグローバル化の急激な進行は世界のあり方を大きく変えました。世界規模で経済や情報の結びつきが強まるとともに、国境を越えた人の移動は日常の光景となり、今やどこに住んでいても、私たちの暮らしは世界中の様々な出来事と無関係ではいられません。しかし、グローバル化の中で否応なくもたらされる「他者」との出会いや交流は、新たな文化や価値観だけではなく、摩擦や衝突、そしてしばしば憎悪までをも生み出しています。グローバル化にともなう副作用は、その恩恵を遥かにこえていると言わざるを得ません。

今私たちに求められているのは、国内、国外にかかわらず、異なる歴史や経験、文化を持つ「他者」と向き合い、よりよい関係を結び直してゆくための想像力、構想力ではないでしょうか。

新世紀の到来を目前にした二〇〇〇年一月に創刊された岩波現代文庫は、この二〇年を通して、哲学や歴史、経済、自然科学から、小説やエッセイ、ルポルタージュにいたるまで幅広いジャンルの書目を刊行してきました。一〇〇〇点を超える書目には、人類が直面してきた様々な課題と、試行錯誤の営みが刻まれています。読書を通した過去の「他者」との出会いから得られる知識や経験は、私たちがよりよい社会を作り上げてゆくために大きな示唆を与えてくれるはずです。

一冊の本が世界を変える大きな力を持つことを信じ、岩波現代文庫はこれからもさらなるラインナップの充実をめざしてゆきます。

（二〇二〇年一月）

岩波現代文庫［文芸］

B344
狡智の文化史
—人はなぜ騙すのか—
山本幸司

嘘、偽り、詐欺、謀略……。「狡智」という厄介な知のあり方と人間の本性との関わりについて、古今東西の史書・文学・神話・民話などを素材に考える。

B345
和の思想
—日本人の創造力—
長谷川櫂

和とは、海を越えてもたらされる異なる文化を受容・選択し、この国にふさわしく作り替える創造的な力・運動体である。〈解説〉中村桂子

B346
アジアの孤児
呉濁流

植民統治下の台湾人が生きた矛盾と苦悩を克明に描き、戦後に日本語で発表された、台湾文学の古典的名作。〈解説〉山口守

B347
小説家の四季
1988—2002
佐藤正午

小説家は、日々の暮らしのなかに、なにを見つめているのだろう——。佐世保発の「ライフワーク的エッセイ」、第1期を収録！

B348
小説家の四季
2007—2015
佐藤正午

『アンダーリポート』『身の上話』『鳩の撃退法』、そして……。名作を生む日々の暮らしを軽妙洒脱に綴る「文芸的身辺雑記」、第2期を収録！

2023.2

岩波現代文庫[文芸]

B349
増補 もうすぐやってくる尊皇攘夷思想のために
加藤典洋

幕末、戦前、そして現在。三度訪れるナショナリズムの起源としての尊皇攘夷思想に向き合うために。晩年の思索の増補決定版。

〈解説〉野口良平

2023. 2